Kochkunst in Bildern

Band 7

# KOCHKUNST IN BILDERN • 7

Das Plattenbuch der Internationalen Kochkunst-Ausstellung 2004
425 Farbabbildungen von Kreationen
mit Kurzbeschreibungen und Namen der Hersteller
74 Farbabbildungen der Nationalteams

The book on platters of the International Culinary Art Exhibition 2004
425 coloured pictures of the creations
with short descriptions and the names of the producers
74 coloured pictures from the national teams

Le livre plateaux de l'Exposition Internationale de l'Hôtellerie et de la Restauration 2004
425 photos en couleur des créations
avec des descriptions courtes et des noms des producteurs
74 photos en couleur des équipes nationales

*Herausgeber:*

*Verband der Köche Deutschlands e. V.*
*Frankfurt am Main*

MATTHAES VERLAG GMBH

## Inhalt

Vorworte .... 6
Mitglieder des Weltbundes der Kochverbände .... 12
Richtlinien der Nationalmannschaften für die IKA 2004 .... 15
Spezielle Ausstellungsbestimmungen für Jugendnationalteams .... 17
Spezielle Ausstellungsanforderungen für regionale und individuelle Mannschaften .... 18
Teilnahmebedingungen für die Olympiade der Patissiers – Teamwettbewerb .... 20
Teilnahmebedingungen für Mannschaften der Militärkräfte „Truppenverpflegung" .... 21
Teilnahmebedingungen, Anmeldungsunterlagen und Richtlinien
für Mannschaften der Großverpflegung .... 23
Sie tragen eine große Verantwortung! .... 34
Die Jurys der IKA .... 39
32 Nationalmannschaften mit ihren Menüs .... 51
16 Jugendnationalmannschaften mit ihren Menüs und Kalten Platten .... 89
11 Militärnationalmannschaften und 2 B-Mannschaften
mit einer Menüauswahl und ihren Kalten Platten .... 121
7 Gemeinschaftsverpflegungs-Mannschaften mit ihren Menüs .... 167
7 Patisseriemannschaften .... 179
Vorspeisen und kalte festliche Platten .... 187
Restaurationsplatten und Menüs .... 245
Patisserie .... 325
Schaustücke, Tafelaufsätze und Dekorationsstücke .... 377
Sponsoren der IKA .... 410
Schlusswort .... 412

## Table of Contents

Prefaces .... 7
Special Exhibition Regulations for National Teams .... 24
Special Exhibition Regulations for National Youth Teams .... 26
Special Exhibition Regulations for Regional and Individual Teams .... 28
Conditions of Participation for the Pastry Olympics-Team Competition .... 29
Special Exhibition Regulations for Military Teams .... 30
Special Exhibition Regulations for Teams Community Catering .... 32
You took a great responsibility! .... 35
The Juries of the IKA .... 39
32 National Teams and their Menus .... 51
16 National Youth Teams and their Menus and Cold Platters .... 89
11 Armed Forces National Teams and 2 B-Teams with a Choice of Menus and their Cold Platters .... 121
7 Teams of Communal Feeding and their Menus .... 167
7 Patisserie-Teams .... 179
Hors-d'oeuvres and Cold Festive Platters .... 187
Restaurant Platters and Menus .... 245
Patisserie .... 325
Showpieces, Table Decorations and Decorative Items .... 377
Final Remarks .... 413

## Contenu

Avant-propos .... 8
Une immense responsabilité! .... 36
Les jurys de l'IKA .... 39
32 équipes nationales et leurs menus .... 51
16 équipes nationales de jeunes et leurs menus et leurs plats froids .... 89
11 équipes nationales des forces armées et 2 équipes B avec un choix de menus et leurs plats froids .... 121
7 équipes de ravitaillement collectif et leurs menus .... 167
7 équipes de pâtisserie .... 179
Hors-d'œuvre et plats de fête froids .... 187
Plats de restauration et menus .... 245
Pâtisserie .... 325
Pièces d'exposition, surtouts de table et pièces de décoration .... 377
Conclusion .... 414

# Vorwort

Kochkunst verbindet die Welt! Kaum ein anderes Ereignis stellt diese These so eindrucksvoll unter Beweis wie die IKA/Olympiade der Köche. Alle vier Jahre treffen Köchinnen und Köche, Kolleginnen und Kollegen, Auszubildende und Chefs aus fünf Kontinenten in friedlicher und freundschaftlicher Atmosphäre aufeinander. Um zu kochen, um zu lernen, um Erfahrungen auszutauschen und um einander zu begegnen.

Vom 17. bis 20. Oktober 2004 war es wieder so weit – zum 21. Mal: Die Welt der Kochkunst war zu Gast beim Verband der Köche Deutschlands und somit auch Gast in Erfurt. Wer nicht dabei war, hat etwas verpasst. In den Hallen der Messe Erfurt herrschte – nach der erfolgreichen Erstauflage vor vier Jahren – auch diesmal eine ganz besondere Atmosphäre. Der ausgeprägte Mannschaftsgeist und die hohe Motivation waren ebenso zu spüren wie die Freude an der Innovation. Denn zu jeder IKA/Olympiade der Köche gehören seit jeher auch die neuen Trends auf dem Teller – ob in den Wettbewerben der National-, Militär- und Regionalmannschaften oder bei den Patissiers, den Spezialisten der Gemeinschaftsverpflegung und den zahlreichen Einzelausstellern.

Welche Entbehrungen, Kraftanstrengungen und Teamgeist hinter einem solchen Wettbewerb stehen, das wissen nicht nur die aktiven Olympioniken. Ohne die zahlreichen Helfer und Unterstützer im Hintergrund wäre ein solches Großereignis gar nicht vorstellbar.

Ein ganz besonderer Dank geht an diese Menschen, die im Vorfeld und während der IKA/Olympiade der Köche dafür gesorgt haben, dass ein wahrhaft olympisches Feeling entstehen konnte. Sie haben dazu beigetragen, dass mehr als 1000 engagierte Köchinnen und Köche aus aller Welt vier Tag lang unter Beweis stellen konnten, was kreatives Kochen bedeutet und ausmacht. Mit viel Konzentration und Know-how haben alle Teilnehmer in Erfurt ihre besondere Verbundenheit zur Kochkunst und zum Kochberuf gezeigt. Es war eine Freude, ihnen dabei zuzusehen und dieses erleben zu dürfen.

Damit die Kunst des olympischen Kochens nicht verloren geht und der Nachwelt erhalten bleibt, werden seit 1980 Exponate und Kochkünstler sowie Eindrücke der IKA/Olympiade der Köche in Wort und Bild festgehalten. Bereits zum siebten Mal legt nun der Matthaes Verlag, Stuttgart, in Zusammenarbeit mit dem engagierten Team um Hansjoachim Mackes aus Fotografen und fleißigen Helfern das Werk „Kochkunst in Bildern" vor. Auch mit der vorliegenden Ausgabe dieser einzigartigen IKA-Dokumentation ist es ihnen gelungen, große Momente und bemerkenswerte Mannschaftsleistungen für die Ewigkeit festzuhalten.

Dieses Buch gibt die Atmosphäre, die Internationalität und die Stimmungen wieder, die während der 21. IKA/Olympiade der Köche in den Messehallen und Küchen von Erfurt spürbar waren. Wie durch ein Kaleidoskop sehen wir darin die Impulse und Ideen, die vom thüringischen Erfurt aus in die Welt getragen wurden. Fotos von Kreationen, die heute noch hier und morgen bereits auf der anderen Seite des Globus zu sehen sind.

Das Blättern in „Kochkunst in Bildern 7" soll Sie, liebe Leserinnen und Leser, noch lange und eindringlich an die 21. Auflage der Köche-Olympiade im Jahr 2004 erinnern. Und es soll Ihnen die Zeit verkürzen bis zum Wiedersehen bei der nächsten IKA/Olympiade der Köche. Auf die Überraschungen, die uns die Köchinnen und Köche aus aller Welt im Jahr 2008 präsentieren, dürfen wir schon heute gespannt sein.

*Reinhold Metz*
*Präsident des Verbandes der Köche Deutschlands e. V.*

Reinhold Metz

# Preface

Culinary art connects the world! Hardly another event proofs this thesis as impressively as the IKA/Culinary Olympics of chefs. Every four years chefs, colleagues, trainees and their bosses meet in peaceful and friendly atmosphere from five continents. To cook, to study, to exchange experiences and to meet each other.

It was once again and for the 21st time from October 17th to 20th, 2004: The world of the culinary art met in Erfurt and guest of the Association of German chefs. Who did not attend has certainly missed a big occasion. In the expedition halls of Erfurt was a quite special atmosphere this time too after the successful first duration four years ago.

The distinctive team spirit and the high motivation had to be felt as well as the joy in the innovation. The new trends are part of every IKA/Culinary Olympics whether in the competitions of the National, Armed Forces and Regional teams or at the Patissiers, the specialist of Institutional Dining and the numerous individual exhibitors. Only the active Olympic athletes know what privation effort and team spirit are behind such a competition. Without the numerous helpers and sponsors in the background the great event wouldn't be imaginable at all.

A special thank you goes to those people, who helped before and during the IKA/Culinary Olympics so that a real Olympic feeling could arise. They have contributed that more than 1000 engaged cooks from all over the world could proof for days what creatively cooking means. With a great concentration and know-how all participants have shown in Erfurt their special attachment in culinary art and for the cook profession. It was a joy to watch them and to be allowed to experience this.

That the culinary art will be not forgotten and be kept for the posterity, impressions and exhibits have been held tight since 1980 in word and picture of the IKA/Culinary Olympics for all cooks. For the seventh time the Matthaes publishing house, Stuttgart, in cooperation with Hansjoachim Mackes and several photographers surrounded with hardworking helpers are there to create another book of "Culinary Art in Pictures". The 7 th. edition is also a unique IKA documentation. They have succeeded in holding great moments and remarkable performances tight for the eternity.

The book reflects you the atmosphere and internationality which was noticeable in the exhibition halls and kitchens of Erfurt during the 21st IKA/Culinary Olympics. Like through a kaleidoscope you can see the impulses and ideas which were carried by the Thuringian City of Erfurt to the world. Photos of creations which will be seen here today, will be seen on the opposite side of the globe tomorrow.

Scrolling in "Culinary Art in Pictures 7" will give you, dear readers, for a long time and insistently a reminder of the 21st edition of the Culinary Olympics in the year 2004. And it shall shorten the time for you until we re-meet at the next IKA/Culinary Olympics. We can be curious about the surprises which the chefs from all over the world will present us in the year 2008.

*Reinhold Metz*
*President of the Association of German Cooks*

Reinhold Metz

# Avant-propos

La cuisine est un art qui unit le monde! Peu d'événements en témoignent de manière aussi impressionnante que la manifestation IKA/Olympiade des cuisiniers. Tous les quatre ans, cuisinières et cuisiniers, collègues, apprentis et chefs des cinq continents s'y retrouvent dans une atmosphère paisible et amicale pour cuisiner, apprendre, échanger leurs expériences et se rencontrer.

Du 17 au 20 octobre 2004, l'olympiade a de nouveau eu lieu – pour la 21ème fois, la gastronomie du monde entier était l'invitée de l'Association des cuisiniers allemands (Verband der Köche Deutschlands) et invitée à Erfurt. Les absents ont sans aucun doute manqué quelque chose. Dans les halles de la foire d'Erfurt régnait cette fois encore – après le succès de la première édition d'il y a quatre ans – une atmosphère des plus particulières. L'esprit d'équipe et la motivation y étaient très sensibles, autant que le plaisir de l'innovation. En effet, depuis toujours, chaque IKA/ Olympiade des cuisiniers est aussi la vitrine des tendances les plus nouvelles en matière de gastronomie – parmi les équipes nationales, militaires ou régionales autant que parmi les pâtissiers, les spécialistes des collectivités et les nombreux exposants individuels en concurrence.

Et les concurrents ne sont pas les seuls à connaître les privations, les efforts et l'esprit d'équipe qui forment les coulisses d'un tel concours – en effet, sans les innombrables aides et assistances en coulisses, il ne serait même pas imaginable.

Ils méritent doc des remerciements tout particuliers, tous ceux qui, avant et pendant l'IKA/ Olympiade des cuisiniers, ont œuvré à créer un vrai sentiment olympique. Ils ont permis à plus de 1000 cuisinières et cuisiniers engagés du monde entier de faire la preuve pendant quatre jours de ce que signifiait et ce que représentait la cuisine créative. Avec beaucoup de concentration et de savoir-faire, les participants d'Erfurt ont montré leur attachement à l'art culinaire et à leur métier de cuisinier – c'était véritablement un plaisir de les voir au travail et de vivre cette expérience.

Pour que l'art de la cuisine olympique ne se perde pas et reste à la postérité, les objets exposés et les artistes sont fixés depuis 1980 en mots et en images, ainsi que les impressions laissés par l'IKA/Olympiade des cuisiniers. Pour la septième fois cette année, les éditions Matthaes Verlag de Stuttgart, en collaboration avec l'équipe engagée de photographes et d'aides diligents autour de Hansjoachim Mackes, présentent l'ouvrage «Kochkunst in Bildern». Avec le numéro 7 de cette documentation unique sur l'IKA, ils sont encore une fois parvenus à immortaliser de grands moments et des réalisations remarquables.

L'ouvrage restitue l'atmosphère, l'internationalité et l'ambiance qui ont régné lors de cette 21ème IKA/Olympiade des cuisiniers dans les halles et les cuisines de la foire d'Erfurt. Comme à travers un kaléidoscope, on y retrouve les impulsions et les idées nouvelles qui, parties d'Erfurt en Thuringe, ont fait le tour du monde, les photos de créations qu'on voit ici aujourd'hui et qu'on verra demain aux antipodes.

Feuilleter «Kochkunst in Bildern 7» vous permettra encore longtemps, chères lectrices et chers lecteurs, de garder un vif souvenir de la 21ème Olympiade des cuisiniers de 2004. Et vous fera paraître moins long le temps jusqu'à la prochaine IKA. Car bien entendu, nous sommes d'ores et déjà curieux et impatients de découvrir les surprises que nous préparent les cuisinières et cuisiniers du monde entier pour 2008.

*Reinhold Metz*
*Président du Groupement des cuisiniers allmands*

Reinhold Metz

# Vorwort

Willkommen zur 7. Ausgabe von „Kochkunst in Bildern". Wiederum ist dieses Buch ein wichtiger Beitrag unseres Berufstandes, der die Trends der modernen Kochkunst widerspiegelt. Es atmet den Geist der 21. Olympiade der Köche im Jahr 2004 und übersteigt bei weitem den Inhalt vergleichbarer Kochbücher.

Ich habe jede Ausgabe dieser Kochbuchserie gesammelt und kann diese Reihe allen ernsthaft interessierten Kollegen ohne zu zögern empfehlen. Für mich ist „Kochkunst in Bildern" eine der wertvollsten Quellen und ein wesentlicher Bestandteil meiner eigenen wie auch der Bibliothek des Kulinarischen Instituts von Amerika.

Seit der Veröffentlichung des ersten Bandes im Jahr 1980 und mit jeder weiteren Ausgabe legt diese Reihe Zeugnis ab von der weltweiten Entwicklung und der Dynamik der Kochkunst, wie wir sie heute kennen.

Darüber hinaus bietet das Werk eine chronologische Übersicht über das weltweit renommierteste kulinarische Ereignis, das unter dem Namen „Culinary Olympics" bzw. „Olympiade der Köche" bekannt ist.

Es strahlt rund um den Globus aus und wird die Köche weltweit beeinflussen. Zudem unterstützt es W.A.C.S. darin, das Konzept C-H-E-F (Cuisine/Küche, Hospitality/Gastfreundschaft, Education/Bildung, Food/Nahrung) zu verankern.

Über die Jahre war die IKA als Teil des VKD stets ein freundlicher Gastgeber und galt als Treffpunkt für großartige Wettbewerbe unter der Schirmherrschaft des Weltbundes der Kochverbände (W.A.C.S.).

Als weltumspannende Föderation mit etwa acht Millionen Mitgliedern in fünfundsiebzig Ländern auf allen fünf Kontinenten danken wir dem Vorstand des Verbandes der Köche Deutschlands e. V. für die vorzügliche Ausrichtung dieser kulinarischen Großveranstaltung.

Im Namen des Weltbundes der Kochverbände danke ich allen, die hierfür ihre Talente, Energien und Visionen eingebracht und einer breiten Öffentlichkeit zugänglich gemacht haben.

Sie alle haben eine wichtige Erkenntnis in uns wachgerufen: Die Erfahrung einer Reise ist sehr viel wertvoller als die Zufriedenheit, sein Ziel zu erreichen.

Ferdinand Metz
Präsident der World Association of Cooks' Societies

## Preface

Welcome to volume 7 of "Illustrated Culinary Art". Once again, "Kochkunst in Bildern" was conceived as a tribute to our profession and a reflection of modern, trendsetting cuisine. It captures the spirit of the IKA/Culinary Olympics 2004 and thus transcends the contents of ordinary cook books.

Having personally collected every single issue over the years I recommend, without hesitation, these volumes to any serious culinary professional. I have found "Kochkunst in Bildern" not only a most valuable resource, but also an essential addition to my own library and that of the Culinary Institute of America.

Beginning with the first publication in 1980 and augmented with every following issue, "Kochkunst in Bildern" allows you to witness the dynamic evolution of global cuisine as we know it today. Furthermore, it provides a factual and chronological account of the most prestigious global culinary event, known as the Culinary Olympics.

The influence of this work has been felt around the world and reinforces todays W.A.C.S.'s vision of promoting the concept of C-H-E-F, which stands for Cuisine, Hospitality, Education and Food.

Over the years the IKA has been the gracious host to the quadrennial meeting and competition under the auspices of the World Assocation of Cooks Societies (W.A.C.S.). As a world-wide federation, comprised of about eight million members from five continents, representing over seventy-five countries, we are grateful for the leadership of the Association of German chefs for providing a venue of unparalelled culinary excellence.

On behalf of the World Federation of Cooks' Societies I thank all those who have contributed their talents, energies and visions towards this and past publications.

All of them have taught us an important lesson: The experience of the journey is by far more valuable than the satisfaction of reaching one's destination.

Ferdinand Metz
President of the World Association of Cooks' Societies

## Avant-propos

Bienvenue dans ce volume 7 de «Kochkunst in Bildern». Une fois de plus, cet ouvrage a été conçu comme un hommage rendu à notre profession et un reflet de la cuisine moderne et innovante. Il renferme l'esprit de l'IKA/Olympiade des cuisiniers 2004 et transcende ainsi le contenu des livres de cuisine ordinaires.

En tant que collectionneur de tous les numéros depuis le début, je les recommande sans la moindre hésitation à tout professionnel de la cuisine un tant soit peu sérieux. Pour moi, «Kochkunst in Bildern», outre une ressource des plus précieuses, constitue un élément essentiel de ma bibliothèque et de celle du Culinary Institute of America.

Depuis sa première publication en 1980 augmentée de chaque nouveau numéro, «Kochkunst in Bildern» témoigne de l'évolution et du dynamisme de la cuisine d'aujourd'hui dans le monde entier. Sans compter qu'il fournit un compte-rendu chronologique de la plus prestigieuse des manifestations culinaires mondiales, l'Olympiade des cuisiniers.

L'influence de l'ouvrage s'est fait sentir dans le monde entier et confirme la vision de la W.A.C.S. visant à promouvoir le concept C-H-E-F, ou Cuisine, Hospitalité, Éducation et Nourriture (food).

Avec le temps, l'IKA a gracieusement accueilli la rencontre et la compétition quadriennales sous les auspices de l'Association mondiale des sociétés de cuisiniers/World Assocation of Cooks Societies (W.A.C.S.). En tant que fédération internationale aux près de huit millions de membres des cinq continents représentant plus de soixante-quinze pays, nous sommes reconnaissants à l'Association des cuisiniers allemands pour leur gestion de ce rendez-vous d'une excellence culinaire inégalée.

Au nom de l'Association mondiale des sociétés de cuisiniers, je remercie tous ceux qui ont contribué avec leurs talents, leurs énergies et leurs visions à la présente publication comme aux précédentes.

Tous nous ont appris une grande leçon: l'expérience du voyage a bien plus de valeur en soi que la satisfaction d'atteindre sa destination.

Ferdinand Metz
Président de World Association of Cooks' Societies

# Mitglieder des Weltbundes der Kochverbände

**Argentina**
Professional Center and Brotherhood
of Kitchen Workers Association #5968
Centro Profesional y F.T. de la Cocina
Avda. Rivadavia 1255 – Piso – Of. 423
CP 1033
AR Buenos Aires, ARGENTINA
*President Jose Luis Godoy*

**Australia**
Australian Culinary Federation
PO BOX 1044
Echua 3564, AUSTRALIA
*President Glenn Austin*

**Austria**
Verband der Köche Österreichs
Josefstädterstraße 15
A-1080 Wien
*President Prof. Dir. Franz Zodl*

**Azerbaijan**
The Azerbaijan National Culinary Ass.
370031 Tramvainaya str.
AZ 23/41 Baku, AZERBAIJAN REPUBLIC
*President Takhir Idris Oglu Ami-Raslanov*

**Bahamas**
Bahamas Culinary Association
P.O.Box CB-13302 Nassau, BAHAMAS
*President Edwin Johnson*

**Bolivia**

**Brazil**
Associaçâo Brasiliero da Alta Gastronomia
Av. Brigadeiro Faria Lima
1478-4th and Cj 416
01451-913 Sâo Paulo – SP – BRAZIL
*President Jorge Eugênio Monti De Valassina*

**Canada**
Canadian Federation of Chefs & Cooks
The Canadian Federation of Chefs and Cooks
707-1281 West Georgia Street
Vancouver, BC V6E 3J7 CANADA
*President Bruno Marti*

**Chile**
Associacion Cilena de Gastronomia ACHIGA
La Concepiion 65, Oficina 1002
Prvidencia Santiago, CHILE
*President Frenando de la Fuente*
*General Manager Jacqueline Rodriguez*

**China**
China Cuisine Association
45 Fuxingmennei Street
CN Beijing 100801
The People's Republic of CHINA
*Honorary President Zhang Shiyao*
*General Secretary Wang Jiagen*

**Costa Rica**
Asociation Naional de Chef Costa Rica
Apartado 327 – 1009 Fecosa
San José, COSTA RICA
*President Carolina Coronado Hernandez*

**Craotia**
Hrvatsko Drustvo Kuhara Vrbovec
Strukovna Udruga, Brcevec 70
HR 10340 Vrbovec
*President Vladimir Katanec*
*Secretary Vladimir Balent*

**Cuba**
Asociación Culinaria de la República de Cuba
Habana 304
3er piso entre San Juan de Dios y O'Relly/CP 10100
CU Habana, 1, CUBA
*President Jose Luis Santana Guedes*
*Director Recaciones Int. Gilberto Smith Duquesne*

**Cyprus**
Cyprus Chef's Association
Likavitou 19 A, P.O. Box 27699
CY 2401 Makedontissa, Nicosia, CYPRUS
*President Marios Hadjiosif*

**Czech Republic**
Association of Chefs and Confectioners
of Czech Republic
Pocernicka 168
CZ-100 99 Praha 10, CZECH REPUBLIC
*President Julius Dubovsky*

**Danemark**
Kokkencheffernes Forening
Sct. Mathiasgade 30. 2. tv
DK-8800 Viborg, DANEMARK
*President Gert Sorensen*

**Egypt**
Egypt Chef's Association
7, El Fat'h Street
El Manial El Rawda
EG Cairo, EGYPT
*President Markus J. Iten, Executive Chef Cairo*
*Sheraton, Galaa Square Dokki EG Cairo*

**Ecuador**
Association de Chef del Ecuador ACE
Mauricio Amrmendaris Bartolome de las Casas
Oe5-174 y la Isla Quito, ECUADOR
*Presidente Mauricio Armendaris*

**United Arab Emirates**
Emirates Culinary Guild
P.O. Box 11803
AE Dubai, UNITED ARAB EMIRATES
*President, new elected*

**Fiji Islands**
The Fiji Chefs Association
P.O. Box 10942
FJ Nadi Airport, FIJI ISLANDS
*President Daniel Lenherr*
*Sec. Mr Meenu Mohan*

**Finland**
Finnish Chefs Assciation
Finfood Suomen-Ruokatieto ry
PL 309
FIN-01301 Vantaa
*President Martti Lehtinen*
*Sec Esa Anttila*

**France**
Société Mutualiste des Cuisiniers de France
45, rue Saint Roch
FR-75005 Paris
*Président Raoul Gaia*

**Germany**
Verband der Köche Deutschlands
Steinlestraße 32
D-60596 Frankfurt a. Main 70
*Präsident Reinhold Metz*

**Great Britain/UK**
Chefs and Cooks Circle
P.O. Box 239
GB-London N14 7NT UK
*President Brian Cotterill*

**Greece**
Chefs Club of Greece
Astir Palace Vouliagmeni
GR-16671 Vouliagmeni, Athens
*President Tolis Tasos*

**Guatemala**
Asociation Guatemelieca
del Arte culinario Guatemala C.A.
13 Calle 15-75 zona 13, GUATEMALA C.A.
*President Edua Morales*

**Hong Kong**
Hong Kong Chefs Association
P.O. Box 91614, Tsim Shatsui Post Office
HK Kowloon, HONG KONG
*President Uwe Lasczyk*

**Hungary**
The Hungarian Cook's Society
Jókai u. 6
HU-1066 Budapest
*President Istvan Peto*

**Iceland**
Icelandic Chef Association
P.O. Box 1301
IS-121 Reykjavik ICELAND
*President Gissur Gudmundsson*

**India**
Indian Federationof Culinary Associations
5thElegant VillaB – Block 13
12th Cross Street Indra Nagar
Adyar Chennai-600 020 INDIA
*President Manjit S. Gill*
*Secretary-General P.Soundararajan*

**Indonesia**
Association of Culinary Professionals Indonesia
JKT. Hilton Int. Hotel, P.O. Box 3315
ID Jakarta 10002, INDONESIA
*President Rolf Jaeggi*

**Ireland**
Congress 2004 Panel of Chefs of Ireland
P.O. Box 3716
Bullsbridge
Dublin 4, IRELAND
*President Patrick Brady*
*Chief executive Eoin Mc Donnell*

**Israel**
Cercle des Chefs de Cuisine d'Israel I.C.C.
P.O. Box 50152
IL Tel Aviv 61500, ISRAEL
*President Rafi Yefet*

**Italy**
Federazione Italiana Cuochi
Via Pergolesi, 29
I-20124 Milano
*President Professore Paolo Caldana*
*General Secretary Gian Paolo Cangi*

**Japan**
All Japan Cooks Association
3-6-22 Shibakoen, Minato-ku
JP Tokyo, JAPAN 105 0011
WACS Co-ordinator Petriea Hirabayashi
*President Shiro Deguchi*
*Ambassador Kunihiko Seto*

**D.P.R. Korea**
Cooks Association Democratic Peoples
Republic of Korea
Rakwon Street 200-510
Pottongyang District, PYONGYANG
KP D.P.R. KOREA
*President Ri Chang Ho*

**South Korea**
Korean Cooks Association
3rd, ilsung bldg
27-1, hangchon-dong, chongro-gu
KR Seoul, 110-091, REPUBLIC OF KOREA
*President Min-Soo Kang*

**Luxembourg**
Vatel Club Luxembourg
B.P. 271
L-9003 Ettelbrück
*President Armand Steinmetz*
*Sec. Jules Blau*

**Lativa**
Latavian Cooks Association LPKA
Ziepniekkalna Street 21 b
RIGA Latvia LV 1004
*President Ivea Vieslüre*

**Malaysia**
Chefs Association of Malaysia
15B, Jalan Pandan Indah 1/23B
MY 55100 Kuala Lumpur, MALAYSIA
*President K.K. Yau*
*General Secretary Kai Wagner*

**Malta**
The Malta Cookery & Food Association
c/o Institute of Tourism Studies
St. Georges Bay
MT St. Julians STJ 02, MALTA
*Chairman Guido DeBono*

**Mauritius**
Mauritian Chefs Association
Mougam Paretumbee
Hotel&Catering Training Centre
Darbarry lane, Central Flacq MAURITIUS
*President Gopalsamy Murday*
*Secretary Mougam Pareatumbee*

**Mexico**
Asociacion Culinaria de Mexico A.C.
Antilope 18 Planta Baja
Super Manzana 20
Cancun, Q. Roo MEXICO 77500
*President Margarita Rendon de Vin*

**Myanmar**
Myanmar Chef's Association
Bayview Beach Resort, Ngapali
No30 AB 5th Floor Bo Moe st
Mhay Nigone Yangon UNION OF MYANMAR
*President Oliver E. Soe Thet*

**Monaco**
Le Grand Cordon D'Or de la Cuisine
Villa Serena, 8 bis, Avenue de la Costa
MC-98000 Monte Carlo, MONACO
*President Marcel Athimond*

**Netherlands**
Koksgilde Nederland
Reigersweg 26
NL-1873 HR Groet N-H
*President R.C. Munter*

**New Zealand**
Congress 2006 New Zealand Chefs Association Inc.
P.O. Box 58 756
Greenmount, East Tamaki
NZ Auckland, NEW ZEALAND
*President Steve Barton*
*Administration John Norton*

**Norway**
Norges Kokkemesteres Landsforening
Administration Office
P.O. Box 8002
NO-4068 Stavanger
*President Per Lauritz Lien*
*G.-Manager Turid E. Jensen*

**Philippines**
Les Toques Blanches
7431 Yakal Street, San Antonio Village
P.O. Box 3211, Makati C.P.O. 1272
PH Makati, Metro Manila, PHILIPPINES
*President Othmar Frei*

**Peru**
Association Peruana de Chef
Cocineros y Afines, APCCA
Jr. Maximiliano Carranza 540 Zona „D"
San Juan de Miraflores
PE LIMA 29 – PERU
*President Augstin Buitron B.*

**Poland**
Polish of Kitchen & Pastry Chefs Association
Gozdizikow Street 29/31
PL 04-231 Warsaw, POLAND
*President Grzegorz Kazubski*
*Honorary President Kurt Scheller*

**Portugal**
Associace Dos Cozinheiros & Psteleiros de Portugal
Calçada da Tapada, 29-B
PT-1300-544 Alântara Lisboa
*President Carlos Madeirea*

**Romania**
Asociatia Nationala a Bucatarilor si cofetarilor
7 General Gheorge Maqheru
Suit 40. 3rd Floor
RO 701651 Bucarest, ROMANIA
*President Dumitru Burtea*

**Russia**
Russian Interregional Culinary Association
Berezhkouskaya NAB, 6
RU 121864 Moscow, RUSSIA
*President Natalya Nomofilova*

**Saudi Arabia**
Les Toques Blanches
Pattis France, P.O. Box 172
SA Dammam 31411, SAUDI ARABIA
*President Julien L. Tornambe*

**Scotland**
Federation of Chefs Scotland
17 Burnbrae Park
Kincardine, FK10 4R, SCOTLAND
*President Tony Jackson*

**Singapore**
Singapore Chefs Association
P.O. Box 926, Raffles City
SG SINGAPORE 911731
*President Otto Weibel*

**Slovakia**
Slovak Union of Chefs and Confectioners
Hviezdoslavovo nám. 20
SL 811 02 Bratislava
*President Frantisek Janata*

**Slovenia**
Slovenian Chefs Association
HIT D.O.O. Nova Gorcia
Delpinova 7a
SI 5000 Nova Gorcia, SLOVENIA
*President Iztok Legat*

**Spain**
Federacion De Asociaciones De Cocineros
Y Reposteros De España
Calle Amar de Bios 4
E-28014 Madrid
*President Norberto Buenache Moratilla*

**South Africa**
South African Chefs Association
Twin Towers East
2nd Floor, Sandton City
P.O. Box 787584
ZA Sandton 2146, SOUTH AFRICA
*President Heinz Brunner*
*Chairman Dr. h.c. Bill Gallagher*

**Sri Lanka**
Chefs Guild of Sri Lanka
Box 50
Buisness Centre Colombo Hilton
Lotus Road
LK Colombo 01, SRI LANKA
*President Gerard Mendis*

**Sweden**
Sveriges Kockars Förening
C/o Günter Klose
Myrgangen 124
SE-46162 rollhättan Bandhagen
*President Peter Wilbois*

**Switzerland**
Société suisse des cuisiniers
P.O. Box 4870
CH-6002 Lucerne
*President Georges Knecht*
*Executive Director Norbert Schmidiger*

**Thailand**
Thai Chefs Association
661-663 Sukhumvit 103 Road (Soi Ugomsuk)
Banga 10260 Bangkok THAILAND
*President Sawakit Preeprem*
*Overseas Coordinator Marco P. Brüschweiler*

**Ukraine**
Confederation of Culinary Specialists of Ukraine
19, Kioto St.
Kiev, 02156 Ukraine
*Vice-President Mikhailo Peresighnyi*
*Dejnichenko Grigory – Member of the Board*

**Uruguay**
AUCCA
Calle 18 de JULIO 976
Paysandu 783 1er Piso y Florida
UY Montevideo, URUGUAY 11100
*President Victor Guiterrez*

**USA**
American Culinary Federation, Inc.
P.O. Box 3466
St. Augustine, Florida 32086 USA
*President Edward G. Leonard*

**Usbekistan**
Cooks Association of Usbekistan
6, Movarounnahr
Tashkent 700000
*Chairman Solikshon S. Muslimov*

**Wales**
The Welsh Culinary Association
Hotel Maes-y-Neuadd
Talsarnau Near Harlech
Gwynedd LL47 6YA WALES/GB
*President Peter Jackson*

# Richtlinien der Nationalmannschaften für die IKA 2004

Nur die nationalen Verbände, die dem Weltbund der Kochverbände (W.A.C.S.) angehören, können pro Nation ein Nationalteam am Wettbewerb teilnehmen lassen.

**Teamzusammenstellung**

1 Teamchef
3 Köche
1 Patissier
1 Ersatzmitglied

Der Teamchef darf in allen Bereichen mitarbeiten. Das Ersatzmitglied darf in der warmen Küche nur annoncieren.

**KATEGORIE A – Kochkunst**

- Showplatten „Fingerfood, Tapas und/oder Snacks" – in zwei Teilaufgaben

  1. Platte = 5 verschiedene „Fingerfood, Tapas und/oder Snacks"-Sorten je 6 Einzelportionen, kalt gedacht, kalt präsentiert

  2. Platte = 5 verschiedene „Fingerfood, Tapas und/oder Snacks"-Sorten je 6 Einzelportionen, warm gedacht, kalt präsentiert

  1 kalte festliche Platte für 8 Personen

  6 verschiedene komplette Vorspeisen, einzeln angerichtet für 1 Person

Von den 6 verschiedenen Vorspeisen muss eine Vorspeise doppelt (2x) hergestellt sein und ist zur Degustation für die Jury bestimmt.

In der Kategorie A muss zusätzlich zu den Schauplatten jeweils ein Teller für 1 Person angerichtet werden. Durch diese Demonstration – von der Schauplatte zum Teller – soll die Portion optisch wirksam dargestellt werden. Das Größen- bzw. Mengenverhältnis wird sichtbar.

**KRITERIEN für die Bewertung der Kategorie A:**

*Präsentation/Innovation* *0–20 Punkte*
Enthält appetitliche, geschmackvolle, elegante Darbietung, moderner Stil.

*Zusammenstellung* *0–20 Punkte*
In Farbe und Geschmack harmonierend, zweckmäßig, bekömmlich.

*Korrekte fachliche Zubereitung* *0–20 Punkte*
Richtige Grundzubereitungen, der heutigen modernen Kochkunst entsprechend.

*Anrichteart/Servieren* *0–20 Punkte*
Sauberes Anrichten, vorbildliche Anordnung, um ein zweckmäßiges Servieren zu ermöglichen.

*Zahl der möglichen Punkte für die Wertung* *80 Punkte*

Bei 3 Wertungen sind insgesamt 240 Punkte möglich.

Es werden keine halben Punkte vergeben.

**KATEGORIE B – Kochkunst**

- 1 vegetarische Platte ovolaktovegetabil (fleischfreie Ernährung, es dürfen aber Milcherzeugnisse und Ei verwendet werden) als Hauptgericht für 4 Personen, warm gedacht, kalt präsentiert
- 1 Menü für 1 Person, bestehend aus 3 Gängen (Vorspeise, Hauptspeise, Süßspeise), warm gedacht, kalt präsentiert
- 4 verschiedene, einzeln angerichtete innovative Hauptgerichte/Tellergerichte, warm gedacht, kalt präsentiert

**KRITERIEN für die Bewertung der Kategorie B:**

*Präsentation/Innovation* *0–20 Punkte*
Enthält appetitliche, geschmackvolle, elegante Darbietung, moderner Stil.

*Zusammenstellung* *0–20 Punkte*
Eine ausgewogene Ernährung im richtigen Verhältnis von Vitaminen, Kohlenhydraten, Eiweiß, Fett und Ballaststoffen zueinander, in Farbe und Geschmack harmonierend, zweckmäßig, bekömmlich.

*Korrekte fachliche Zubereitung* *0–20 Punkte*
Richtige Grundzubereitungen, der heutigen modernen Kochkunst entsprechend.

*Anrichteart/Servieren* *0–20 Punkte*
Sauberes Anrichten, keine gekünstelten Garnituren, keine zeitraubende Anrichteweise, vorbildliche Anordnung, um ein zweckmäßiges Servieren zu ermöglichen.

*Zahl der möglichen Punkte für die Wertung* *80 Punkte*

Bei 3 Wertungen sind insgesamt 240 Punkte möglich.

Es werden keine halben Punkte vergeben.

**KATEGORIE C**

**Patisserie/Feinbäckerei**

- 6 gleiche Desserts, warm oder kalt, auf Tellern angerichtet. Die Desserts sollen so gestaltet sein, dass sie bankettgerecht für 200 Personen angerichtet werden können.
- 1 Platte mit Teegebäck oder Pralinen oder Petits Fours oder Käsefours oder Friandises, 5 verschiedene Sorten für 8 Personen mit Schaustück, passend zum Thema.
- 4 verschiedene exklusive Desserts, auf Teller angerichtet, mit Schaustück zum selbst gewählten Thema.

Zur Degustation für die Jury muss ein Dessert für 1 Person doppelt (2x) hergestellt sein. Dieses Dessert muss der Jury direkt übergeben werden.

Alle ausgestellten Objekte müssen aus essbarem Material sein.

**KRITERIEN für die Bewertung der Kategorie C:**

*Präsentation/Innovation* *0–20 Punkte*
Enthält appetitliche, geschmackvolle, elegante Darbietung, moderner Stil.

*Zusammenstellung* *0–20 Punkte*
Geschmacklich und farblich harmonierend, zweckmäßig, bekömmlich.

*Korrekte fachliche Zubereitung* *0–20 Punkte*
Richtige Grundzubereitungen, der heutigen modernen Patisserie entsprechend.

*Anrichteart/Servieren* *0–20 Punkte*
Sauberes Anrichten, vorbildliche Anordnung, um ein zweckmäßiges Servieren zu ermöglichen.

*Zahl der möglichen Punkte*
*für die Wertung* *80 Punkte*

Bei 3 Wertungen sind insgesamt 240 Punkte möglich.

Es werden keine halben Punkte vergeben.

## KATEGORIE R

### Restaurant der Nationen

Hier können die teilnehmenden Nationalteams Spezialitäten ihres Landes herstellen. Jedes Nationalteam hat die folgende Aufgabe:

*110 Menüs, bestehend aus,*

110 x warme Vorspeise, aus Fisch oder Krustentieren oder Geflügel mit Beilage als Tellerservice, à 28 cm Ø mit Fahne
110 x Hauptgang von Schlachtfleisch oder Wild mit Beilage als Tellerservice, à 28 cm Ø mit Fahne
110 x Süßspeise als Tellerservice, à 28 cm Ø mit Fahne

Im Restaurant der Nationen wird 1 Menü als Schaustück für die Gäste in einer Vitrine präsentiert. Die Menüportion soll bereits am Vortag hergestellt und mit Aspik haltbar gemacht werden. Dieses Menü wird von uns auch fotografisch für das IKA-Buch benötigt.

Bitte zwei unterschiedliche komplette Menüvorschläge in der Landessprache, in deutscher und englischer Sprache mit genauer Rezeptur/Herstellungsanweisung für 110 Portionen einreichen.

Die Waren und Rohstoffe müssen selbst besorgt werden.

## KATEGORIE R

### Restaurant der Nationen

KRITERIEN für die Bewertung Kategorie R – Restaurant der Nationen

*Mise en place und Sauberkeit* *0–10 Punkte*
Bereitstellung der Materialien, um ein reibungsloses Arbeiten während des Service zu erreichen. Zeitgerechte Arbeitseinteilung und pünktliche Fertigstellung. Saubere, ordentliche Arbeitsweise während des Wettbewerbs wird ebenso bewertet wie der Zustand nach dem Verlassen der Küche.

*Korrekte fachliche Zubereitung* *0–20 Punkte*
Richtige Grundzubereitung, der heutigen modernen Kochkunst und Ernährungslehre entsprechend.

*Anrichteart und Präsentation/Innovation* *0–30 Punkte*
Sauberes Anrichten, keine gekünstelten Garnituren, keine zeitraubende Anrichteweise, geschmackvolle Anordnung für ein appetitliches Aussehen.

*Geschmack* *0–40 Punkte*
Der typische Eigengeschmack der Lebensmittel soll erhalten bleiben. Das Gericht soll den typischen Geschmack bei ausreichender Würzung aufweisen.
Ebenso soll durch eine entsprechende Zusammenstellung der Lebensmittel ein besonderes Geschmackserlebnis hervorgerufen werden.

Dies bedeutet, dass für jeden Menügang bis zu 100 Punkte erzielt werden können.
Daraus ergibt sich 3 x 100 = 300 Punkte insgesamt.

Es werden keine halben Punkte vergeben.

### Auszeichnungen für Nationalteams

Alle teilnehmenden Nationalteams erhalten Medaillen und Diplome entsprechend den erreichten Punkten, siehe nachstehende Erläuterung. Der Verband erhält entsprechend Medaille und Diplom.

*Punktevergabe für jeweils eine Kategorie in A, B oder C*

Es gibt für die

| | |
|---|---|
| 1. Wertung | von 0–80 der möglichen Punkte |
| 2. Wertung | von 0–80 der möglichen Punkte |
| 3. Wertung | von 0–80 der möglichen Punkte |
| insgesamt | bis 240 der möglichen Punkte |

*Punktetabelle für Medaillen in der Kategorie A, B, C*

| | |
|---|---|
| 80–72 Punkte | Goldmedaille mit Diplom |
| 71–64 Punkte | Silbermedaille mit Diplom |
| 63–56 Punkte | Bronzemdeaille mit Diplom |
| 55–20 Punkte | mit Diplom |

*Punktevergabe für Kategorie R:*
*Restaurant der Nationen*

| | |
|---|---|
| Für die Vorspeise | 0 bis 100 Punkte |
| Für den Hauptgang | 0 bis 100 Punkte |
| Für das Dessert | 0 bis 100 Punkte |

Es sind insgesamt bis 300 Punkte zu erzielen.

*Punktetabelle für Medaillen Kategorie R:*
*Restaurant der Nationen*

| | |
|---|---|
| 300–270 Punkte | Goldmedaille mit Diplom |
| 269–240 Punkte | Silbermedaille mit Diplom |
| 239–210 Punkte | Bronzemedaille mit Diplom |
| 209– 75 Punkte | Diplom |

### Auszeichnungen für Nationalteams im Wettkampf um den Olympiasieger der Köche 2004

Das Nationalteam, das in den einzelnen Kategorien A, B, C oder R die meisten Punkte erreicht hat, ist Olympiasieger in der jeweiligen Kategorie.

Das Nationalteam, das aus allen Kategorien von A, B, C und R die höchste Punktzahl erreicht hat, ist **Olympiasieger der Köche IKA 2004.**

## Spezielle Ausstellungsbestimmungen für Jugendnationalteams

**1.** Nur die nationalen Verbände, die dem Weltbund der Kochverbände angehören, können pro Nation ein Jugendnationalteam am Wettbewerb teilnehmen lassen.

**2. Teamzusammenstellung**

Die Mannschaft besteht aus 4 Teilnehmern und 1 Betreuer. 1 Ersatzteilnehmer kann gemeldet werden.

Die Teilnehmer sind Auszubildende, Commis de Cuisine, Kochschüler oder Studenten im Berufsfeld Koch.

**I. Warme Küche**

Herstellen von 110 Portionen eines Tellergerichts mit einem maximalen Materialeinkaufswert von € 3,– je Portion.
Der VKD stellt hierzu für jede Jugendnationalmannschaft eine Küche (siehe Küchenplan) zur Verfügung. Küchen-Kleingeräte (siehe Liste) werden vor Beginn durch die Mannschaft übernommen.
Die 110 Portionen müssen komplett in der Wettbewerbsküche zubereitet werden. Beachten Sie besonders die Erläuterungen, in welcher Form die Lebensmittel für das Jugendrestaurant mitgebracht werden dürfen.
1 Portion wird als Schaustück für die Gäste in einer Vitrine präsentiert (kann mit Aspik nappiert werden). Dieses Tellergericht wird von uns auch fotografisch für das IKA-Buch benötigt.
Die 110 Portionen sind so zu planen, dass sie mit den technischen Einrichtungen der Küchen zu fertigen sind.
Die Lebensmittelrohstoffe sind von den Mannschaften mitzubringen und werden mit € 330,– vergütet.
Sonstiges Handwerkszeug und Kleinküchengeräte sind gleichfalls mitzubringen.

**Erläuterungen, in welcher Form die Lebensmittel für das Jugendrestaurant mitgebracht werden dürfen:**

Die Waren und Rohstoffe für das Jugendrestaurant dürfen nicht so weit vorgefertigt mitgebracht werden, dass die Jury dadurch keine Möglichkeit mehr hat, die Verarbeitung von Anfang an so zu beobachten, dass es zu einer korrekten Bewertung kommt. Ansonsten wird die Jury dem Umfang entsprechend Punkte abziehen.

**Erlaubt sind**

Zum Wettbewerb Warme Küche dürfen bearbeitet bzw. vorbereitet werden
Gemüse/Pilze/Obst, geputzt, aber nicht zerkleinert oder tourniert
Kartoffeln, geputzt, aber nicht zerkleinert oder tourniert
Zwiebeln, geschält, aber nicht zerkleinert
Grundfonds
Grundrezepte dürfen bereits abgewogen sein.
Das Tellergericht wird auf dem vom VKD zur Verfügung gestellten Geschirr angerichtet (Teller, weiß, Ø 28 cm).

**II. Kochstudio**

Jedes Mannschaftsmitglied, das vormittags am Wettbewerb Warme Küche teilgenommen hat, nimmt am Nachmittag an dem Wettbewerb im Kochstudio teil.
Die Kandidaten für die einzelnen Arbeiten werden zu Beginn des Wettbewerbs der Warmen Küche ausgelost.
Im Kochstudio stehen jedem Kandidaten 30 Minuten Arbeitszeit zur Verfügung, plus 10 Minuten zum Saubermachen des Arbeitsplatzes.
In der Reihenfolge der Verlosung haben die Kandidaten dann am Nachmittag im Kochstudio anzutreten, was bedeutet, dass jeder Kandidat mit jeder Aufgabe vertraut sein muss.
Alle Materialien für dieses Programm werden von der Mannschaft auf eigene Kosten mitgebracht.
Die Lachsforelle (zirka 1200 g) wird vom Veranstalter gestellt.

**Die Aufgaben im Kochstudio lauten:**

A) Filetieren einer Lachsforelle (1200 g), Vorbereiten und Herstellen einer kalten Vorspeise aus der filetierten Lachsforelle für 2 Personen, als Tellergericht angerichtet.
B) Herstellen einer Lachsforellen-Rahmsuppe mit Einlage nach eigener Wahl für 2 Personen und Herstellen einer Lachsforellenfarce zur eigenen Verwendung oder/und zur Weiterverwendung für Teilnehmer C.
C) Erstellen eines Hauptgerichts von Lachsforelle mit 3 verschiedenen Gemüsen und einer Beilage aus Kartoffeln für 2 Personen.
D) Herstellen von 3 Desserttellern unter Verwendung von Quark, Schokolade, Mohn und Apfel.

ZEITPLAN IM KOCHSTUDIO
Kandidat A Tour A 13.30 h–14.10 h
Kandidat B Tour B 14.10 h–14.50 h
Kandidat C Tour C 14.50 h–15.30 h
Kandidat D Tour D 15.30 h–16.10 h

**III. Kalte Plattenschau**

- 2 Restaurationsplatten bzw. Gericht für 2 Personen, warm gedacht, kalt präsentiert
- 2 verschiedene Süßspeisen (Tagesdessert) für 1 Person einzeln angerichtet, Tischfläche 1 m x 1,5 m, insgesamt Stromanschluss landesüblich, 220 Volt. Die Tische haben eine weiße Oberflächenbespannung und bodenlange Skirtings in Weinrot. Es ist nicht gestattet, die Tische abzuändern oder eigene Tische mitzubringen.

Alle Lebensmittel für die kalte Plattenschau gehen zu Lasten des Ausstellers. Die Einteilung der Jugendnationalmannschaften erfolgt durch die IKA-Organisation.

**3. Bewertungskriterien – warme Küchen und Kochstudio**

*3.1 Mise en place*

Übersichtliche Bereitstellung der Materialien und Arbeitsgeräte, saubere Arbeitsplätze, saubere Arbeitskleidung.

*3.2 Fachgerechte Zubereitung*

Die Demonstration soll durch fachlich einwandfreie Arbeitstechniken und Fertigkeiten zu zweckmäßiger, kulinarisch einwandfreier und bekömmlicher Zubereitung führen. Der Aufgabenstellung muss entsprochen werden. Beilagen und Zutaten müssen mit dem Hauptstück in Menge, Geschmack und Farbe harmonieren und sollen den Erkenntnissen der Ernährungslehre und der Wirtschaftlichkeit entsprechen. Das Portionsgericht soll der normalen, essbaren Größe eines Restauranttellergerichts entsprechen. Rückstellprobe nach HACCP ist erforderlich.

*3.3 Zeiteinteilung*

Zeitgerichtete Arbeitseinteilung und pünktliche Fertigstellung.

*3.4 Praxisgerechte Anrichteweise und Präsentation/ Innovation*

Hauptteil und Beilagen müssen im richtigen Verhältnis zueinander stehen. Es muss anschließend auf dem vom VKD zur Verfügung gestellten Anrichtegeschirr zweckmäßig, sauber, gefällig, dem anspruchsvollen Service im guten Restaurant entsprechend, angerichtet werden.

**4. Bewertungskriterien – Kalte Plattenschau**

*4.1 Präsentation/Innovation*

Beinhaltet appetitliche, geschmackvolle, elegante Darbietung, moderner Stil.

*4.2 Zusammenstellung*

Eine ausgewogene Ernährung im richtigen Verhältnis von Vitaminen, Kohlenhydraten, Eiweiß, Fett und Ballaststoffen zueinander, in Farbe und Geschmack harmonierend, zweckmäßig, bekömmlich.

*4.3 Korrekte fachliche Zubereitung*

Richtige Grundzubereitungen, der heutigen modernen Kochkunst entsprechend.

*4.4 Anrichteart/Servieren*

Sauberes Anrichten, keine gekünstelten Garnituren, keine zeitraubende Anrichteweise, vorbildliche Anordnung, um ein zweckmäßiges Servieren zu ermöglichen.

**Bewertung warme Küche**

| | |
|---|---|
| Mise en place | 10 Punkte |
| Ordnung, Sauberkeit | 10 Punkte |
| Fachgerechte Zubereitung | 30 Punkte |
| Praxisgerechte Anrichteweise | 20 Punkte |
| Geschmack | 20 Punkte |
| Zeiteinteilung | 10 Punkte |
| | 100 Punkte x 2 |
| | **200 Punkte** |

**Bewertung Kochstudio**

| | |
|---|---|
| Ordnung und Sauberkeit | 5 Punkte |
| Arbeitstechnik/Geschmack | 10 Punkte |
| Zeiteinteilung | 5 Punkte |
| Präsentation/Innovation | 5 Punkte |
| | 25 Punkte |
| 25 Punkte x 4 Teilnehmer = | **100 Punkte** |

**Bewertung Kalte Plattenschau**

| | |
|---|---|
| Präsentation/Innovation | 0–20 Punkte |
| Zusammenstellung | 0–20 Punkte |
| Korrekte fachliche Zubereitung | 0–20 Punkte |
| Anrichteart | 0–20 Punkte |
| Gesamtzahl der möglichen Punkte | **80 Punkte** |

Es werden keine halben Punkte vergeben.

**Auszeichnungen für Jugendnationalmannschaften**

Alle teilnehmenden Jugendnationalmannschaften erhalten Medaillen und Diplome entsprechend den erreichten Punkten, siehe nachstehende Erläuterung. Der Verband erhält entsprechend Medaille und Diplom.

**Punktevergabe – warme Küche und Kochstudio**

| | |
|---|---|
| 0–149 Punkte | Diplom |
| 150–189 Punkte | bronzenes Kleeblatt mit Diplom |
| 190–229 Punkte | silbernes Kleeblatt mit Diplom |
| 230–300 Punkte | goldenes Kleeblatt mit Diplom |

**Punktevergabe – Kalte Plattenschau**

| | |
|---|---|
| 20– 55 Punkte | Diplom |
| 56– 63 Punkte | bronzenes Kleeblatt mit Diplom |
| 64– 71 Punkte | silbernes Kleeblatt mit Diplom |
| 72– 80 Punkte | goldenes Kleeblatt mit Diplom |

Auszeichnung für Jugendnationalteams im Wettkampf um den Olympiasieger der Köche 2004 in Erfurt.

Das Jugendnationalteam, das in den drei Wettbewerbsaufgaben die meisten Punkte erreicht hat, ist **Olympiasieger der Jugendnationalmannschaften IKA 2004.** Platz 2 erhält die Olympia-Silbermedaille, Platz 3 erhält die Olympia-Bronzemedaille.

## Spezielle Ausstellungsanforderungen für regionale und individuelle Mannschaften

**Die Mannschaften bestehen aus**

1 Teamchef
2 Köchen
1 Patissier

**KATEGORIE A: Kochkunst**

- Showplatten „Fingerfood, Tapas und/oder Snacks"
  1. Platte = 5 verschiedene „Fingerfood, Tapas und/oder Snacks"-Sorten je 6 Einzelportionen, kalt gedacht, kalt präsentiert
  2. Platte = 5 verschiedene „Fingerfood, Tapas und/oder Snacks"-Sorten je 6 Einzelportionen, warm gedacht, kalt präsentiert
- 1 kalte festliche Platte für 8 Personen
- 6 verschiedene komplette Vorspeisen, einzeln angerichtet für 1 Person

Von den 6 verschiedenen Vorspeisen muss eine Vorspeise doppelt (2x) hergestellt sein und ist zur Degustation für die Jury bestimmt. Diese muss der Jury direkt übergeben werden.

In der Kategorie A muss zusätzlich zu den Schauplatten jeweils ein Teller für 1 Person angerichtet werden. Durch diese Demonstration – von der Schauplatte zum Teller – soll die Portion optisch wirksam dargestellt werden. Das Größen- bzw. Mengenverhältnis wird sichtbar.

**KRITERIEN für die Bewertung der Kategorie A:**

*Präsentation/Innovation* *0–20 Punkte*

Enthält appetitliche, geschmackvolle, elegante Darbietung, moderner Stil.

*Zusammenstellung* *0–20 Punkte*

In Farbe und Geschmack harmonierend, zweckmäßig, bekömmlich.

*Korrekte fachliche Zubereitung* *0–20 Punkte*

Richtige Grundzubereitungen, der heutigen modernen Kochkunst entsprechend.

*Anrichteart/Servieren* *0–20 Punkte*

Sauberes Anrichten, vorbildliche Anordnung, um ein zweckmäßiges Servieren zu ermöglichen.

*Zahl der möglichen Punkte für die Wertung* *80 Punkte*

Bei 3 Wertungen sind insgesamt 240 Punkte möglich.

Es werden keine halben Punkte vergeben.

**KATEGORIE B: Kochkunst**

- 1 vegetarische Platte ovolaktovegetabil (fleischfreie Ernährung, es dürfen Milcherzeugnisse und Ei verwendet werden) als Hauptgericht für 4 Personen, warm gedacht, kalt präsentiert
- 1 Menü für 1 Person, bestehend aus 3 Gängen (Vorspeise, Hauptspeise, Süßspeise) warm gedacht, kalt präsentiert
- 4 verschiedene, einzeln angerichtete innovative Hauptgerichte/Tellergerichte, warm gedacht, kalt präsentiert

**KRITERIEN für die Bewertung der Kategorie B:**

*Präsentation/Innovation* *0–20 Punkte*

Enthält appetitliche, geschmackvolle, elegante Darbietung, moderner Stil.

*Zusammenstellung* *0–20 Punkte*

Eine ausgewogene Ernährung im richtigen Verhältnis von Vitaminen, Kohlenhydraten, Eiweiß, Fett und Ballaststoffen zueinander, in Farbe und Geschmack harmonierend, zweckmäßig, bekömmlich.

*Korrekte fachliche Zubereitung* *0–20 Punkte*

Richtige Grundzubereitungen, der heutigen modernen Kochkunst entsprechend.

*Anrichteart/Servieren* *0–20 Punkte*

Sauberes Anrichten, keine gekünstelten Garnituren, keine zeitraubende Anrichteweise, vorbildliche Anordnung, um ein zweckmäßiges Servieren zu ermöglichen.

*Zahl der möglichen Punkte für die Wertung* *80 Punkte*

Bei 3 Wertungen sind insgesamt 240 Punkte möglich.

Es werden keine halben Punkte vergeben.

**KATEGORIE C: Patisserie/Feinbäckerei**

- 3 verschiedene kleine Torten für je 6 bis 8 Personen, im Anschnitt gezeigt, freie Themenauswahl (Hochzeit, Geburtstag usw.)
- 1 Platte mit Teegebäck oder Pralinen oder Petits Fours oder Käsefours oder Friandises
  5 verschiedene Sorten für 8 bis 10 Personen mit Schaustück
- 4 verschiedene warm gedachte oder kalte Süßspeisen, für 1 Person einzeln angerichtet

Von den 4 verschiedenen Süßspeisen für 1 Person muss eine Süßspeise doppelt (2x) hergestellt sein, zur Degustation für die Jury. Diese Süßspeise muss der Jury direkt übergeben werden.

Alle ausgestellten Objekte müssen aus essbarem Material sein.

**KRITERIEN für die Bewertung der Kategorie C:**

*Präsentation/Innovation* *0–20 Punkte*

Enthält appetitliche, geschmackvolle, elegante Darbietung, moderner Stil.

*Zusammenstellung* *0–20 Punkte*

Geschmacklich und farblich harmonierend, zweckmäßig, bekömmlich.

*Korrekte fachliche Zubereitung* *0–20 Punkte*

Richtige Grundzubereitungen, der heutigen modernen Patisserie entsprechend.

*Anrichteart/Servieren* *0–20 Punkte*

Sauberes Anrichten, vorbildliche Anordnung, um ein zweckmäßiges Servieren zu ermöglichen.

*Zahl der möglichen Punkte für die Wertung* *80 Punkte*

Bei 3 Wertungen sind insgesamt 240 Punkte möglich.

Es werden keine halben Punkte vergeben.

**Auszeichnungen für regionale und individuelle Mannschaften**

Da sie als Mannschaft auftreten, werden alle Wertungen zusammengezogen. Der sich daraus ergebende Durchschnitt ist letztendlich das Gesamtergebnis der Mannschaft. Demnach erhält jedes Mannschaftsmitglied eine Urkunde und eine Medaille entsprechend dem Gesamtergebnis. Die Institution oder der Regionalverband entsprechend Medaille und Diplom.

*Punktetabelle für Medaillen der Kategorie in A, B oder C*

| | |
|---|---|
| 720–648 Punkte | Goldmedaille mit Diplom |
| 647–576 Punkte | Silbermedaille mit Diplom |
| 575–504 Punkte | Bronzemedaille mit Diplom |
| 503–180 Punkte | Diplom |

Die Mannschaft, die die meisten Punkte erzielt, wird als **IKA-Cup-Gewinner 2004 für regionale und individuelle Mannschaften** ausgezeichnet.

A = 240
B = 240
C = 240

Mögliche Punkte 720

IKA-Cup-Gewinner in Gold
IKA-Cup-Gewinner in Silber
IKA-Cup-Gewinner in Bronze

# Teilnahmebedingungen für die Olympiade der Patissiers – Teamwettbewerb

Spezielle Ausstellungsbestimmungen für die „Olympiade der Patissiers"

**1.** Nur die nationalen Verbände, die dem Weltbund der Kochverbände (W.A.C.S.) angehören, können pro Nation ein Team am Wettbewerb teilnehmen lassen.

**2. Teamzusammenstellung**

– 2 Patissiers mit mindestens je 5 Jahren Berufserfahrung

**3. Ausstellungsanforderungen für den Wettbewerb**

Das Team erstellt folgendes Programm an 2 verschiedenen Tagen. Die Einteilung der Teams erfolgt durch die IKA-Organisation.

- **Teil 1: Präsentationstag**

  1 Schokoladenschaustück
  2 Torten
  1 Zuckerschaustück
  6 verschiedene Desserts
  6 x 8 verschiedene Petits Fours mit Schaustück

Tischfläche 2 m x 2 m, insgesamt 4 qm
Stromanschluss landesüblich, 220/230 Volt

Die Tische haben eine weiße Oberflächenbespannung und bodenlange Skirtings in Weinrot. Es ist nicht gestattet, die Tische abzuändern oder eigene Tische mitzubringen.

- **Teil 2: Praktisches Arbeiten in der Schauküche**

1 x 2 Torten – 1 Torte ist für die Jury, und die andere Torte ist für den Fotografen. Diese Torte muss der gekennzeichneten Torte von Teil 1, genau der angegebenen Rezeptur und dem Aussehen entsprechen.

3 x 8 verschiedene Petits Fours – diese müssen sich von Teil 1 unterscheiden. Alle Petits Fours sind genau zu rezeptieren (Mengenangabe und Arbeitsablauf).

6 gleiche Desserts, kalt (5 Desserts für die Juroren, 1 Dessert für den Fotografen). Diese Desserts müssen mit den gekennzeichneten Desserts von Teil 1 genau in abgegebener Rezeptur und Aussehen übereinstimmen.

6 gleiche Desserts, warm (5 Desserts für die Juroren, 1 Dessert für den Fotografen). Diese Desserts müssen mit den gekennzeichneten Desserts von Teil 1 genau in abgegebener Rezeptur und Aussehen übereinstimmen.

**Teil 1: Präsentationstag**

1 Schokoladenschaustück – mit mindestens 50 cm Höhe und einer Grundfläche von mindestens 0,2 qm.
In diesem Schaustück sind die 2 Torten zu integrieren.

2 Torten – mit zwei grundverschiedenen Techniken, Aussehen und Dekors (nicht größer als Ø 22 cm und nicht kleiner als Ø 18 cm; erwünscht sind verschiedene Formen). Davon sollte eine Schokoladentorte und eine Fruchttorte gefertigt werden. Diese Torten sollen für Teil 1, wenn nötig, mit Gelatine oder Aspik behandelt sein, um sie den ganzen Tag ansehnlich zu halten. Beide Torten sind genau zu rezeptieren (Mengenangabe und Arbeitsablauf). 1 Torte ist für Teil 2 (praktisches Arbeiten) zu kennzeichnen.

1 Zuckerschaustück – mit mindestens 50 cm Höhe und einer Grundfläche von mindestens 0,2 qm. Das Schaustück darf nicht mehr als 50 % Gelatinezuckeranteil enthalten. Dieses Schaustück kann mit Hilfe einer Glas- oder Plastikvitrine vor Feuchtigkeit geschützt werden. Zusammen mit dem Zuckerschaustück sind die 6 Tellerdesserts zu präsentieren.

6 verschiedene Desserts – 3 Desserts warm gedacht, kalt präsentiert, und 3 Desserts kalt gedacht, kalt präsentiert. Diese Desserts sind auf Tellern zu präsentieren. Sie können mit Gelatine oder Aspik behandelt sein, um sie den ganzen Tag ansehnlich zu halten. Es müssen 2 Desserts für Teil II gekennzeichnet werden. Alle Desserts sind genau zu rezeptieren (Mengenangabe und Arbeitsablauf).

6 x 8 verschiedene Petits Fours – mit Schaustück. Das Schaustück kann aus Karamell oder Schokolade oder Gelatinezucker gefertigt sein. Die Grundfläche für das Schaustück sollte mindestens 0,2 qm groß sein. Alle Petits Fours sind genau zu rezeptieren (Mengenangabe und Arbeitsablauf).

**KRITERIEN für die Bewertung, Teil 1**

*Schwierigkeitsgrad* — *0–10 Punkte*

Die Schwierigkeit der Herstellung wird gemessen an der persönlichen Kunstfertigkeit, dem Zeitaufwand und dem ideellen Einsatz.

*Materialbeherrschung/Ausführung* — *0–10 Punkte*

Wird gemessen an der fachgerechten Verarbeitung des Materials, der modernen Patisserie entsprechend.

*Künstlerische Gestaltung/Kreativität* — *0–10 Punkte*

Der Gesamteindruck sollte nach den Grundsätzen der Ethik und Ästhetik Begeisterung hervorrufen.

*Werbeeffekt/Verkaufsförderung/Neuigkeit* — *0–10 Punkte*

Hierbei kommt es darauf an, mit kulinarischem Material eigene Ideen in origineller Weise zu entwickeln und zu verwirklichen. Appetitliche, geschmackvolle elegante Präsentation. Die Neuartigkeit sollte spontan zu erkennen sein.

*Zahl der möglichen Punkte für die Wertung* — *40 Punkte*

Pro Ausstellungsobjekt 40 Punkte.

Insgesamt sind 200 Punkte möglich.

Es werden keine halben Punkte vergeben.

**Teil 2: Praktisches Arbeiten in der Schauküche**

1 x 2 Torten – 1 Torte ist für die Jury, und die andere Torte ist für den Fotografen. Diese Torte muss der gekennzeichneten Torte von Teil 1, genau der angegebenen Rezeptur und dem Aussehen entsprechen.

3 x 8 verschiedene Petits Fours – diese müssen sich von Teil 1 unterscheiden. Alle Petits Fours sind genau zu rezeptieren (Mengenangabe und Arbeitsablauf).

6 gleiche Desserts, kalt (5 Desserts für die Juroren, 1 Dessert für den Fotografen). Diese Desserts müssen mit den gekennzeichneten Desserts von Teil 1 genau in abgegebener Rezeptur und Aussehen übereinstimmen.

6 gleiche Desserts, warm (5 Desserts für die Juroren, 1 Dessert für den Fotografen). Diese Desserts müssen mit den gekennzeichneten Desserts von Teil 1 genau in abgegebener Rezeptur und Aussehen übereinstimmen.

Biskuit darf als fertiges Produkt mitgebracht werden; alle weiteren Produkte sowie Dekors müssen während der Arbeitszeit in der Schauküche gefertigt werden.

Bei einem Regelverstoß kann eine Disqualifikation erfolgen.

**KRITERIEN für die Bewertung, Teil 2**

*Mise en place und Sauberkeit* *0–20 Punkte*

Bereitstellung der Materialien. Zeitgerechte Arbeitseinteilung und pünktliche Fertigstellung. Saubere, ordentliche Arbeitsweise während des Wettbewerbs wird ebenso bewertet wie der Zustand nach dem Verlassen der Küche. Korrekte fachliche Zubereitung und Verarbeitung, richtige Grundzubereitung, der heutigen modernen Patisseriekunst entsprechend.

*Anrichteart und Präsentation/Innovation* *0–30 Punkte*

Sauberes Arbeiten geschmackvolle Darbietung.

*Geschmack* *0–30 Punkte*

Der typische Eigengeschmack der Produkte muss erkennbar sein. Geschmacksvielfalt bei verschiedenen Tellern soll erreicht werden. Richtige Wahl der Geschmacksrichtung soll ebenfalls erreicht werden.

Dies bedeutet, dass für jede präsentierte Aufgabe bis zu 80 Punkte erzielt werden können.

Daraus ergibt sich 4 x 100 = 400 Punkte insgesamt.

Es werden keine halben Punkte vergeben

**AUSZEICHNUNGEN**
**Olympiade der Patissiers 2004**

Da sie als Mannschaft auftreten, werden alle Wertungen zusammengezogen. Der sich daraus ergebende Durchschnitt ist letztendlich das Gesamtergebnis der Mannschaft. Demnach erhält jedes Mannschaftsmitglied eine Urkunde und eine Medaille entsprechend dem Gesamtergebnis. Die Institution oder der Regionalverband entsprechend Medaille und Diplom.

*Punktetabelle für Medaillen der Teile 1 und 2*

| | |
|---|---|
| 600–540 Punkte | Goldmedaille mit Diplom |
| 539–480 Punkte | Silbermedaille mit Diplom |
| 479–420 Punkte | Bronzemedaille mit Diplom |
| 419–150 Punkte | Diplom |

Die Mannschaft, die die meisten Punkte erzielt, wird als **Gewinner der Olympiade der Patissiers 2004** ausgezeichnet.

# Teilnahmebedingungen für Mannschaften der Militärkräfte „Truppenverpflegung"

Die Nationalmannschaften werden von den beteiligten Nationen benannt. Regionalmannschaften können sich eigenständig anmelden.

### Mannschaftszusammenstellung

Die Mannschaft besteht aus einem Teamchef und fünf (5) Köchinnen/Köchen, davon ist einer Ersatzmitglied. In der Kategorie „R" darf das Ersatzmitglied nur Reinigungs- und Aufräumarbeiten sowie die Annonce übernehmen. In der Kategorie „B" ist er gleichberechtigtes Teammitglied. Weitere Militärmannschaften (Regionalmannschaften) absolvieren die Kategorie „B" und bei Bedarf „R", nehmen jedoch nicht an der Nationenwertung teil.

### Kochen in der mobilen Küche

In der Küche der Streitkräfte müssen 2 x 75 Drei-Gänge-Menüs zubereitet werden.

Küchen-Kleingeräte werden vor Beginn durch die Mannschaft übernommen.

Für abhanden gekommene Kleingeräte haftet die jeweilige Mannschaft.

Nach Beendigung des Service erfolgt das Saubermachen in der Küche und Übergabe der Kleingeräte.

Passiertücher, Spritzbeutel, Messer usw. sind von den Teilnehmern selbst mitzubringen.

Die Küchen im Restaurant der Streitkräfte stehen ab 7.00 Uhr morgens zur Verfügung. Degustationen der Menüs werden während des Service gezogen und durch die Jury bewertet. Der Servicebeginn ist um 12.30 Uhr.

Während der Servicezeit wird die Qualität der Menüs durch die Jury kontrolliert.

Ein Küchenplan und eine Geräteliste werden den Teilnehmern nach der Anmeldung zugeleitet. Weitere größere Geräte dürfen nicht eingesetzt werden.

### Waren und Rohstoffe

Für die Herstellung der verlangten Ausstellungsanforderungen sind von den Teams selbst zu besorgen. Für die Lebensmittel, die in der mobilen Küche der Streitkräfte benötigt werden, erstattet der VKD je Menü € 2,50.

150 x ca. € 2,50 = € 375,–.

Alle anderen Lebensmittel für die Menüschau gehen zu Lasten des Landes/Mannschaft. Waren und Rohstoffe sind in Erfurt in bester Qualität erhältlich. Eine Liste mit Spezialgeschäften liegt bei.

Jedes Menü in den Kategorien „B" und „R" darf den Naturalwert von € 2,50 plus 7 % Mehrwertsteuer nicht übersteigen.

### Ausstellungsanforderungen für den Wettbewerb

Die Militärteams erstellen folgendes Programm an 2 Tagen:

**1 Tag** Menüschau, warm gedacht
Kategorie B
kalt ausgestellt
7 Menüs Truppenverpflegung

Die Einzelteile der Menüs müssen für 500 Personen nachvollziehbar und für eine Truppenverpflegung – aller Dienstgradgruppen – geeignet sein.

**1 Tag** mobile Küche der Streitkräfte
Kategorie R
2 x 75 Drei-Gänge-Menüs

die durch den VKD aus den 7 Menüs (Kategorie B) ausgewählt werden. Diese beiden Menüs werden den teilnehmenden Nationen bis zum 31. 6. 2004 mitgeteilt.

Die Einteilung der Mannschaften erfolgt durch die IKA-Organisation des VKD.

### KATEGORIE R: Restaurant der Streitkräfte

Hier werden die teilnehmenden Mannschaften Spezialitäten ihres Landes herstellen. Jede Mannschaft hat die folgende Aufgabe:

2 verschiedene Menüs, bestehend aus:
1 x 75 Suppe oder Vorspeise, Hauptgang, Dessert
1 x 75 Suppe oder Vorspeise, Hauptgang, Dessert

Die Menüs sollen wirklichkeitsnah der heutigen Truppenverpflegung entsprechen.

Im Restaurant der Streitkräfte wird von diesen Menüs jeweils 1 Portion als Schaustück für die Gäste in einer Vitrine präsentiert und sollte bereits am Vortag hergestellt und mit Aspik haltbar gemacht werden. Diese Menüs werden auch fotografisch für das IKA-Buch benötigt.

### Mobile Küche der Streitkräfte

Erläuterungen, in welcher Form die Lebensmittel für das Restaurant der Streitkräfte mitgebracht werden dürfen:

Die Waren und Rohstoffe für das Restaurant der Streitkräfte dürfen nicht so weit vorgefertigt mitgebracht werden, dass die Jury dadurch keine Möglichkeit mehr hat, die Verarbeitung von Anfang an zu beobachten, damit es zu einer korrekten Bewertung kommt. Ansonsten wird die Jury dem Umfang entsprechend Punkte abziehen.

Durch die exakte Auflistung dessen, was erlaubt ist, vor allem aber auch durch die Reduzierung der Arbeit in der Küche insgesamt, wird ein höheres Niveau der Menüs erwartet. Dies wird einer Olympiade gerecht, auch gegenüber dem zahlenden Gast.

### Erlaubt sind

Zum Wettbewerb Warme Küche dürfen bearbeitet bzw. vorbereitet werden

Gemüse/Pilze/
Obst/Salate geputzt, blanchiert, aber nicht zerkleinert oder tourniert
Kartoffeln, geschält, aber nicht zerkleinert oder tourniert
Zwiebeln, geschält, aber nicht zerkleinert
Grundteige
Grundfonds – geschmacksneutral
Grundrezepte dürfen bereits abgewogen sein

**Bis 80 % fertig dürfen mitgebracht werden:**
Fische, geschuppt oder filetiert, Meeresfrüchte
Fleisch, ausgelöst, pariert.
Bei den Süßspeisen sind vorgefertigter Biskuit, Hippen, Baumkuchen usw. erlaubt.
Dekor-Ornamente der Patisserie dürfen bis zu 80 % fertig mitgebracht werden.

Die restlichen 20 % müssen in der Wettbewerbsküche hergestellt werden, damit die Jury dies beurteilen kann.

Weitere Fragen werden Ihnen am 21. 10. 2004 vor Beginn der IKA bei einer Vorbesprechung durch den zuständigen Jury-Vorsitzenden des Wettbewerbs nochmals eingehend beantwortet.

### KRITERIEN für die Bewertung der Kategorie R – Mobile Küche der Streitkräfte

*Mise en place und Sauberkeit* — *0–10 Punkte*

Bereitstellung der Materialien, um ein reibungsloses Arbeiten während des Service zu erreichen; zeitgerechte Arbeitseinteilung und pünktliche Fertigstellung; saubere, ordentliche Arbeitsweise während des Wettbewerbs.

*Korrekte fachliche Zubereitung* — *0–20 Punkte*

Richtige Grundzubereitung, der heutigen modernen Kochkunst und Ernährungslehre entsprechend.

*Anrichteart/Innovation* — *0–30 Punkte*

Sauberes Anrichten, keine gekünstelten Garnituren, keine zeitraubende Anrichteweise, vorbildliche Anordnung für ein appetitliches Aussehen.

*Geschmack* — *0–40 Punkte*

Der typische Eigengeschmack der Lebensmittel soll erhalten bleiben. Das Gericht soll den typischen Geschmack bei ausreichender Würzung aufweisen. Ebenso soll durch eine entsprechende Zusammenstellung der Lebensmittel ein besonderes Geschmackserlebnis hervorgerufen werden.

*Zahl der möglichen Punkte für die Wertung* — *100 Punkte*

Dies bedeutet, dass für jeden Menügang bis zu 100 Punkte erzielt werden können.
Daraus ergibt sich 6 x 100 = 600 Punkte insgesamt.

Es werden keine halben Punkte vergeben.

### KATEGORIE B: Kochkunst

Insgesamt 7 Menüs
7 Menüs für je 1 Person (1 Woche) – Truppenverpflegung – bestehend aus 2 x Suppe oder 5 x Vorspeise, Hauptgericht und Dessert.

Die Menüteile sind auf weißem Porzellan ohne Farbdekor anzurichten. Das Ausstellungsgeschirr wird nicht vom VKD gestellt. Die Tischdekoration wird nicht bewertet.

Kartoffeln sowie entsprechende Gemüse sind zu tournieren.

### KRITERIEN zur Bewertung der Kategorie B:

*Präsentation/Innovation* — *0–20 Punkte*

Enthält appetitliche, geschmackvolle, elegante Darbietung, moderner Stil.

*Zusammenstellung* *0–20 Punkte*

Eine ausgewogene Ernährung im richtigen Verhältnis von Vitaminen, Kohlenhydraten, Eiweiß, Fett und Ballaststoffen zueinander, in Farbe und Geschmack harmonierend, zweckmäßig, bekömmlich.

*Korrekte fachliche Zubereitung* *0–20 Punkte*

Richtige Grundzubereitung, der heutigen modernen Kochkunst entsprechend.

*Anrichteart/Servieren* *0–20 Punkte*

Sauberes Anrichten, keine gekünstelten Garnituren, keine zeitraubende Anrichteweise, vorbildliche Anordnung, um optische Wirkung und ein zweckmäßiges Servieren zu ermöglichen.

*Schwierigkeitsgrad/Arbeitstechniken* *0–20 Punkte*

Saucenspiegel (Glanz), saubere Aspikarbeit, Schnittformen und Gleichmäßigkeit.

*Zahl der möglichen Punkte*
*für eine Wertung* *100 Punkte*

Dies bedeutet, dass für jeden Menügang aller 7 Menüs bis zu 100 Punkte – je Juror – insgesamt 300 Punkte erzielt werden können.

Es werden keine halben Punkte vergeben.

Das Ergebnis wird mit 0,8 multipliziert, somit können je Menügang aller 7 Menüs 80 Punkte vergeben werden bzw. insgesamt **240** Punkte je Juror.

*Punktetabelle für Medaillen Kategorie R –*
*Mobile Küche der Streitkräfte bei 2 x 75 Menüs*

| | |
|---|---|
| 600–540 Punkte | Goldmedaille mit Diplom |
| 539–480 Punkte | Silbermedaille mit Diplom |
| 479–420 Punkte | Bronzemedaille mit Diplom |
| 419–120 Punkte | Diplom |

*Punktetabelle für Medaillen Kategorie B –*
*Menüschau*

| | |
|---|---|
| 240–210 Punkte | Goldmedaille mit Diplom |
| 209–180 Punkte | Silbermedaille mit Diplom |
| 179–150 Punkte | Bronzemedaille mit Diplom |
| 149–100 Punkte | Diplom |

Die Mannschaft mit der insgesamt höchsten Punktzahl aus beiden Kategorien „R und B" wird **Olympiasieger** im Wettbewerb der Streitkräfte **„Truppenverpflegung"** und erhält eine Goldmedaille mit Diplom Olympiasieger der Streitkräfte. Höchste zu vergebende Punktzahl aus beiden Kategorien „R 600 Punkte und B 240 Punkte" **840 Punkte.**

## Teilnahmebedingungen, Anmeldungsunterlagen und Richtlinien für Mannschaften der Großverpflegung

### Träger der Ausstellung

Der Verband der Köche Deutschlands e. V., im Folgenden kurz VKD genannt, ist ideeller Träger, wirtschaftlicher Träger ist die Messe Erfurt AG.

Spezielle Ausstellungsbestimmungen für Mannschaften der Gemeinschaftsverpflegung – GV:

**1. Der Wettbewerb gliedert sich in 2 Teile,**
einen schriftlichen Vorentscheid und einen praktischen Wettbewerb während der IKA 2004 in Erfurt.

**2. Teamzusammenstellung**
- 1 Teamchef/Teamchefin
- 1 Koch/Köchin
- 1 Hilfskraft wird gestellt

Die Küche im Restaurant der Gemeinschaftsverpflegung steht ab 7.00 Uhr morgens zur Verfügung.
Servicebeginn ab 11.30 Uhr bis 14.30 Uhr. Das Menü zur Degustation wird während des Service anonym gezogen. Die Reinigung muss bis 15.30 Uhr abgeschlossen sein.
Die Vorbereitungszeit am Vortag beträgt 3 Stunden.

### KATEGORIE R

**Restaurant der Gemeinschaftsverpflegung**

Hier werden die teilnehmenden Mannschaften Spezialitäten ihrer Länder herstellen. Jede Mannschaft hat die folgende Aufgabe:

*1 x 200 Menüs herzustellen, bestehend aus*

Vorspeise/Suppe/Hauptgang/Nachtisch

Bitte 2 komplette Menüvorschläge einreichen mit einer Rezeptur in nachvollziehbarer Beschreibung. Materialanforderung für 200 Portionen, Mengenberechnung, Marktpreise, Nährwertberechnung. Wareneinsatz maximal € 2,50 pro Person (Sachbezugswert).
Die Wareneinsatzpreise richten sich nach dem Liefergroßhandel oder SB-Märkten.
Bewerbungsunterlagen sind in Deutsch, Englisch und der Landessprache einzureichen.

### WICHTIG:

Das vorgeschlagene Wettbewerbsmenü soll in der Praxis nachvollziehbar sein, das gilt insbesondere für die Präsentation/Innovation, Zusammenstellung, Garnitur und Anrichteweise.

### BEWERTUNGSMERKMALE für die schriftliche Ausarbeitung

*Menüzusammenstellung/Innovation* *0–20 Punkte*

*Rezeptur in*
*nachvollziehbarer Beschreibung* *0–20 Punkte*

*Materialanforderung/*
*Mengenberechnung, Marktpreise,*
*Nährwertberechnung* *0–10 Punkte*

*maximal können* *50 Punkte*
erreicht werden

Die Wertung der schriftlichen Bewertungsunterlagen erfolgt durch 3 Juroren mit internationaler Besetzung, die durch den Verband der Köche Deutschlands eingesetzt werden. Die Namen der Teilnehmer sind der Jury nicht bekannt. Das Urteil der Jury ist unanfechtbar.
Die schriftlichen Ausarbeitungen bleiben Eigentum des VKD. Um Fehlerquellen auszuschalten, können nur Bewerbungen und Ausarbeitungen berücksichtigt werden, die auf den offiziellen Bewertungsformularen maschinengeschrieben sind.

### KATEGORIE R

### BEWERTUNGSKRITERIEN für die Gemeinschaftsverpflegung

*Mise en place und Sauberkeit* — *0–10 Punkte*

Bereitstellung der Materialien, um ein reibungsloses Arbeiten während des Service zu erreichen. Zeitgerechte Arbeitseinteilung und pünktliche Fertigstellung. Saubere, ordentliche Arbeitsweise während des Wettbewerbs.

*Korrekte fachliche Zubereitung* — *0–20 Punkte*

Richtige Grundzubereitung, der heutigen modernen Kochkunst und Ernährungslehre entsprechend.

*Anrichteart, Präsentation/Innovation* — *0–30 Punkte*

Sauberes Anrichten, keine gekünstelten Garnituren, keine zeitraubende Anrichteweise, vorbildliche Anordnung für ein appetitliches Aussehen.

*Geschmack* — *0–40 Punkte*

Der typische Eigengeschmack der Lebensmittel soll erhalten bleiben. Das Gericht soll den typischen Geschmack bei ausreichender Würzung aufweisen. Ebenso soll durch eine entsprechende Zusammenstellung der Lebensmittel ein besonderes Geschmackserlebnis hervorgerufen werden.

*insgesamt mögliche Punkte* — *100 Punkte*

Dies bedeutet, dass für jeden Menügang bis zu 100 Punkte erzielt werden können.
Daraus ergibt sich 3 x 100 = 300 Punkte insgesamt.

Es werden keine halben Punkte vergeben.

Die Waren und Rohstoffe für das Restaurant der Gemeinschaftsverpflegung dürfen nicht so weit vorgefertigt mitgebracht werden, dass die Jury dadurch keine Möglichkeit mehr hat, die Verarbeitung von Anfang an so zu beobachten, dass es zu einer korrekten Bewertung kommt. Ansonsten wird die Jury dem Umfang entsprechend Punkte abziehen.

**Erlaubt sind**

Zum Wettbewerb Warme Küche dürfen bearbeitet beziehungsweise vorbereitet werden

*Gemüse/Pilze/Obst:* geputzt, blanchiert
*Kartoffeln:* geschält, zerkleinert
*Zwiebeln:* geschält, aber nicht zerkleinert

Grundteige können mitgebracht werden.
Mayonnaise als Fertigprodukt
Grundfonds oder Basisprodukte
Grundrezepte dürfen bereits abgewogen sein
Fische, geschuppt oder filetiert, sowie die Gräten zerkleinert
Fleisch, ausgelöst, pariert, Knochen zerkleinert
Bei den Süßspeisen ist vorgefertigter Biskuit erlaubt.
Dekor-Ornamente aus Schokolade und Ähnliches können fertig mitgebracht werden.

Weitere Fragen werden Ihnen durch den zuständigen Juryvorsitzenden des Wettbewerbs nochmals eingehend vor Ort beantwortet.

### AUSZEICHNUNGEN FÜR KATEGORIE R:

### GEMEINSCHAFTSVERPFLEGUNG

Alle teilnehmenden Gemeinschaftsverpflegungs-Teams erhalten Medaillen und Diplome entsprechend der erreichten Punkte, siehe nachstehende Erläuterung.

**Punktevergabe für Kategorie R: Restaurant der Gemeinschaftsverpflegung**

| | |
|---|---|
| Für die Suppe/Vorspeise | 0–100 Punkte |
| Für den Hauptgang | 0–100 Punkte |
| Für das Dessert | 0–100 Punkte |

Es sind insgesamt bis 300 Punkte zu erzielen:
3 = 100

**Punktetabelle für Medaillen Kategorie R: Restaurant der Gemeinschaftsverpflegung**

| | |
|---|---|
| 100–90 Punkte | Goldemedaille mit Diplom |
| 89–80 Punkte | Silbermedaille mit Diplom |
| 79–70 Punkte | Bronzemedaille mit Diplom |
| 69–25 Punkte | Diplom |

## Special Exhibition Regulations for National Teams

Only national associations, which belong to the World Association of Cooks Societies (W.A.C.S.), are allowed to participate with one national team per nation in the competition.

**Assembly of the Team**

1 team chef
3 chefs
1 pâtissier
1 substitute

The team chef is allowed to assist in all sections. The substitute is allowed to do just the announcement in the warm kitchen.

**CATEGORY A – Culinary Art**

- show platters "finger food, tapas and/or snacks" – two parts

  1. platter = 5 different kinds of "finger food, tapas and/or snacks" à 6 separate portions prepared cold, displayed cold

  2. platter = 5 different kinds of "finger food, tapas and/or snacks" à 6 separate portions prepared hot, displayed cold

- a festive, cold display platter for 8 persons
- six different complete hors d'oeuvres, individually prepared for 1 person

One of the 6 different hors d'oeuvres has to be prepared twice (2 x) and is determined for the tasting by the jury.

In the category A has to be demonstrated additionally to the programme, on one plate for one person. So that an optional effect and the relative proportions will become clearly apparent.

**CRITERIA for the Judgement of the Category A:**

*Presentation/Innovation* *0–20 points*

Comprises an appetising, tasteful, elegant presentation, modern style

*Composition* *0–20 points*

Harmonising in colour and flavour, practical, digestible

*Correct Professional Preparation* *0–20 points*

Correct basic preparations of food, corresponding to today's modern culinary art

*Arrangement/Serving* *0–20 points*

Clean arrangement, exemplary plating, in order to make a practical serving possible

*Number of Possible Points for the Judgement* *80 points*

In the case of 3 judgements 240 points are totally possible

Half points will not be given.

**CATEGORY B – Culinary Art**

- 1 vegetarian platter ovo-lacto-vegetarian (without meat, milk products and eggs are allowed) as main-course for 4 persons, prepared hot, displayed cold
- 1 menu for one person, consisting of 3 courses (hors d'oeuvre, main-course, dessert), prepared hot, displayed cold
- 4 different, individually served innovative main-courses (plate), prepared hot, displayed cold

**CRITERIA for the Judgement of Category B:**

*Presentation/Innovation* *0–20 points*

Comprises an appetising, tasteful, elegant presentation, modern style

*Composition* *0–20 points*

Well-balanced food – in a correct proportion of vitamins, carbohydrates, proteins, fats, and roughages, harmonising in colour and flavour practical, digestible

*Correct Professional Preparation* *0–20 points*

Correct basic preparation of food, corresponding to today's modern culinary art

*Arrangement/Service* *0–20 points*

Clean arrangement, no artificial decorations, not time-consuming arrangements, exemplary plating, in order to make a practical serving possible

*Number of possible points for the judgement* *80 points*

In the case of 3 judgements 240 points are totally possible

Half points will not be given.

**CATEGORY C – Pâtisserie**

- 6 similar desserts warm or cold served on plates. The desserts have to be prepared in a way that they can be served banquett usable for 200 persons.
- 1 platter with sweet biscuits or chocolates or petits fours or cheese fours or friandises, 5 different sorts for 8 persons with show piece suited to the theme
- 4 different exclusive desserts on plates with show piece suited to your self choosen theme.

For the tasting by the jury one of the 4 different desserts for 1 person has to be prepared twice (2 x) This dessert has to be given directly to the jury.

All exhibits have to be of edible materials.

**CRITERIA for the Judgement of Category C:**

*Presentation/Innovation* *0–20 points*

Comprises an appetising, tasteful, elegant presentation, modern style

*Composition* *0–20 points*

Harmonising in colour and flavour, practical, digestible

*Correct Professional Preparation* *0–20 points*

Correct basic preparation of food, corresponding to today's modern pâtisserie

*Arrangement / Serving* *0–20 points*

Clean arrangement, exemplary plating, in order to make a practical serving possible

*Number of Possible Points for the Judgement* *80 points*

In the case of 3 judgements 240 points are totally possible.

Half points will not be given.

**CATEGORY R**

**Restaurant of Nations**

The participating national teams will prepare specialities of their nations. Each national team has the following task:

*110 menus consisting of:*

110 x Hot appetisers (hors d'oeuvres) using fish or crustaceans or poultry with appropriate garnishes to be served on 28 cm (diameter) plates
110 x Main courses utilising either butchers' meat or game with appropriate garnishes to be served on 28 cm (diameter) plates
110 x Dessert served on 28 cm (diameter) plates

In the restaurant of nations one portion of this menu will be presented as showpiece in a display case for guests. Those menu items should be made a day in advance, preserved with aspic and will be also photographed for the IKA book.
Each team is required to present two complete and different menus, in both, German and English along with precise recipes and preparation details for 110 portions.

All ingredients must be provided by each team itself.

**CATEGORY R**

**Restaurant of Nations**

CRITERIA for the Judgement of Category R – Restaurant of Nations

*Mise en place and Cleanliness* *0–10 points*

Preparation of the materials to reach trouble-free working during serving. Just in time work-organisations and punctual completion. Clean, proper working methods during the competition will also be judged as the conditions after leaving the kitchen

*Correct Professional Preparation* *0–20 points*

Correct basic preparation of food, corresponding to today's modern culinary art and dietetics

*Arrangement and Presentation/Innovation 0–30 points*

Clean arrangement, no artificial garnishes, no time-consuming arrangements, exemplary plating for an appetising appearance

*Taste* *0–40 points*

The typical taste of the food should be preserved. The dish should have the typical taste, when sufficient spice is added. At the same time a special taste-event should be caused by the corresponding composition of food.

That means per course you could receive 100 points.

3 x 100 = 300 points totally.

Half points will not be given.

**Awards for the National Teams**

All participating national teams will receive medals and certificates according to the reached number of points, note the following explanation. The association receives the corresponding medal and certificate.

*Awards of Points for the Respective Categories A, B, or C*

There are for the
1st judgement from 0–80 of the possible points
2nd judgement from 0–80 of the possible points
3rd judgement from 0–80 of the possible points
altogether up to 240 of the possible points

*Pointstable for the Medals in the Category A, B, C*

| | |
|---|---|
| 80–72 points | gold medal with certificate |
| 71–64 points | silver medal with certificate |
| 63–56 points | bronze medal with certificate |
| 55–20 points | certificate |

*Awards of Points for the Category R: Restaurant of Nations*

| | |
|---|---|
| for the hors d'oeuvre | 0–100 points |
| for the main-course | 0–100 points |
| for the dessert | 0–100 points |

Altogether up to 300 points could be reached

*Pointstable for the Medals in Category R: Restaurant of Nations*

| | |
|---|---|
| 300–270 points | gold medal with certificate |
| 269–240 points | silver medal with certificate |
| 239–210 points | bronze medal with certificate |
| 209– 75 points | certificate |

**Awards for national teams in the competition around the Olympic Winner of the Chefs 2004 in Erfurt**

That national team, which reaches the most points in the individual categories A, B, C, or R, will become the Olympic Winner in the respective category.

That national team, which reaches the most points in all categories A, B, C, R will become the **Winner of the Culinary Olympics IKA 2004.**

## Special Exhibition Regulations for National Youth Teams

**1.** Only national associations, which belong to the World Association of Cooks Societies, are able to participate with one National Youth Team per nation in the competition.

**2. Team Assembly**

The team will consist of 4 participants and 1 person, who is in charge of the team. 1 substitute could be announced.

The participants are trainees, commis de cuisine, pupils or students around the culinary profession.

The participants may not be older than 23 years (the qualifying date is 1 June 2004). They may not be born before the 1 June 1981.

The jury will carry out a passport or an identity card control.

The person, who is in charge of the team, is responsible for the team. He is allowed to do the announcement in the hot kitchen during serving time.

All teams are obliged to fulfil their tasks, even if breaches of the rules will be registered when controlling the passports.

**I. Hot Kitchen**

Preparation of 110 dishes with a maximum material-shopping-value of € 3,– per portion.
The VKD will provide a kitchen (please, note the list) will be taken over by the team before the beginning.
The portions have to be prepared completely in the competition kitchen. Please, note particularly the explanations concerning the form in which the food may be brought for the Youth Restaurant.
One portion will be presented as showpiece in a display case for guests. This dish is also photographically important for the IKA-book.
The 110 portions should be planned in that way that they could be prepared with the technical equipment of the kitchens.
The food-raw-materials have to be brought by the teams and will be reimbursed with € 330,–.
Other hand tools and equipment have to be brought also.

**Explanation in Which Form the Food for the Youth Restaurant May be Brought:**

The goods and raw materials for the Youth Restaurant may not be brought prefabricated so far, that the jury has no possibility to observe the preparation from the very beginning in that way, that it comes to a correct judgement. Otherwise, the jury will deduct a corresponding number of points.

**Allowed are:**

The following items may be prefabricated or prepared for the hot food competition

Vegetables/mushrooms/fruits washed, but not cut up or shaped
Potatoes washed, but not cut up or shaped
Onions peeled, but not cut up

Basic meat juices
Basic recipes may already be weighed out.
The menu will be arranged on the dishes that will be provided by the VKD (with white plates Ø 28 cm).

## II. Culinary Studio

Each team-member, who has participated in the hot kitchen competition in the morning, will participate in the competition in the culinary studio in the afternoon.
The assignments of each teammember in the hot kitchen competition will be drawn at the beginning of the competition day.
Each candidate will have 30 minutes time in the culinary studio, plus 10 minutes for the cleaning of the place of work.
In the afternoon the candidates have to compete in the culinary studio according to the order of the raffling, that means that each candidate has to be well acquainted with all tasks.
All materials for this programme will be brought by the team itself at the team's expense.
The salmon trout (ca. 1200 g) will be provided by the organiser.

### THE TASKS IN THE CULINARY STUDIO ARE:

A) Clean, butcher and portion out a salmon trout (1200 g), and prepare 2 individual portions of cold hors d'oeuvre arranged on two dishs.
B) Prepare of a salmon trout cream soup with a garnsh of your choice for 2 persons and prepare a salmon trout forcement (farce) for the own use or/and for the further use for participant C.
C) Preparation of a main-course out of salmon trout with 3 different sorts of vegetables and one side-dish of potatoes for 2 persons.
D) Preparation of 3 dessert-plates under the use of curd cheese (quark), chocolate, poppy seed and apple.

TIMETABLE IN THE CULINARY STUDIO
Candidate A Tour A 13.30 h–14.10 h
Candidate B Tour B 14.10 h–14.50 h
Candidate C Tour C 14.50 h–15.30 h
Candidate D Tour D 15.30 h–16.10 h

## III. Cold platters display

- 2 restaurant platter or dish for 2 persons, prepared hot, displayed cold
- 2 different desserts (dessert of the day) for 1 person individually served

Table surface 1 m x 1,5 m, in total electricity mains, customary 220 Volt.
The tables have a white covering and wine-red skirtings. It won't be allowed to alter the tables or to bring own ones.
All foodstuffs for the cold platters display are chargeable to the exhibitor.
The planning of the National Junior Culinary Teams will be effected by the IKA-organisation.

### 3. CRITERIA FOR THE JUDGEMENT

*3.1 Mise en place*

Clear provision of materials and equipment, clean places of work, clean working-clothes.

*3.2 Correct Professional Preparation*

The demonstration should lead to a practical, culinary perfect and digestible preparation by professionally perfect working-techniques and -skills. It should correspond to the type of task. The side-dishes and ingredients should harmonise with the main-piece in regard to the quantity, the taste, and the colour and should correspond to the knowledge of the dietetics and economicalness. The dish should correspond to the normal, edible size of a dish in a restaurant. Residual sample is required according to HACCP.

*3.3 Planning of Time*

suitable for time and punctual completion.

*3.4 Practical Preparation and Presentation/Innovation*

The main part and the side-dish should be in a correct proportion to each other. Afterwards it should be arranged on the dishes that will be provided by the VKD in a practical, clean, and pleasant manner corresponding to the ambitious service in a good restaurant.

### 4. Criteria for the judgement cold platters display

*4.1 Presentation/Innovation*

Comprises and appertising, tasteful, elegant presentation, modern style.

*4.2 Composition*

Well-balanced food – in a correct proportion of vitamins, carbohydrates, proteins, fats and roughages, harmonising in colour and flavour, practical, degistible.

*4.3 Correct professional preparation*

Correct basic preparation of food, corresponding to today's modern culinary art.

*4.4 Arrangement/Serving*

Clean arrangement, no artificial decorations, no time-consuming arrangements, exemplary plating, in order to make practical serving possible.

### JUDGEMENT IN THE HOT KITCHEN

| | |
|---|---|
| Mise en place | 10 points |
| Order and cleanliness | 10 points |
| Correct professional preparation | 30 points |
| Practical arrangement | 20 points |
| taste | 20 points |
| timesharing | 10 points |
| | 100 points x 2 |
| | **200 points** |

### JUDGEMENT IN THE CULINARY STUDIO

| | |
|---|---|
| order and cleanliness | 5 points |
| working-techniques/taste | 10 points |
| time-division | 5 points |
| presentation/innovation | 5 points |
| | 25 points |
| 25 points x 4 participants = | **100 points** |

### JUDGEMENT COLD PLATTERS DISPLAY

| | |
|---|---|
| Presentation/Innovation | 0–20 points |
| composition | 0–20 points |
| correct professional preparing | 0–20 points |
| arrangement/serving | 0–20 points |
| in total | **80 points** |

Half points will not be given.

### AWARDS FOR NATIONAL YOUTH TEAMS

All participating National Youth Teams receive medals and certificates corresponding to the reached number of points. Please, note the following explanation. The association will receive correspondingly a medal and a certificate.

**Award of points – hot kitchen an culinary studio**

| | |
|---|---|
| 0–149 points | certificate |
| 150–189 points | bronze cloverleaf with certificate |
| 190–229 points | silver cloverleaf with certificate |
| 230–300 points | gold cloverleaf with certificate |

**Award of points – cold platters display**

| | |
|---|---|
| 20– 55 points | certificate |
| 56– 63 points | bronze cloverleaf with certificate |
| 64– 71 points | silver cloverleaf with certificate |
| 72– 80 points | gold cloverleaf with certificate |

The National Youth Team which will reach the highest number of points will become **Olympic Winner of the National Youth Teams IKA 2004.** Place 2 receives the Olympic Silver Medal, Place 3 receives the Olympic Bronze Medal.

## Special Exhibition Regulations for Regional and Individual Teams

The teams consists of

1 Teamchef
2 Chefs
1 Pâtissier

### CATEGORY A: Culinary Art

- show platters "finger food, tapas and/or snacks"
  1. platter = 5 different kinds of "finger food, tapas and/or snacks" à 6 separate portions prepared cold, displayed cold
- 2. platter = 5 different kinds of "finger food, tapas and/or snacks" à 6 separate portions prepared hot, displayed cold
- a festive, cold display platter for 8 persons
- six different complete hors d' oeuvres, individually prepared for 1 person

One of the 6 different hors d'oeuvres has to be prepared twice (2 x) and is determined for the tasting by the jury.

In the category A has to be demonstrated additionally to the programme, on one plate for 1 person, from the festive platter to the plate, so that an optional effect and the relative proportions will become clearly apparent.

### CRITERIA for the Judgement of the Category A:

*Presentation/Innovation* *0–20 points*

Comprises an appetising, tasteful, elegant presentation, modern style

*Composition* *0–20 points*

Harmonising in colour and flavour, practical, digestible

*Correct Professional Preparation* *0–20 points*

Correct basic preparations of food, corresponding to today's modern culinary art

*Arrangement/Serving* *0–20 points*

Clean arrangement, exemplary plating, in order to make a practical serving possible

*Number of Possible Points for the Judgement* *80 points*

In the case of 3 judgements 240 points are totally possible.

Half points will not be given.

### CATEGORY B: Culinary Art

- 1 vegetarian platter ovo-lacto-vegetarian (without meat, milk products and eggs are allowed) as main-course for 4 persons, prepared hot, displayed cold
- 1 menu for one person, consisting of 3 courses (hors d'oeuvre, main-course, dessert), prepared hot, displayed cold
- 4 different, individually served innovative main-courses (plate) prepared hot, displayed cold

### CRITERIA for the Judgement of Category B:

*Presentation/Innovation* *0–20 points*

Comprises an appetising, tasteful, elegant presentation, modern style

*Composition* *0–20 points*

Well-balanced food – in a correct proportion of vitamins, carbohydrates, proteins, fats, and roughages, harmonising in colour and flavour practical, digestible

*Correct Professional Preparation* *0–20 points*

Correct basic preparation of food, corresponding to today's modern culinary art

*Arrangement/Service* *0–20 points*

Clean arrangement, no artificial decorations, not time-consuming arrangements, exemplary plating, in order to make a practical serving possible

*Number of Possible Points for the Judgement* *80 points*

In the case of 3 judgements 240 points are totally possible.

Half points will not be given.

### CATEGORY C: Pâtisserie/Confectionery

- 3 different little cakes (gateaux) for 6–8 persons, presented on-slice, free of choice of subject wedding, birthday, etc.)
- 1 platter with sweet biscuits or chocolates or petits fours or cheese fours or friandises, 5 different sorts for 8–10 persons with decoration piece

– 4 different desserts – prepared hot or cold for 1 person, individually served
On of the 4 different desserts for 1 person has to be prepared twice (2x) for the tasting by the jury.

The dessert has to be given directly to the jury.

All exhibits have to be of edible materials.

**CRITERIA for the Judgement of Category C:**

*Presentation/Innovation* *0–20 points*
Comprises an appetising, tasteful, elegant presentation, modern style

*Composition* *0–20 points*
Harmonising in colour and flavour, practical, digestible

*Correct Professional Preparation* *0–20 points*
Correct basic preparation of food, corresponding to today's modern patisserie

*Arrangement/Serving* *0–20 points*
Clean arrangement, exemplary plating, in order to make a practical serving possible

*Number of Possible Points for the Judgement* *80 points*

In the case of 3 judgements 240 points are totally possible.

Half points will not be given.

**Awards for Regional/Individual Teams**

As they will appear as team, all judgements will be added. The resulting average is at last the overall result of the team. According to that, each team member will receive a certificate and a medal corresponding to the overall result. The institution and the regional association receive the corresponding medal and certificate.

*Pointstable for the Medals of Category A, B, and C*

| | |
|---|---|
| 720–648 points | Gold medal with certificate |
| 647–576 points | Silver medal with certificate |
| 575–504 points | Bronze medal with certificate |
| 503–180 points | certificate |

The team, which will achieve the most points, will be **awarded as IKA-Cup-Winner 2004 for regional and individual teams.**

A = 240
B = 240
C = 240

Possible points 720

IKA-Cup-Winner in Gold
IKA-Cup-Winner in Silver
IKA-Cup-Winner in Bronze

# Conditions of Participation for the Pastry Olympics-Team Competition

Special Exhibition Regulations for the "Pastry Olympics"

**1.** Only national associations, which belong to the World Association of Cooks Societies (WACS), are allowed to participate with one team per nation in the competition.

**2. Assembly of the Team**

– 2 pâtissiers with a minimum of 5 year professional experience

- **PART 1 Day of Presentation**
  1 chocolate showpiece
  2 gâteaux
  1 sugar showpiece
  6 different desserts
  6 x 8 different petits fours including one showpiece

Surface of the table 2 m x 2 m, altogether 4 m$^2$
Electricity mains customary, 220/230 Volt

The tables have a white covering and wine-red skirtings. It won't be allowed to alter the tables or to bring own ones.

- **PART 2 Practical Working in the Display Kitchen**

1 x 2 gâteaux – 1 gâteau respectively is for the jury and the other one for the photographer. This gâteau has to be identical to the gâteau of part 1, with identical ingredients and appearance.

3 x 8 different petits fours – these have to vary from the ones in part 1. Exact recipes of all petits fours are required (amounts of ingredients and work procedure).

6 identical desserts cold (5 desserts for the jury, 1 dessert for the photographer). These desserts have to be identical to the designated desserts of part 1, with identical ingredients and appearance.

6 identical desserts warm (5 desserts for the jury, 1 dessert for the photographer). These desserts have to be identical with the designated desserts of part 1 with identical ingredients and appearance.

**PART 1: Day of Presentation**

1 chocolate showpiece – at least 50 cm high with a base of at least 0.2 m$^2$.

2 gâteaux are to be integrated in this showpiece.

2 gâteaux – very differing techniques, appearance and decors (not larger than Ø 22 cm and not smaller than Ø 18 cm; various shapes are desired). From this, one chocolate gâteau and one fruit gâteau is to be made. These gâteaux for part 1 may be treated with gelatine or aspic, if necessary, in order to keep them fresh looking all day. Exact recipes for both gâteaux are required (amounts of ingredients and work procedure). 1 gâteau is to be labelled for part 2 (practical working).

1 sugar showpiece – at least 50 cm high with a base of at least 0.2 m$^2$. The showpiece may not exceed 50 % of pastillage in contents. This showpiece may be protected from humidity with the aid of a glass or plastic display case. The 6 plated desserts are to be presented together with the sugar showpiece.

6 different desserts – 3 warm desserts, yet presented cold and 3 cold desserts, presented cold. These desserts are to be presented on plates. They

may be treated with gelatine or aspic, in order to keep them fresh looking all day. 2 desserts have to be labelled for part 2. Exact recipes for all desserts are required (amounts of ingredients and work procedure).

6 x 8 different petits fours – including a showpiece. The showpiece may be created from caramel, chocolate or pastillage. Its base should measure at least 0.2 $m^2$. Exact recipes of all petits fours are required (amounts of ingredients and work procedure).

**CRITERIA for the Judgement Part 1:**

*Degree of Difficulty* *0–10 points*

The difficulty in production is measured by: individual technical skill, amount of time needed and the conceptual input.

*Command of the Material/Execution* *0–10 points*

Is measured by the professional processing
Of the materials, corresponding
with modern pastry

*Artistic Modelling/Creativity* *0–10 points*

The total impression based on ethics and aestethics should be one of enthusiasm.

*Advertising Effect/Sales Promotion/Novelty 0–10 points*

The concept here is to develop and realize own ideas by the use of culinary materials in an original way. An appetizing, tasteful, and elegant presentation. The novelty should be noticeable at once.

*Number of Possible Points for the Judgement* *40 points*

Per exhibit object, 40 points can be obtained.

200 points are totally possible.

Half points will not be given.

**PART 2 Practical Working in the Show Kitchen**

1 x two gâteaux – 1 gâteau for the jury and 1 for the photographer respectively. This gâteau has to be identical with the labelled one of part 1, identical in the listed ingredients and in appearance.

3 x 8 different petits fours – these have to differ from the ones in part 1. All petits fours have to have exact listings of ingredients (amounts and work procedure).

6 identical desserts cold (5 desserts for the jury, 1 dessert for the photographer). These desserts have to be identical to the labelled desserts of part 1 in listed ingredients and appearance.

6 identical desserts warm (5 desserts for the jurors, 1 dessert for the photographer). These desserts must be identical with labelled desserts of part 1 in listed ingredients and appearance.

Biscuit may be brought along as a ready-made product; all additional products as well as decors must be made during business hours in the show kitchen.

Offenders against the regulations may be disqualified.

**CRITERIA for the Judgement Part 2**

*Mise en place and Cleanliness* *0–20 points*

Provision of the materials. Timely work arrangement and punctual work completion. A clean, orderly working mode during the competition is also evaluated, same as the condition of the kitchen after leaving it.

*Correct professional Preparation and Processing* *0–20 points*

Proper base preparation, corresponding with today's modern pastry

*Arrangement and Presentation/Innovation 0–30 points*

Clean working, tasteful presentation

*Flavour* *0–30 points*

The distinctive flavour of the products must be noticeable. A variety of flavours should be obtained at different plates. The right choice of flavour has to be accomplished.

This means that for each presented task a total of 80 points can be reached.

From this, an overall of 4 x 100 = 400 points in total.

Half points will not be given

**AWARDS Pastry Olympics 2000**

Since the people participate as teams, all evaluation-points are added together. The resulting average calculates the total points reached by the team. Thus, each team member will receive a certificate and a medal – depending on the institution or the regional association – according to the total points reached.

*Pointstable for the Medals in Part 1 and Part 2*

| | |
|---|---|
| 600–540 points | gold medal with certificate |
| 539–480 points | silver medal with certificate |
| 479–420 points | bronze medal with certificate |
| 419–150 points | certificate |

The team with the highest number of points will be the **winner Pastry Olympics 2004.**

## Special Exhibition Regulations for Military Teams

The teams will be appointed by the participating nations. Regional teams could register themselves by their own.

### Assembly of the Team

The team consists of one team chef and five (5) chefs. One of them is substitute. In category "R" the substitute is only allowed to do the cleaning and clearing as well as the announcement. In category "B" the substitute is a full team member. Further military teams (regional teams) have to complete category "B" and when required category "R", however, they did not participate in the nations' scoring.

### Cooking in the Mobile Kitchen

In the kitchen of the military teams 2 x 75 three-course-menus have to be prepared.

The kitchen-equipment has to be taken over by the team before the beginning.

The respective team is liable for lost kitchen-equipment.

After serving is finished, the cleaning of the kitchen and the handing over of the kitchen-equipment as well as the cashing up of the warm kitchen will follow.

Strain cloths, piping bags, knives, etc. have to be brought by the participants themselves.

The kitchens in the Restaurant of Military Teams will be available up from 7.00 a.m. in the morning. Tasting of the menus by the jury from 12.30 p.m., afterwards beginning of the service from 12.30 p.m., according to demand. The menus for the tasting of the jury will be chosen anonymous during the whole service.

During the serving the quality of the menus will be controlled by the jury.

A kitchen plan as well as a list of the kitchen equipment will be sent after registration. Further, bigger kitchen-equipment may not be used.

Please, keep ready for this during the judgement. The results of the judgement are final and incontestable.

With this participation in the exhibition, the exhibitor accepts the conditions which are mentioned there.

**Goods and raw materials**

Have to be got by the teams themselves for the demanded exhibition requirements. For food stuffs, which are used in the mobile kitchen of the Military Culinary Teams, the VKD reimburses € 2,50 per menu:

150 x ca. € 2,50 = € 375,–.

All other food stuffs for the Cold Platters Display will be chargeable to the team. Goods and raw materials are available in Erfurt in best quality. A list with specialist shops is enclosed.

Each menu in the category "B" and "R" should not exceed the value of € 2,50 incl. VAT.

**Exhibition requirements for the competition**

The military team makes out the following programme on 2 days:
**1 day** category B

Cold Platters Display (7 three course menus) troops catering "culinary art" prepared hot, displayed cold. All parts of the menu have to be comprehensible for 500 persons and must be suitable for a troop feeding – all ranks.

| | |
|---|---|
| surface of the table | 3,6 m x 3,25 m |
| electricity mains | customary, 220 Volt |

The table have a white covering and wine-red skirting. It won't be allowed to alter the tables or to bring own ones.

**1 day** mobile kitchen
category R
2 x 75 three-course-menus

From the 7 menus (category B) the VKD will determine these two menus. You will be informed about the two chosen menus until 30. June 2004.

The detainment of the teams will be effected by the IKA-organisation.

**CATEGORY R: Restaurant of Military Teams**

In this category the participating teams will prepare specialities of their nations. Each team has the following task:
different menus consisting of
1 x 75 soup or hors-d'oeuvres, main-course, dessert
1 x 75 soup or hors-d'oeuvres, main-course, dessert

The menus should correspond realistically to the troops catering of today.
In the restaurant of military teams 1 portion of these menus will be presented as show-piece in display case for the guests. The portion of these menus should be prepared one day before and preserved with aspic. These menus are also photographically important for the IKA-book.

The goods and raw material have to be got by yourself. A list with specialist shops in Erfurt is enclosed.

**Mobile Kitchen of the Military Teams**

Eplanation in which form the food for the restaurant of the military teams may be brought:

The goods and raw materials for the restaurant of military teams may not be brought prefabricated so far, that the jury has no possibility to observe the preparation up from the very beginning in that way, that it comes to a correct judgement. Otherwise, the jury will deduct a corresponding number of points.

By the exact listing of things that are allowed, but particularly by the reduction of work in the kitchen on the whole, we expect a higher level of the menus. This will fulfil the expectations of the Olympics, but also the expectations of the paying guest.

**Allowed are:**

The following items may be prefabricated or prepared for the hot food competition:

Vegetables / mushrooms, washed, blanched, but not cut up / or shaped
Fruits / salad, washed, blanched, but not cut up / or shaped
Potatoes, peeled, but not cut up / or shaped
Onions, peeled, but not cut up

Basic doughs
basic meat juices – tasteless
basic recipes may already be weighed out

**Up to 80 % Ready-Prepared**

fishes, scaled or filleted, as well as cut up fishbones
meat, taken out, cut out, cut up bones
in case of desserts, prefabricated sponge is allowed
decorative ornaments could be brought up to 80 % ready-prepared.
The remaining 20 % have to be prepared on the spot/in the kitchen.

Further questions will be answered in detail once more on 2004-10-21 before the beginning of the IKA in a preliminary meeting by the responsible chairman of the competition's jury.

**CRITERIA for the Judgement of Category R – Mobile Kitchen of Military Teams**

*Mise en Place and Cleanliness* *0–10 points*

Preparation of the materials to reach trouble-free working during the serving. Just in time work-organisations and punctual completion. Clean, proper working methods during the competition.

*Correct Professional Preparation* *0–20 points*

Correct basic preparation of food, corresponding To today's modern culinary art and dietetics.

*Arrangement / Innovation* *0–30 points*

Clean arrangement, no artificial garnishes, no time-consuming arrangements, exemplary plating for an appetising appearance

*Taste* *0–40 points*

The typical taste of the food should be preserved; The dish should have the typical taste, when sufficient spice is added. At the same time special taste-event should be caused by the corresponding composition of food.

*Number of Possible Points for the Judgement* *100 points*

This means that up to 100 points could be reached for each course.
It follows from that, 6 x 100 = a total number of 600 points.

Half points will not be given.

**CATEGORY B Culinary Art**

7 menus altogether
7 menus for 1 person each (1 week) troops catering – consisting of an 2 x soups and 5 x hors d'oeuve, a main-course and a dessert. The menu parts have to be placed **on white china.** The exhibition china **will not** be offered by the VKD. The decoration of the table will not be judged. Potatoes as well as corresponding vegetables have to be blanched.

**CRITERIA for the Judgement of Category B**

*Presentation/Innovation* *0–20 points*

Comprises an appetising, tasteful, elegant presentation, modern style

*Composition* *0–20 points*

Well-balanced food – in a correct proportion of vitamins, carbohydrates, proteins, fats, and roughages, harmonising in colour and flavour, practical, digestible

*Correct Professional Preparation* *0–20 points*

Correct basic preparation of food, corresponding to today's modern culinary art

*Arrangement/Serving* *0–20 points*

Clean arrangement, no artificial decorations, not time-consuming arrangements, exemplary plating, in order to make an optical effect and a practical serving possible

*Difficulty degree/work techniques* *0–20 points*

sauce mirror (gleam), clean aspic working, cut forms and smoothness

*Number of Possible Points for the Judgement* *100 points*

This means that for every menu course of all 7 menus up to 100 points – per judge – altogether 300 points can be obtained.

Half points will not be given.

The result is multiplied with 0.8, therefore for every menu course of all 7 menus up to 80 points – per judge – altogether **240** points – per judge – can be obtained.

*Pointstable for the Category R –*
*Mobile Kitchen of Military Teams 2 x 75 menus*

| | |
|---|---|
| 600–540 points | gold medal with certificate |
| 539–480 points | silver medal with certificate |
| 479–420 points | bronze medal with certificate |
| 419–120 points | certificate |

*Pointstable for the Medals in the Category B –*
*cold platters display*

| | |
|---|---|
| 240–210 points | gold medal with certificate |
| 209–180 points | silver medal with certificate |
| 179–150 points | bronze medal with certificate |
| 149–100 points | certificate |

The team which will reach the highest number of points on the whole, category "R and B", will become **olympic winner** in the competition of the military culinary teams **"Troops Catering"** and gets a gold medal with certificate military culinary olympic winner. The highest score wich can be assigned in both categories "R 600 points and B 240 points" = 840 points.

## Special Exhibition Regulations for Teams Community Catering

**1. The competition is divided into two parts,** a written preliminary round and a practical competition during the IKA 2004 in Erfurt.

**2. Assembly of the Team**

- 1 teamchef
- 1 chef
- 1 trainee

The kitchen in the Restaurant of community catering will be available from 7.00 a.m. in the morning. Beginning of the service from 11.30 a.m.–2.30 p.m. The menu for the tasting of the jury will be chosen anonymous during the whole service. The cleaning must be completed until 3.30 p.m.
For preparation work (mise en place) the VKD provides on the day before a kitchen for 3 hours.

**CATEGORY R**

**Restaurant „Community Catering"**

The participating teams will prepare specialities of their nations. Each team has the following task:

*1 x 200 menus consisting of*

hors d'oeuvres/soup/main course/dessert

Ask 2 complete menu suggestions submitting with a recipe in followable description, material order for 200 portions, crowd calculation, market prices, nutritive value calculation.
Goods, which are used, may not exceed € 2,50 per person.
The product effort prices depend on the supplies wholesale or SB markets.
Application documents are to be submitted in german and english.

**IMPORTANT:**

The proposed competition menu should be followable in practice, that is in particular valid for fittings and pantry manner for the presentation list.

**CRITERIA**
**for the judgement – written qualifying round**

| | |
|---|---|
| *Menu composition/innovation* | *0–20 points* |
| *Recipe in followable description* | *0–20 points* |
| *Material requirement, amount account, market price, nutritive value account* | *0–10 points* |
| *In total could be reached.* | *50 points* |

The judging of the written pre-qualifying round occurred through 3 judges with international occupation those are inserted by the German Chefs Association. The names of the participants are not confessed the jury.
The judgement of the jury is incontestable.
The written developments remain estate of the VKD. In order to eliminate sources of errors applications and developments those are typed can only become considered, on the official application forms.

**CATEGORY R:**

**JUDGING CRITERIA for community catering**

*Mise en place and cleanliness* *0–10 points*
Preparation of materials to reach troublefree working during serving.
Just in time work-organisations and punctual completion. Clean, proper working methods during the competition.

*Correct professional preparation* *0–20 points*
Correct basic preparation of food, corresponding to todayís modern culinary art and dietetics.

*Arrangement, presentation/innovation* *0–30 points*
Clean arrangement, no artificial garnishes, no time-consuming arrangements, exemplary plating for an appetising appearance.

*Taste* *0–40 points*
The typical taste of the food should be preserved; The dish should have the typical taste, when sufficient spice is added. After the same time special taste-event should be caused by the corresponding composition of food.

*Possible points for the judgement* *0–100 points*

This means that up to 100 points could be reached for each course.
It follows from that, 3 x 100 = a total number of 300 points.

Half points will not be given.

The goods and raw materials for the restaurant community catering may not be brought prefabricated so far, that the jury has no possibility to observe the preparation up from the very beginning in that way, that it comes to a correct judgement. Otherwise, the jury will deduct a corresponding number of points.

By the exact listing of things that are allowed, but particularly by the reduction of work in the kitchen on the whole, we expect a higher level of the menus. This will fulfil the expectations of the Olympics, but also the expectations of the paying guest.

**Allowed are:**

The following items may be prefabricated or prepared for the hot food competition

*Vegetables/mushrooms/fruits:* washed, blanched
*Potatoes:* peeled, but not cut up/or shaped
*Onions:* peeled, but not cut up

basic doughs could be brought up
basic meat juices and basic recipes may already be weighed out
fishes, scaled or filleted, as well as cut up fishbones
meat, taken out, cut out, cut up bones
in case of desserts, prefabricated sponge is allowed
decorative ornaments could be brought up ready-prepared.

Further questions will be answered in detail before the beginning or the IKA in a preliminary meeting by the responsible chairman of the competition's jury.

**AWARDS FOR CATEGORY R:**

**COMMUNITY CATERING**

All participating ones community catering preserved medals and diplomas in accordance with the achieved points, see following explanation.

**Pointstable for category R:**
**Restaurant Community Catering**

| | |
|---|---|
| For the soup/hors d'oeuvre | 0–100 points |
| For the main course | 0–100 points |
| For the dessert | 0–100 points |
| In total 300 points are possible | |

**Pointstable for category R:**
**Restaurant Community Catering**

| | |
|---|---|
| 100–90 | *points gold medal with certificate* |
| 89–80 | *points silver medal with certificate* |
| 79–70 | *points bronze medal with certificate* |
| 69–25 | *points certificate* |

This special programme is valid in connection with the general conditions off participation. There, you can find further information concerning the legal basis, tips and advice, guidelines for the exhibitors and the jury.

## Sie tragen eine große Verantwortung!

Mehr als 70 Juroren aus 20 Ländern haben mit ihrer Beurteilung der ausgestellten Exponate und der Leistungen im Restaurant der Nationen, in den Küchen des Militärs, im Jugendrestaurant, im Restaurant der Großverpflegung und, nicht zu vergessen, auf der Schaubühne der Patissiers ihre Kompetenz unter Beweis gestellt. Das erfordert klare Maßstäbe sowie ein hohes Maß an Konzentration und sachlicher Auseinandersetzung in der Gruppe. Sie alle verdienen unsere Anerkennung, denn jede Kategorie verfügt über ein eigenes Profil, und die Wettbewerber haben ein Anrecht, fair und leistungsgerecht beurteilt zu werden.

Die Besten haben gewonnen. Das war das Ziel! Nicht die technische Ausstattung sollte im Mittelpunkt stehen, sondern die Ideen, die Kreativität, die Harmonie und der Geschmack. Die Besten der Welt haben ihr Wissen und Können in der Öffentlichkeit unter Beweis gestellt. Ebenso wie die Olympiade der Sportler in Athen, so liegt nun auch die Olympiade der Köche seit einigen Wochen hinter uns. Es war eine friedliche und zugleich opulente Demonstration internationaler Kochkunst. Mein Dank geht an alle Beteiligten!

Ausstellungskochen erfordert einigen Forschergeist, um angemessen mit den Besonderheiten der unterschiedlichen Lebensmittel und ihrer je eigenen Reaktion auf kalte oder warme Zubereitung umzugehen und dabei Haltbarkeit, Farbspiel und Geschmack nicht aus dem Auge zu verlieren – denn Geschmack kann man sehen. Gutes handwerkliches Wissen wurde uns präsentiert. Und die Juroren waren gefordert, auch darauf zu achten, dass einzelne Exponate nicht zweimal bewertet wurden.

Wie steht es um das Verhältnis von Erfahrung und jugendlichem Drang? Was darf an Technik in die Küche? Was bleibt draußen? Die Bedingungen sollten doch für alle in etwa gleich sein!

Also keine zusätzlichen Koch- oder Gargeräte in der Wettkampfstätte. All diese Fragen erfordern viel Fingerspitzengefühl, Erfahrung, aber auch Durchsetzungswillen.

Diese jungen Menschen haben Ehrgeiz. Deshalb kommen sie zur Koch-Olympiade. Ihnen gilt unsere Anerkennung und unser Dank. Sie werden auch künftig für Diskussionen in unserem Beruf sorgen.

Und schließlich: Ohne die Unterstützung der Industrie lassen sich heute Veranstaltungen dieser Größenordnung nicht mehr durchführen. Mein Dank gilt unseren Partnern, sie zeigen Weitsicht und investieren in die Jugend.

Das W.A.C.S. Culinary Committee hat uns bei der IKA begleitet, um die Qualität bei Ausstellern, Juroren und Veranstaltern zu sichern – und das ist gut so!

Allen Beteiligten ein herzliches Dankeschön, es waren gute und erfüllte Tage im friedlichen Wettstreit der Nationen.

*Axel Rühmann*
*Vorsitzender der Jury*

## You took a great responsibility!

More than 70 judges from 20 different countries have shown their competence judging the exhibits and the performances in the restaurant of the nations, in the kitchens of the armed forces, the youth restaurant and the restaurant of community catering, not to forget the showroom of the pastry chefs. What they needed to accomplish this was a clear consciousness of standards, a strong power of concentration and a high level of objective discussion within the group. All judges deserve our respect and appreciation, because every category has its own profile and all competitors have a right to be judged fairly and justly.

The best have won. That was our aim! Not the technical equipment was planned to stand in the centre of our attention, but the ideas, the creativity, harmony and taste. The best chefs in the world have publicly shown their knowledge and ability. The Culinary Olympics have come to an end as well as the Olympic Games in Athens. It was a peaceful and epicurean demonstration of international culinary art, and I want to thank everybody who took part in it.

Cooking under competition rules requires a certain amount of exploratory spirit. It is necessary to handle the features of different ingrediences and their reaction to the process of cold and warm preparation. And it is necessary not to forget durability, colour and taste, because "You can see good taste". What we could also see was good craftmanship. And the judges had also to watch out that exhibits did not appear twice.

What about the relation of experience and youthful drive? How much technical equipment should be allowed in the kitchen, and which items of technical equipment should be banned to secure that everybody could work under similar conditions? Therefore, no additional equipment was used during the competition. All these questions require a large amount of instinctive feeling, experience and determination. These young people are full of ambition, that's why they join the Culinary Olympics. They deserve our appreciation and our gratitude. They sure will incite future discussions in our professional field.

And last not least: Great events like the Culinary Olympics would not be possible without the support of the industry. Therefore I want to thank our partners; they show their clear perspective into the future, and they invest in our youth.

The W.A.C.S. Culinary Committee has been at our side during the IKA, securing the quality of exhibitors, judges and organizers. A big thank you to all involved. We had fine, full days in a peaceful contest of nations.

*Axel Rühmann*
*Chairman of the jury*

## Une immense responsabilité!

Plus de 70 jurés de 20 pays ont fait la preuve de leurs compétences avec la totalité des objets exposés, les prestations au restaurant des nations, dans les cuisines des militaires, les restaurants de jeunes et le restaurant des collectivités, sans oublier la tribune des pâtissiers. Une telle abondance nécessite des structures claires.

Il s'agissait pour les jurés de différents pays de juger la concentration et l'objectivité matérielle des groupes. Ils méritent notre reconnaissance car chaque catégorie présente un profil différent et les créateurs ont droit à être jugés honnêtement et selon leur prestation. Les meilleurs ont gagné – c'était le but. Non les meilleurs en ce qui concerne l'équipement technique, mais les meilleurs pour les idées, la créativité, l'harmonie et le goût. Les meilleurs du monde ont publiquement démontré leur savoir-faire. À l'instar des événements d'Athènes, l'Olympiade des cuisiniers est terminée depuis quelques semaines. Ce fut une présentation paisible et plantureuse par les cuisiniers du monde entier. Merci à tous!

Cuisiner en exposition requiert le génie de l'investigation pour jouer avec les particularités de différents aliments et leurs réactions diverses aux préparations chaudes ou froides, leur consistance, couleurs et goûts. Car «le goût se voit». De bonnes connaissances artisanales ont été présentées, mais les jurés ont également dû veiller à ce qu'aucun objet exposé ne soit présenté deux fois.

Seniors/jeunes? Et pour les plats chauds une attention particulière à la technique culinaire? Que reste-t-il? Les conditions devaient pourtant être identiques!

Ni cuisinier ni four ou appareil de cuisson supplémentaire sur le lieu du concours, donc. Tout cela implique un grand doigté, de l'expérience mais aussi de savoir imposer sa volonté: ces jeunes en veulent plus, c'est pourquoi ils viennent à l'Olympiade des cuisiniers. Ils ont droit à notre reconnaissance et à nos remerciements. Ils sont la garantie de futures discussions au sein du métier. Enfin, sans le concours de l'industrie, aucune manifestation de cette taille ne pourrait avoir lieu aujourd'hui. Je remercie donc aussi tous les partenaires, ils font preuve de perspicacité en misant sur la jeunesse.

Le comité culinaire de la W.A.C.S. nous a également accompagnés sur cette IKA afin de garantir la qualité auprès des exposants, des jurés et des organisateurs, c'est bien ainsi!

À tous les participants, un grand merci du fond du cœur, ce furent de bonnes journées et des journées significatives dans la concurrence paisible des nations.

*Axel Rühmann*
*Président du jury*

MESSE ERFURT AG

GERMANY
REWE
GROSSVERBRAUCHER-SERVICE

GERMANY
REWE

FINLAND
REWE

AUSTRALIA
REWE

AUSTRIA

REWE

# Die Jurys der IKA

# The Juries of the IKA

# Les jurys de l'IKA

## Präsidium der Jurys

*Von rechts nach links:*

Oberjuror und Vizepräsident aus Deutschland Axel Rühmann
Assistent aus Deutschland Manfred Versall

## Jury Nationalmannschaften Kategorie A

*Von links nach rechts:*

Toni Khoo (Singapur)
Torsten Kjörling (Schweden)
Rick Steven (Australien)
Matthias Schantin (Deutschland) – vorn
Shojiro Uabe (Japan) – vorn

## Jury Nationalmannschaften Kategorie B

*Von links nach rechts:*

Milan Sahanek (Tschechien)
Carlo Sauber (Luxemburg)
Horst Kucharicky (Deutschland)
Jacob Magnusson (Island) – vorn
Bruno Marti (Kanada) – vorn

## Jury Nationalmannschaften Kategorie C

*Von links nach rechts:*

Gottfried Schuetzenberger (Singapur)
Werner Hitz (Schweiz)
Camille Schumacher (Luxemburg)
Robert Oppeneder (Deutschland) – vorn
Gilles Renusson (USA) – vorn

### Jury Nationalmannschaften Kategorie Restaurant

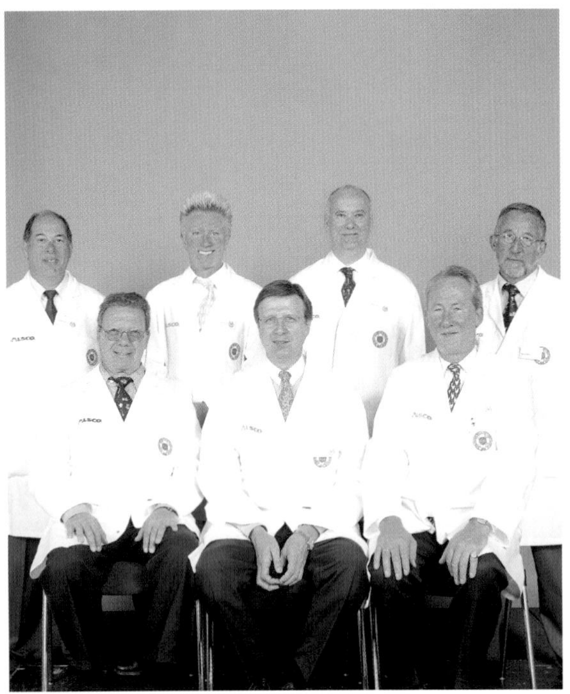

*Von links nach rechts:*

Ilan Roberg (Israel)
Armin Rossmeier (Deutschland)
Tony Jackson (Schottland)
Georges Knecht (Schweiz)
Hans Hertel (Deutschland)) – vorn
Klaus Böhler (Deutschland) – vorn
Ferdinand Metz (USA) – vorn

### Jury Jugendnationalmannschaften

*Von links nach rechts:*

Sigi Eisenberger (USA)
Rene Frei (Schweiz)
Sven-Åke Larsson (Schweden)
Torstein Line (Norwegen)
Andreas Köhne (Italien/Südtirol)
Alois Wimmer (Deutschland)
Ernst Fassnacht (Deutschland) – vorn
Thea Notnagel Moderation – vorn
Matthias Köhler (Deutschland) – vorn

## Jury Regionalmannschaften Kategorie A

*Von links nach rechts:*

Frank Wiedmann (Deutschland)
Fausto Airoldi (Portugal)
Michael Noble (Kanada)
Wynand Vogel (Niederlande) – vorn
Aloyse Jacoby (Luxemburg) – vorn

## Jury Regionalmannschaften Kategorie B

*Von links nach rechts:*

Franz Janke (Schweiz)
Klaus Huber (Deutschland)
Victor Gielisse (USA)
Hakan Thörnström (Schweden) – vorn
Brendan O'Neill (Irland) – vorn

## Jury Regionalmannschaften Kategorie C

*Von links nach rechts:*

Brendan Hill (Australien)
Bernd Siefert (Deutschland)
Giorgio Nardelli (Italien)
Susan Notter (USA) – vorn
Regina von Däniken (Schweiz) – vorn

## Jury Gemeinschaftsverpflegung

*Von links nach rechts:*

Gerhard Baumeister (Deutschland)
Thomas Jarocki (Deutschland)
Franz-Xaver Bürkle (Deutschland)
Norbert Deimel (Deutschland)
Wolfgang Wurzer (Österreich)
Jürgen Köpke (Deutschland) – vorn
Peter Striegnitz (Schweden) – vorn

## Jury Pâtissiers

*Von links nach rechts:*

John Hui (USA)
Ullrich Spitzer (Deutschland)
Thomas Lugeder (Deutschland)
Andreas Schwarzer (Kanada) – vorn
Hubert Oberhollenzer (Italien) – vorn

## Jury Einzelaussteller A und B

*Von links nach rechts:*

Manfred Benger (Deutschland)
Laine Tapio (Finnland)
August Guter (Deutschland) – vorn

## Jury Einzelaussteller A und B

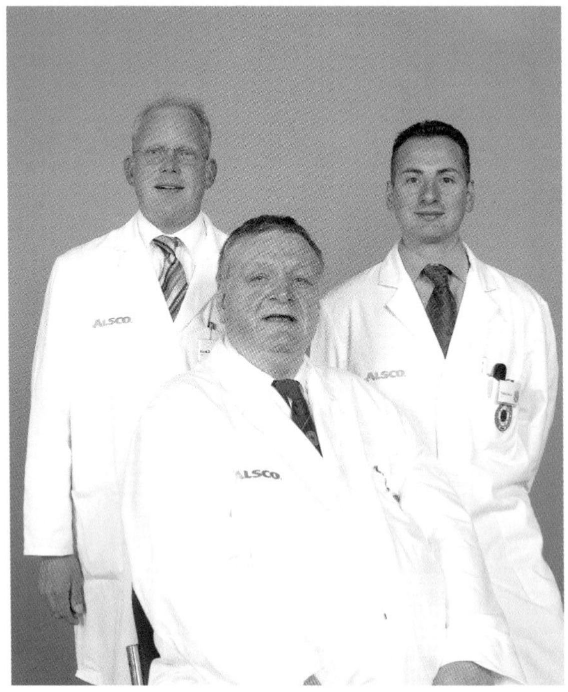


*Von links nach rechts:*

Frank Gulewitsch (Deutschland)
Tobia Ciarulli (Italien)
Detlef Niendorf (Deutschland) – vorn

## Jury Einzelaussteller C und D

*Von links nach rechts:*

Lothar Otto (Norwegen)
Werner Paulik (Deutschland)
Leopold Forsthofer (Österreich)

## Jury Einzelaussteller C und D

*Von links nach rechts:*

Johannes Hösli (Schweiz)
Helmut Koloini (Österreich)
Rainer Lind (Deutschland) – vorn

## Jury Militärmannschaften

## Team des internationalen Restaurants

*Von links nach rechts, von hinten nach vorne:*

Johannes Lensing
Michael Stöcken
Armin Franz
Dieter Teichmann
Mario Engbers
Barbara Röder
Wolfgang Stein
Horst-Günther Kloß
Harald Franz
Gerd Baake
Britta Hohenberg
Inge Steller
Joachim Steudtner
Hennig Steller

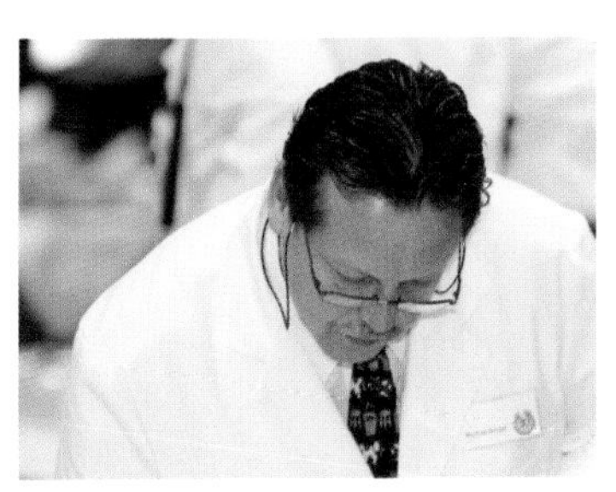

# 32 Nationalmannschaften mit ihren Menüs

# 32 National Teams and their Menus

# 32 équipes nationales et leurs menus

*Von links nach rechts, von hinten nach vorn:*

Ahmed Mowad
Mohaed Nasr Alla Essam Sayed
Abou Aziz Hassanein Mahmoud
Mohammed Taha
Salama Kamal
Enam Ahmed Hassan Ashour
Mohamed Hossam El Din
Ali Shalaby Ali Mohamed

Gedämpftes Lachsmedaillon im Weinblatt, Seezungefilet mit dünnen Nudeln umhüllt, Shrimps mit Krabben-Mousseline, serviert mit Safran-Schnittlauch-Creme

In Butter gebratenes Kalbsfilet, Sesam-Hähnchen-Kofta (Fleischbällchen mit Reis) am Rohrzuckerspieß mit Koshary (Gemisch aus Reis, Nudeln, Linsen und Röstzwiebeln), dazu Gemüse

Kokosnuss-Mousse mit Mango, Mandeln und Datteln im Filloteig gebacken, frische Früchte mit Karcadesauce und knusprige Hibiskus-Blüten

Steamed salmon medaillon in wine leaves, fillet of sole, wrapped in thin noodles, shrimp with prawn mousseline served with saffron chive cream sauce

Butter roasted veal sesame fillet, chicken kofta served on sugarcane skewer with koshary and vegetables

Coconut mousse with mango fillo pastry with almonds and dates, fresh fruits served with karkade sauce and crispy hibiscus flowers

Médaillon de saumon à la vapeur en feuilles de vigne, filet de sole dans son enveloppe de fines nouilles, crevettes et mousseline de crevettes, bouquet crème au safran et à la ciboulette

Filet de veau sauté au beurre, kofta de poulet au sésame (boulettes de viande au riz) sur brochette de sucre de canne et koshary (mélange de riz, nouilles, lentilles et oignons), légumes

Mousse à la noix de coco et mangue en pâte filo aux amandes et dattes, fruits frais à la sauce karkadé et fleurs d'hibiscus sautées

## Australien

*Von links nach rechts, von hinten nach vorn:*

Neill Abrahams
Tim Smith
Peter Wright
Andrew Mann
Gary Farrell
Ruth Classe

Pudding von Kokosnuss, Krabbenfleisch, Mais, warmer Kräutersalat, Schweinebauch und süß-saure Jakobsmuschel, Lachsforelle, Frühlingszwiebelkuchen, Mandarinen-Blumenkohl-Püree, Biskuit mit Macadamianuss und Paprika

Kaninchenrücken mit Gänseleber in Parmaschinken, Ravioli mit Kaninchenkeulenconfit, Nuss-Butter-Spinat, überbackene Rübe, Pastinakencreme, Gemüse, Jus

Marquise von Schokolade, Orangen und Kardamom, weiße Trüffelcreme, Blutorangensorbet auf Biskuitturm, Ingwer-Espuma, Zitrusfruchtsalat

Pudding of coconut, prawnmeat, maize, warm herb salad, pig belly and sweet and sour scallops, ocean trout, spring onion cake, mandarin-cauliflower puree, sponge with Macadamia nut und sweet peppers

tenderloin roulade from rabbit with gooseliver wrapped in Parma ham, ravioli stuffed with confit from rabbit leg, nut butter spinach, gratinated beet, parsnip creme and young vegetables, jus

Marquise from chocolate, oranges and cardamom, white truffel cream, bloodorange sorbet, sponge tower, ginger, citrus fruit salad

Entremets de noix de coco, chair de crevettes, maïs, salade, poitrine de porc et coquilles Saint-Jacques aigre-douce, truite de mer gâteau de ciboules, purée de mandarine et de chou-fleur, biscuit Macadamia, poivrons

Filet de lapin, foie gras, jambon de Parme, raviolis fourrés au confit de cuisse de lapin, épinards au beurre de noix, betteraves, crème de panais et légumes, jus

Marquise au chocolat, oranges et cardamome, crème de truffe blanche, sorbet d'oranges sanguines, tour de biscuit, gingembre, salade d'agrumes.

*Von links nach rechts, von hinten nach vorn:*

Jason McBeide
Tracey Sweeting
Wayne Moncur
Emmanuel Gibson
Alpheus Ramsey
Jasmine Young
E. Deam Basil

Hummersalat, Melone, geröstete Erdnüsse, sautierte tropische Shrimps mit einer Baccardi-Limonenessenz, gebratener Seelachs auf Polenta mit Schmortomaten und Hummerschaum

Gebratenes Schweinelendchen in Speck auf Schweineragout, Schweinswürstchen mit warmen Kohlstreifen, marktfrisches Gemüse, Kartoffelkuchen, Traubensauce

Weißes und dunkles Schokoladen-Soufflé, Pina-Colada-Eiscreme, Thymian, Ananastartelette, Vanillechips und Fruchtsauce

Lobster salad with melon, toasted peanuts, tropical sauted shrimp with baccardi lemon essence, seared pollack on polenta with stewed tomatoes and lobster foam

Seared pork tenderloin wrapped with bacon on pork ragout, pork sausage served with warm cabbage slaw, market fresh vegetables, potato cake and grape sauce

White and dark chocolate soufflé, pina colada Ice cream, thyme, pineapple tart, vanilla crisp and tropical fruit sauces

Salade de homard et melon d'hiver saupoudrée de cacahuètes grillées, sauté de crevettes, poêlée de colin sur polenta à la crème aux tomates en daube et écume de homard

Rôti de filet de porc dans son enveloppe de lard sur ragoût de porc, saucisse de porc et salade de chou, légumes, gâteau de patates douces et sauce au raisin

Soufflé au chocolat blanc et noir, crème glacée à la pinacolada et tartelette à l'ananas infusé au thym, chips à la vanille et sauce aux fruits tropicaux

**Dänemark**

*Von links nach rechts, von hinten nach vorn:*

Lars Petersen
Jasper Kore
Lasse Askov
Thorsten Schmidt
Rasmus Kofoed
Soren Ledet

Gebackene Rotzunge mit Schalentieren und Kräutern

Dänisches Spanferkel

Variationen von dänischen Äpfeln

Baked lemon sole with shellfish and herbs

Danish suckling pig

Variations of danish apples

Limande-sole au four, coquillages et herbes

Cochon de lait danois

Variations de pommes danoises

*Von links nach rechts, von hinten nach vorn:*

Ronny Pietzner
Lars Hoffmann
Georg Henke
Dirk Rogge
Karlheinz Haase
Detlef Dörsam

Seeteufelmedaillon unter der Basilikumkruste, auf der Haut gebratenes Rotbarbenfilet, gestockte Zanderveloutè mit Lachstatar, gefüllte Hummernudel, rote Paprikasauce, Ruccola-Sauerkrautgemüse, Salatsträußchen

Rehrückenfilet im Süßkartoffelmantel, gefüllte Perlhuhnbrust, Wildjus, Blumenkohlpüree, Rosenkohl-Bundmöhren-Steckrübengemüse, Schalottenconfit, Steinpilze und Kürbisplätzchen

Apfeltörtchen mit Grießhaube, Zartbitter-Trüffelmousse, Apfel-Thymiansorbet, Kirschen und Honig-Essigsauce

Monkfish medaillon under a crust of basil, red barbel seared on skin, jelly pike perch velouté with salmon tartar, stuffed lobster noodle, red pepper sauce, ruccula-sauerkraut, salad bouquet

Roasted saddle of venison in a yam coating, stuffed guinea fowl breast, gibier jus, cauliflower puree, brussels, carrot and swede, shallots confit, boletus and pumpkin crust

Apple tarts with semolina topping, plain truffel mousse, apple thyme sorbet, cherries in honey vinegar sauce

Lotte médaillon sous croûte de basilic, rouget-barbet, velouté de sandre en gelée et tartare de saumon, nouilles de homard fourrées, sauce au poivron rouge, choucroute et rucola, salade

Selle de chevreuil rôtie en manteau d'ignames, blanc de pintade farci, purée de chou-fleur, choux de Bruxelles, carottes et rutabagas, confit d'échalotes, crèpes et petits gâteaux de citrouille

Tartelettes aux pommes et bonnet de semoule, mousse au chocolat à croquer truffée, sorbet aux pommes et au thym, cerises en sauce au miel et au vinaigre

**Finnland**

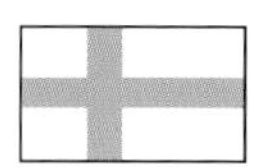

*Von links nach rechts, von hinten nach vorn:*

Jari Vesivalo
Jyri Hänninen
Kari Aihinen
Marko Palovaara
Jarmo Laitinen
Sami Rekola

Gebratene Renke serviert mit Blumenkohlpüree und Salat von Jakobsmuscheln

Gebratener Rücken vom Weißhirsch mit dunkler Pimentsauce, hausgemachte Wurst vom Hirschaufbruch (Zunge, Bries und Brust), Sellerieauflauf und gebratene Steinpilze

Mousse aus frischen Himbeeren begleitet von Schokoladenkuchen und Frischkäseeis

Seared lavaret with cauliflower puree served with scallop salad

Roasted saddle of venison served with dark allspice sauce, sausage made from deer tongue, sweetbread, breast, celariac flan and sautéed ceps

Fresh raspberry mousse and chocolate cake served with cream cheese Ice cream

Grillade de lavaret à la purée de chou-fleur et salade de coquilles Saint-Jacques

Rôti de selle de chevreuil blanc à la sauce quatre-épices, saucisse de langue, de ris et de poitrine de cerf, soufflé de céleri et ceps sautés

Mousse de framboises fraîches, gâteau au chocolat et crème glacée au fromage blanc

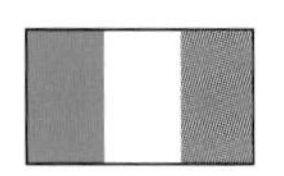

*Von links nach rechts, von hinten nach vorn:*

Audrey Crone
Ralf Becker
Paul Kelly
John Drummond
Gerard Costelloe
Gavin McDonagh

Scharf gebratenes Filet vom Seebarsch mit Ravioli von Krabben und Blauschimmelkäse, Essenz von Meeresfrüchten

Zweierlei vom Wild mit geschmorter Kartoffelrose, leichtem Rahmspinat und geröstetem Knoblauch, sauer marinierter Rettich und Grenadinesauce

Warme Tarte von Pistazien und frische Himbeeren, weißes Schokoladenmousse, Orangen in Sirup

Seared fillet of seabass with a prawn and blue cheese ravioli, seafood essence

Duo of venison with a braised potato rose, lightly creamed spinach and roasted garlic, pickled radish, grenadine sauce

Warm tart of pistachio and fresh raspberry, white chocolate mousse, oranges in syrup

Filet de loup de mer rôti et ravioli aux crevettes roses et au fromage bleu, essence de fruits de mer

Duo de gibier et rose de pomme de terre braisée, épinards à la crème allégée et ail grillé, radis au vinaigre, sauce à la grenadine

Tarte chaude aux pistaches et framboises fraîches, mousse au chocolat blanc, oranges au sirop

## Island

*Von links nach rechts, von hinten nach vorn:*

Gestur Ingolfsson, Haflidi Ragnarsson
Asgeir Sandholt, Lars Gunnar Jonasson
Einar Geirsson, Sigudur Gislason
Sigidur Helgason, Bjarni Gunnar Kristinsson
Rosa Ishansdottir, Alfred Alfredsson
Lestur Ingolfsson, Eqqer Jansson

Ballotine vom Lachs, gefüllt mit in Limetten marinierten Langustinos, Apfel und Tomatenfondue, serviert mit Zitronen-Butter-Sauce und Schellfisch

Lammfilet und Pastrami von Lammrückenfleisch mit Gänseleber und Spinat, Fondantkartoffel mit Steinpilzduxelles, Croutonkruste und Lammjus

Schokoladensoufflé mit Mangosorbet auf einem exotischen Gelee und Variationen von Milchschokolade

Ballotine of salmon filled with lime-marinated langostinos, apple and tomato fondue served with lemon butter sauce and haddock

Lamb tenderloin and pastrami from lamb loin with gooseliver and spinach, fondant potatoes, duxelles of boletus, crouton crust and lamb jus

chocolate soufflé with mango sorbet on a exotic jelly and variations of milk chocolate

Ballotine de saumon fourrée aux langoustines marinées au citron vert, fondue de pommes et de tomates en sauce au citron et au beurre et églefin

Filet d'agneau et pastrami de selle d'agneau au foie d'oie et épinards, pomme de terre fondante et duxelle de crèpes, croûtons et jus d'agneau

Soufflé au chocolat et sorbet à la mangue sur gelée exotique et variation de chocolat au lait

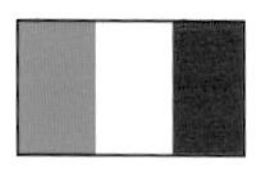

*Von links nach rechts, von hinten nach vorn:*

Michele Nardelli
Matteo Sangiovanni
Federico Coria
Stefano Tosi
Gianluca Tomasi
Diego Crosara

Kräuter-Tortellini gefüllt mit Aubergine und Provola-Käse, kleine Pastetchen mit Kürbismus und dillgewürzten Kichererbsen, Krebs in Tomatensauce, Rolle aus gebratenem Aal und Renkenfilet

Kalbsschulter mit Lauch, Wurst vom Schwein auf einer Hähnchen-Meerrettich-Hülle, Pökelzunge, Blumenkohlpastete, gekochte Gemüse mit Olivenöl, Radicchio mit Balsamicoessig

Bayerische Creme mit Panettone, Mandeln und Aprikosen, Creme-Windbeutel mit Pinienkernen, Feigen in Grappa, Zabaione-Sauce aus Santo-Wein

Pasta with herbs, filled with aubergine and Provola cheese; little pies with smashed pumpkin and dill seasoned chickpeas; crayfish in tomato-sauce, roll of raosted eel and fried lavaret fillet

Chuck with leek, boiled pork sausage on a chicken and horse-radish layer, corned beef tongue, cauliflower pie, boiled vegetables seasoned with olive oil, radicchio with balsamic vinegar

Bavarian cream with Panettone-cake, almonds and apricots, cream puffs with pine kernels accompanied with figs tossed in grappa and zabaione sauce

Tortellini fourrés d'aubergine et de provola; petits pâtés à la purée de potirons et pois chiches assaisonnés au fenouil; écrevisses à la sauce tomate, rouleau d'anguille et filet de lavaret grillé

Paleron farci au poireau, saucisse de porc sur couverture de poulet et de raifort, langue salée en conserve, tourte au chou-fleur, légumes à l'eau assaisonnés à l'huile d'olive, trévise au vinaigre balsamique

Bavarois et panettone aux amandes et abricots, petits choux à la crème aux pignons de pins et figues confites, sauce zabaione

## Japan

*Von links nach rechts, von hinten nach vorn:*

Nobuaki Shinohara
Eiichi Sano
Tsutomu Matsubara
Yutaka Kawashima
Ikuo Kumagai
Seigo Kadota
Syuhei Seike

Gebratener Goldbarsch und traditioneller japanischer Reissalat mit Eierstich (Chawanmushi)

Gefüllte Hähnchenflügel gewürzt in Teriyaki-Sauce und gebratene Lammlende serviert mit Orientalsauce

Zitronentarte und mit Rosmarin abgeschmecktes Honigmousse

Fried redfish and traditional Japanese rice salad and steamed egg custard (Chawanmushi)

Stuffed chicken wing flavoured Teriyaki sauce and roasted lamb tenderloin served with oriental sauce

Lemon tarte and honey mousse flavored with rosmary

Sébaste grillée et salade de riz traditionnelle japonaise à la crème renversée (chawanmushi)

Aile de poulet farcie assaisonnée à la sauce teriyaki et rôti de filet d'agneau en sauce orientale

Tarte au citron et mousse au miel parfumée au romarin

*Von links nach rechts, von hinten nach vorn:*

Shawn Whalen
Ben Pernosky
Steve Evetts
Judson Simpson
Christophe Luzeux
Mickey Zhao
Lesia Burlak
Tait Cameron

Klößchen von Jakobsmuscheln, Hummerkuchen, Lachs mit einer Tränke aus Birkensirup in der Pfanne angeschwenkt, Salsa von Gurke und Mango, grüner Salat mit zarten Sprossen

Trilogie von der Ente: gebratene Entenbrust, geschmorte Entenkeule und getrüffelter Eierstich von Entenleber, Pavé von Yukon-Gold-Kartoffeln, Wurzelgemüse und Speck, kleine Tomaten im Pflaumensirup pochiert, Gemüse

Warmer Zitronenpudding, Schokoladenkuchen, Preiselbeeren und Stout-Bier, Griotte-Kirschen-Eiscreme

Small dumplings of scallops, lobster cake, salmon with a infusion of birch sirup seared in a frying pan, salsa of cucumber and mango, salad with sprouts

Triologie of duck, roasted duck breast, braised duck leg and egg royal with truffels and duck liver, pave of Yukon Gold potato, root vegetable and bacon, small tomatoes poached in plum sirup, vegetables of the season

Warm lemon pudding, pie of chocolate, cranberries and stout beer, griotte cherry ice cream

Petites boulettes de coquilles Saint-Jacques, gâteau de homard, saumon et infusion de sirop de bouleau revenu, sarabande de concombre et de mangue, salade verte et jeunes pousses

Trilogie de canard: rôti de blanc de canard, cuisse de canard braisée et crème aux oeufs au foie gras, pavé de pommes de terre Yukon Gold, légumes-racines au lard, tomates pochées au sirop de prunes, légumes

Entremets chaud au citron, tourte au chocolat, aux canneberges et à la bière stout, crème glacée aux cerises griottes

*Von links nach rechts, von hinten nach vorn:*

Guy Rommes
Ghislain Rossmark
Stephan Bizot
Gilles Gallerand
Carlo Lampertz
Angelo Chierici
Didier Bodo
Antonio Da Silva

Knuspriges vom Hai, Gemüsespaghetti in Sesamöl, Rote-Beete-Sauce mit Bier verfeinert

Spanferkelrippchen und Schweinsfuß im Netz, Grünkohl mit Lisantoschinken, in Orangensaft karamellisierte Bratensauce, Quarkknödel mit Meauxsenf, verfeinert Klößchen von Vittelotekartoffeln

Kadaiforelle mit gedünsteten Quitten in Quittenreduktion und Rotwein-Wildrosen-Sorbet

Crispy shark, vegetable spaghetti in sesame oil, beetroot sauce with beer

Spare rib of suckling pig and pigs trotters filled in a net, green cabbage with Lisanto ham; in orange juice caramlised jus, quark dumplings with Meaux mustard, quenelles from Vittelote potatoe

Kadai trout with steamed quinces in a reduction of quinces and red wine wildroses sorbet

Croquant de requin et spaghettis de légumes à l'huile de sésame, sauce aux betteraves rouges et à la bière

Travers de cochon de lait et pieds de porc farcis en filet, chou vert et jambon Lisanto; sauce caramélisée au jus d'orange et boulettes de fromage blanc à la moutarde de Meaux, quenelles de pommes de terre vittelote

Truite kadai et coings à l'étuvée en réduction de coings, sorbet à la rose sauvage et au vin rouge

*Von links nach rechts, von hinten nach vorn:*

Paul Borg
Kevin Arpa
Mark Gauci
Ronnie Caruana
Viktor Borg
Joseph Vella

Lachsterrine auf Zwiebel-Relish und Kräuteröl, Hummerkrabbe Tortellona in Hummerbisque, Krabbenwaffel auf Mangopüree

Geschmorte Kaninchenschulter mit würziger Schweinsfüllung, gebratener Kaninchenrücken gewürzt mit Steinpilzpulver, Frikassee von Waldpilzen, gemischte Gemüse, gebackene Kartoffeln und Kaninchensauce

Baileys Krokant- und Schokoladenmousse, Käsekuchen mit Zitrone und Vanille, Himbeer-Sorbet und karamellisierter Orangensalat

Terrine from salmon on onion-relish herb oil, lobster crab, tortellona in lobster bisque prawn wafers on mango puree

Braised rabbit shoulder with spicy porcfilling, roasted rabbit saddle seasond with boletus powder, fricassee from mushrooms, mixed vegetables backed potatoes and rabbit jus

Baileys brittle and chocolate mousse, cheese cake with lemon and vanilla, raspbery sorbet and caramelised orange salad

Terrine de saumon fumé et mariné sur condiment à l'oignon et huile aux herbes, tortellona de crabes et de homard en bisque de homard, gaufrettes aux crevettes sur purée de mangues

Épaule de lapin braisée et farce épicée au porc, selle de lapin revenue assaisonné à la poudre de crèpes, fricassée de champignons, légumes, pommes de terre au four et jus de lapin

Croquant au Baileys et mousse au chocolat, tarte au fromage blanc au citron et à la vanille, sorbet aux framboises et salade d'oranges caramélisées

*Von links nach rechts, von hinten nach vorn:*

Muhamad Nasri
Dorahim Musafana
Frederick Kho
Chern Chee Hoong
Logara Tach Sinappu
Mohd Zamri

Geräucherte Entenbrust mit Portobello-Nocken auf Fenchelconfit, Gänseleber mit Gula-Melaka-Palmenzucker karamellisiert, Sevrugakaviar und schwarze Trüffelessenz

Hellbraun gedünstete Kalbsmedaillons an sautiertem Kräuter-Gemüse, Kompott von getrockneter Steinfrucht, Stilton-Käse-Polenta und mit Steinpilzen gewürzte Jus

Amareno-Cremeeis an warmem Schokoladentortino, Tequila-Zitronen-Kompott und Kokosnuss-Waffeln

Smoked duck breast, portobello dumpling on apple fennel confit, foie-gras with caramelized Gula Melaka palm sugar, Sevruga caviar and black truffle essence

Slow cooked lightly crusted veal medaillons on sauted herb vegetables, dried longan compote, stilton blue cheese polenta and boletus flavoured jus

Amareno ice cream on warm chocolate tortino, tequila lemon stew and coconut wafer

Blanc de canard fumé et boulettes aux champignons portobello sur confit de pommes et fenouil, tranche de foie gras d'oie et sucre de palme gula melaka caramélisé, caviar sevruga et essence de truffe noire

Médaillons de veau à l'étuvée légèrement brunis sur légumes sautés aux herbes, compote de longanes séchés, polenta au blue stilton et jus parfumé aux bolets

Crème glacée à l'amareno sur tortino chaud de chocolat, compote de citron au tequila et gaufres à la noix de coco

*Von links nach rechts, von hinten nach vorn:*

Leendert Klaassens
Marco Poldervaart
Waldrik Kremer
Henri Brouwers
Tistan Van Dorst
Bert Van Manen
Martin Hoppers
Ronnie Merks

Auf der Haut gebratener Seebarsch mit Törtchen von süßen Zwiebeln, Spinat, Fenchel und tomatiertem Gamba-Olivenöl

Kalbsfilet auf zweierlei Art: In Kartoffel-Spaghetti und im Oliven-Pistazienkern-Mantel, serviert mit Estragon-Kalbsjus

Schokolade auf orientalische Art mit bonbonfarbenem Eis

Seared sea brusque with skin, tarts of sweet onions, spinach, fennel and tomato gamba oil

Tenderloin of veal two kinds of ways: in a potato spaghetti and pistachios coating served with targon veal jus

Chocolate oriental way with a candy coloured ice cream

Loup de mer grillé sur peau, tartelettes d'oignons doux, épinards, fenouil et gambas aux tomates à l'huile d'olive

Filet de veau deux manières: en spaghettis de pommes de terre et croûte de pistaches aux olives avec jus de veau à l'estragon

Chocolat à l'orientale et crème glacée couleur bonbon

## Norwegen

*Von links nach rechts, von hinten nach vorn:*

Svendgard Trond
Lars-Erik Undrum
Kjetil Gundersen
Gunnar Narwes
Charles Tjessem
Tom Viktor Gausal

Arktischer Saibling, gebacken mit Zitrone, schwarzem Pfeffer und Meerrettich, gepökelte Schweinebrust, serviert mit Kartoffelschaum und Rote-Beete-Gelee, Sherryjus

Norwegischer Hirsch glasiert mit Mole, Sellerie und Karotten, mit Spinat und Gänseleber gefüllte Teigtaschen, Steinpilze, Wildsauce Grand Saveur

Bayerische Creme mit Haselnuss, warmer vanillisierter Canelee, Birnenterrine mit grünem Pfeffer und Birnensorbet

Arctic pink trout baked with lemon, black pepper and horseradish, pickled pigs belly served with potato foam and beetroot jelly, sherry jus

Norwegian deer glazed with mole, celery and carrots with spinach and pastabags filled with gooseliver, boletus, gibier sauce Grand Saveur

Hazelnut bavarois with warm vanilla cannel, pear terrine with green pepper and pear sorbet

Truite rose de l'Arctique au four et au citron, poivre noir et raifort, poitrine de porc au vinaigre, mousse de pommes de terre et gelée de betterave rouge, jus au xérès

Chevreuil de Norvège glacé au mole, céleri et carottes, feuilletés fourrés aux épinards et au foie gras d'oie, crèpes, sauce de gibier grand saveur

Bavarois aux noisettes et cannelle vanillée chaude, terrine de poires au poivre vert et sorbet à la poire

*Von links nach rechts, von hinten nach vorn:*

Mario Stock
Gerhard Fuchs
Gerhard Tuschetschläger
Walter Mayer
Reinlinde Trummer
Thomas Milkovits

Von der Donau zum Fuschelsee: Feines vom Waller, Saibling und Stör

Aus Kaiser Josefs Wäldern: Variation von Reh und Wachtel

Die Apfelstraße nach Wien

Delicate fishes from the Danube to lake Fuschel: catfisch, sturgeon, salmon trout

Out of the woods of emperor Joseph: variations of venison and quails

Apples showing the way to Vienna

Des riches pûturages du Danube au lac Fuschel: délicatesses de poisson-chat, esturgeon et omble

Des bois de l'empereur Joseph: variations de chevreuil et de caille

La route des pommes vers Vienne

*Von links nach rechts, von hinten nach vorn:*

Joao Paulo Vieira
Marco Gomes
Leonel Pereira
Paulo Pinto
Antonio Boia
Jeronimo Ferreira

Mit Romanesco gefüllte Tiger Prawns, zweierlei Kartoffel-Konfit mit Eiscreme aus Curry und Königskrabbe, Knoblauchsauce

Lammkarree mit Zitronenkruste, das beste Stück von der Riesenwachtel mit Baby-Mais gefüllt, Pastete von Pilzen und Ochsenbacke, Gemüseterrine, Schaum von Knoblauch und Salbei

Schokoladenküchlein mit dreierlei Mousse, Cannelloni von Wildbeeren mit Vanillecreme, Gebäck und Mangosauce

Tiger prawns stuffed with romanesco, two kind of potato confit with ice cream of curry and king crab, garlic sauce

Rack of lamb with lemon crust, the best piece of giant quail filled with baby maize, pie of mushrooms and ox cheek, terrine of vegetable, foam of garlic

Chocolate tarts with three kinds of mousse, canneloni of wild berries with vanilla cream, pastries with mango sauce

Crevettes géantes farcies au chou romanesco, deux confits de pommes de terre et crème glacée au curry et crabe des Moluques, sauce à l'ail

Carré d'agneau en croûte au citron, le meilleur d'une caille géante farci au jeune maïs, tourte aux champignons et joue de boeuf, terrine de légumes, mousse à l'ail et à la sauge

Tartelettes au chocolat et trois sortes de mousses, cannellonis de baies sauvages et crème à la vanille, patisserie en sauce à la mangue

*Von links nach rechts, von hinten nach vorn:*

Ioan Florescu
Silvian Scornea
Nicolae Busu
Silviu Miron
Stefan Bercea
Ioan Baltes

Röllchen von Zander und Lachsfilet im Sesammantel, Riesengarnele und Gemüse im Teigkörbchen, Lachskaviarsauce

Gefüllte Putenbrust mit Salbei auf gedünsteten Scheiben von Knollensellerie, Sauce von grünem Pfeffer, Tomate mit Broccoli, Polenta und Pilze

Himbeer-Schokoladen-Mousse mit Mandelkrokant, Hippenbögen und zwei Saucen

Roulade from pike-perch and salmon fillets coated with sesame, scampi and vegetable in a pastry basket, salmon-caviar-sauce

Stuffed breast of turkey with sage on selleriac tranche, green pepper-sauce, tomato with broccoli, polenta and mushrooms

Raspberry-chocolate-mousse with almond brittle and two sauces

Roulade de filets de sandre et de saumon en manteau au sésame, langoustines et légumes en corbeille de pâte, sauce au caviar de saumon

Blanc de dinde farci à la sauge sur tranche de céleri-rave étuvé, sauce au poivre vert, tomate et brocolis, polenta et champignons

Mousse au chocolat et aux framboises, croquant aux amandes, biscuit, deux sauces

## Russland

*Von links nach rechts, von hinten nach vorn:*

Oleg Presnyok
Andrej Soida
Alexander Sheremet
Maria Makarelski
Anna Ivashevskaya
Igor Tumarkin

Warme Vorspeise Piano:
Milchfisch (Stör) mit Saucen von Safran, Johannisbeeren und Spinat, junge Gemüse

Hauptgericht Allegro:
In Honig marinierter Hirsch mit Maispfannkuchen, mit Steinpilzmousse gefüllte Birne, Wasserwegedorn, Heidelbeeren, Pilzsauce, süß-saure Gemüse, Konfitüre und Chips

Dessert DO-RE-MI: Schokoladenkrapfen mit Quarkfüllung, Schokolade, Honig-Rosmarin-Sauce, Erdbeersirup, Pfirsich und frische Beeren

Warm starter Piano: Sturgeon with sauces from saffron, red currents and spinach, young vegetables

Allegro main dish: In honey marinated deer mit corn pancake, with boletus mousse stuffed pears, water way thorn, blue berries, mushroom sauce, swett and sour sauce, jam and chips

Dessert DO-RE-MI: chocolate doughnut wit quark filling, honey rosemary sauce, strawberry sirup, peach and fresh berries

Entrée chaude piano: esturgeon aux sauces au safran, groseilles et épinards, jeunes légumes

Plat principal allegro: cerf mariné au miel et crèpes de maïs, poires farcies à la mousse de cèpes, épines de voie d'eau, myrtilles, sauce aux champignons, légumes aigre-douce, confiture et chips

Dessert DO-RE-MI: beignet au chocolat fourré au fromage blanc, sauce au miel et au romarin, sirop de fraise, pêches et baies fraîches

*Von links nach rechts, von hinten nach vorn:*

Thomas Hutchison
Graham Singer
William Curley
Neil Borthwick
Suzue Curley
David Auchie
Ann Brown

Terrine von geräuchertem Lachs mit einer Salsa aus gebratenem Zuckermais und Chili, mit Krabben und Fenchel gefülltes Royal-Lachsfilet auf einem Fenchelpüree und einer Wermut-Buttersauce

Brust von junger Gressingham-Ente mit einem geräucherten Entenbeinbonbon, würzigem Chutney, Wirsingkohl und einem Kartoffel-Pastinaken-Püree

Eine Konfektion aus Kokosnuss und Schokolade mit einer tropischen Sauce, einem Orangen-Joghurt-Eis und einer goldenen Ananas-Tarte-Tatin

Terrine of smoked salmon with a roasted sweetcorn salsa and chili, served with a prawn and fennel salmon fillet, served on a fennel puree with butter vermouth sauce

Breast of Gressingham duckling, with a duckling leg Bon Bon, spicy chutney, savoy cabbage and a parsnip and potato mash

Confection of coconut and chocolate with a tropcical sauce, orange and yogurt ice cream and a golden pineapple tarte tatin

Terrine de saumon fumé et sarabande de maïs doux grillé au chili, servi avec un filet de saumon farci aux crevettes roses et au fenouil sur purée de fenouil et sauce au beurre et vermouth

Blanc de canette de Gressingham et bonbon de cuisse de canette fumée, chutney aux épices, chou de Milan et purée de panais et de pommes de terre

Confection de noix de coco et de chocolat, sauce tropicale, crème glacée à l'orange et au yaourt et tarte tatin dorée à l'ananas

## Schweden

*Von links nach rechts, von hinten nach vorn:*

Krister Dahl
Ted Johansson
Peter Skogsström
Mathias Herlöv Hansson
Sayan Isaksson
Magnus Lindström

Pastrami von Steinbutt, Möhrenterrine, Tatar von Meeresfrüchten, Artischockenherz, grüne Bohnenkerne und Zitronensauce

Gefülltes, überbackenes Damhirsch-Rückenfilet, Rotweinglace, geräucherte, gebratene Hirschklößchen, Gemüse-Allerlei, Pfifferlingsülze, Kartoffel-Lauch-Schaum

Variation von Kirsche und Mandeln: Kirscheis auf Mandelbiskuit, Mandel-Bavaroise mit Kirschgelee in Schokolade

Pastrami of turbot, carrot terrine, tatar of sea fruits, artichoke hearts, green beans seeds and lemon sauce

Stuffed gratinated deer tenderloin, red wine glace, smoked seared deer quenelles, variations of vegetables, jelly of canterelle, potato-leek foam

Variation of cherry and almonds: cherry ice cream on almond sponge, almond bavaroise with cherry jelly in chocolate

Pastrami de turbot, terrine de carottes, tartare de fruits de mer, coeurs d'artichaut, graines de haricots verts et sauce au citron

Filet de cerf farci et gratiné, glace au vin rouge, quenelles de cerf fumées et rôties, macédoine de légumes, gelée de chanterelles, mousse de pommes de terre et de poireaux

Variations de cerises et d'amandes: crème glacée à la cerise sur biscuit de Savoie aux amandes, bavaroise aux amandes et gelée à la cerise en chocolat

*Von links nach rechts, von hinten nach vorn:*

Thomas Marti
Daniel Lehmann
Daniel Sennrich
Adrian Bader
Andrea Sennrich
Stephan Marolf

Warme Fischvorspeise Val Travers: Lachsfilet, gefüllt und leicht angeräuchert, Zanderfilet mariniert, gebratener Kürbis-Linsensalat, kleine Käse-Ravioli

Duett von Rinds-und Kalbsfilet, gebeizte Kalbskopfbacke, dunkle Pfeffersauce, Pilze und Brotkreation, Gemüseallerlei

Apfelvariationen Helvetia

Warm fish starter Val Travers: salmon fillet filled and lightly smoked, pike-perch fillet, roasted pumpkin-lintel salad, small cheese ravioli

Duett from beef and veal fillet, marinated calfs cheak, dark pepper sauce, mushrooms and bread creation, mixed vegetables

Apple variation Helvetia

Entrée chaude de poisson Val Travers: Filet de saumon farci et légèrement fumé, filet de sandre mariné, salade de courge sautée et de lentilles, petits raviolis au fromage

Duo de filet de boeuf et de veau, joue de veau marinée, sauce au poivre noir, champignons et création boulangère, macédoine de légumes

Variation de pommes Helvétia

## Singapur

*Von links nach rechts, von hinten nach vorn:*

Louis Tay
Alex Yen
Eillen Phua
Randy Chow
John Sloane
Eric Teo

Konfit vom pazifischen Kabeljau in Pfeffer-Curry-Öl, Püree von Garbonza-Erbsen, knusprige Jakobsmuscheln und Lachs im Teig, Hummeremulsion

Gebratenes Rippenstück vom Milchlamm und Parmentier von geschmorter Lammhaxe mit Rüben, Bordelaiser Weinreduktion

Verbena-Zitronen-Parfait gefüllt mit gefrorenen Erdbeeren, warmer Apfelstreusel

Confit from pacific codfish in pepper-curry oil, puree from Garbonza peas, crispy scallops and salmon in dough, lobster emulsion

Roasted ribpiece from a milk lamb and braised lamb leg with parsnips, Bordelaise wine reduktion

Verbena lemon parfait filled with frozen strawberries, warm apple strudel

Confit de cabillaud du Pacifique en huile au poivre et au curry, purée de pois garbonza, coquilles Saint-Jacques croquantes et saumon en pâte, émulsion de homard

Côte d'agneau de lait rôtie et parmentier de souris d'agneau braisé et de panais, réduction de vin bordelaise

Parfait à la verveine et au citron fourré aux fraises gelées, chausson chaud aux pommes

*Von links nach rechts, von hinten nach vorn:*

Frantisek Krankota
Marian Kellner
Marek Gajdos
Vilian Rychnavstej
Iveta Popovicova
Juraj Papai
Jozefina Zankolcova

Forellenfilet mit Lachsschaum überbacken, serviert auf einem Spinatpudding und garniert mit cremiger Gemüse-Safran-Sauce

Gefüllte Entenbrust mit Geflügelschaum, Schweinefilet mit verschiedenen Gewürzen, serviert mit einer Gemüse-Pfifferling-Rahmsauce und Brokkoli-Karotten-Strudel

Schokoladenkuchen mit Quark und verschiedenen Waldfrüchten

Gratined fillet of trout topped with salmon foam, served on spinach pudding and garnished with vegetable saffron cream sauce

Stuffed breast of duck with chicken foam, tenderloin of pork in varius seasoning, served with vegetable chanterelle creamy sauce and broccoli carrot strudel

Chocolate cake with cream cheese and various forest fruits

Filet de truite gratiné sous écume de saumon servi sur un pudding aux épinards et garni de sauce à la crème, au safran et aux légumes

Blanc de canard à l'écume de volaille, filet de porc aux assaisonnements divers et sauce crémeuse aux légumes et chanterelles, chausson aux brocolis et carottes

Gâteau au chocolat et fromage blanc accompagné de divers fruits des bois

## Slowenien

*Von links nach rechts, von hinten nach vorn:*

Matjaz Cotic
Matija Pozdrec
Danijel Kozar
Janez Dolsak
Alenka Kodele
Borut Jakic

Gebratenes Saiblingsfilet, Mousse von Flusskrebsen, Fischwurst, Erbsenpüree, Dinkel mit Gemüse, Fleischtomatenwürfel, Safransauce, Petersilienpesto

Rehfilet im Hasenmantel mit Pistazien, Hasenroulade, Steinpilzpüree, junges Gemüse, Polenta mit Kürbiskernen, Ajdov Krapecs Skuto – gebackener Buchweizenteig mit Quark, gekochte Birnen, glasierte Kastanien, Wacholdersauce mit jungem Wein

Mousse von weißer Schokolade mit gerösteten Haselnüssen, Himbeereis und Himbeersauce

Seared fillet of char, crayfish mousse, fish sausage, pea puree, spelt wheat with vegetables, tomato cubes, saffron sauce, parsley pesto

Fillet of venison coated with hare with pistachio, hare roulade, cep puree, vegetables, polenta with pumkin seeds, Ajdov Krapec`s Skuto – baked buckwheat dough with cream cheese, poachted pears, glazed chestnuts, ginberry sauce with wine

White chocolate mousse with crunchy hazelnuts, raspberry Ice cream and raspberry coulis

Filet d'omble grillé, mousse d'écrevisses, saucisse de poisson, purée de pois, épeautre aux légumes, cubes de tomate, sauce au safran, pesto au persil

Filet de chevreuil en manteau de lièvre aux pistaches, roulé de lièvre, purée de cèpes, légumes, polenta aux graines de citrouille, pâte de sarrasin au fromage blanc cuite au four, poires pochées, marrons glacés; sauce au genièvre et vin nouveau

Mousse au chocolat blanc et noisettes grillées, crème glacée aux framboises et coulis de framboises

*Von links nach rechts, von hinten nach vorn:*

Ivan Willemse
Bertus Basson
Chris van Wyk
Garth Shnier
Rudi Liebenberg
Diane Kay
Dimo Simatos

Languste in Salbei-Nuss-Butter, gegrillte Wassermelone mit knusprigem Kräutersalat, Spinat-Savarin mit geräucherter Aubergine, Lachsforellenparfait mit Langustenbutter, süß-saure Rote Beete und Forellenkaviar

Springbockrücken mit frischem Thymian an Polenta, Steinpilze mit Salbei und Artischocken, geschmorte Springbock-Schulter, cremige Graupen gerollt in Springbock-Schinken an Selleriepüree

Ananasparfait im Mangomantel und Marshmellow-Brûlée, warme Schokoladentorte, Ananaskompott mit Kardamomschaum

Spiny lobster seard in sage nut butter, grilled watermelon with crispy salad, spinach savarin with smoked eggplant, smoked parfait of Fanschoek salmon trout, with lobster-butter, sweet and sour beetroot and trout caviar

Rack of jumbing buck with thyme, polenta boletus with sage and artishoke, braised jumping buck shoulder, barley perls rolled in jumping buck ham on celery puree

Pineapple parfait, mango coating, marshmellow brûlée, warm chocolate cake, compot of pineapple with cardamom foam

Langouste au beurre de sauge et de noix, pastèque grillée et salade aux herbes, savarin aux épinards et aubergine fumée, parfait fumé de truite de mer et beurre de homard, betterave aigre-douce, caviar de truite

Selle de springbock et thym, polenta, bolets à la sauge et à l'artichaut, épaule de springbock braisée, perles d'orge crémeuses roulées en jambon de springbock, purée de céleri

Parfait à l'ananas en manteau de mangue sous crème brûlée de marshmallow, tarte chaude au chocolat, compote d'ananas, écume de cardamome

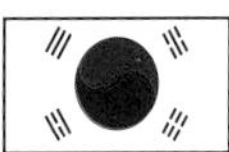

*Von links nach rechts, von hinten nach vorn:*

Lee In Hak
Lee Dong Guen
Kim Ding In
Lee Sang Tung
Nam Dae Hyun
Kim Kwag Ik
Woo Hee Suk

Shrimp-Beutel und sautierte Jakobsmuschel auf Salat von grünem Linsen-Gelee und Tomaten mit einer Bisque-Mayonnaise

Lamm-Karree mit wilden Baumpilzen in Rahm und Perillakernen serviert im Perilla-Blatt-Säckchen, koreanische Ravioli mit Käse auf Süßkartoffeln und Gemüse

Bayerische Creme aus sechsjähriger koreanischer Ginsengwurzel mit Schokoladenmousse in Crème brûlée und süßem Dattel-Sorbet

Bags of shrimps and sauted scallop on a green-lentil jelly salad and tomato with bisque mayonaise

Rack of lamb with natural pine mushroom cream and perilla seed served with perilla leaf bags, korean ravioli with cheese on yam and vegetables

Bavaroise of six year old ginseng root, with chocolate mousse in crème brûlée and sweet dates sorbet

Sachets de crevettes et coquilles Saint-Jacques sautées sur salade à la gelée de lentilles vertes et tomates, mayonnaise à la bisque

Carré d'agneau et crème aux champignons naturels et graines de shiso en sachets de feuilles de shiso, raviolis coréens au fromage sur igname et légumes

Bavarois de ginseng coréen six ans díge et mousse au chocolat en crème brûlée et sorbet sucré aux dattes

*Von links nach rechts, von hinten nach vorn:*

Miroslav Husak
Jiri Kral
Pavel Spik
Martin Slezak
Pavel Mares
David Radek
Jan Michalek
Silva Sulanska
Lukas Pohl

Marinierter Zander mit Anismousse auf einem Ragout von Sellerie und grünen Zwiebeln mit Fenchelgebäck

Glasierter Rehrücken, in Rosmarin und Wacholder gebratener Rehrücken, Brotknödel mit Sonnenblumenkruste, Ragout von Äpfeln und schwarzer Rübe, Rosmarinsauce

Schokoladenmousse an Zitronenessenz mit Orangen-Sorbet und Sahnecreme

Marinated pike-perch with anise mousse on a ragout of celery and green onions with fennel pastries

Glazed saddle of venison, in rosemary and juniper, bread dumpling with sunflowerseed crust, ragout of apples und black beet, rosemary sauce

Chocolate mousse on lemon reduction with orange sorbet and cream

Sandre mariné à la mousse d'anis sur ragoût de céleri et d'oignons verts et feuilletés au fenouille

Selle de chevreuil glacée au romarin et genièvre, boulettes de pain en croûte aux graines de tournesol, ragoût de pommes et de salsifis, sauce au romarin

Mousse au chocolat sur réduction de citron et sorbet à l'orange, crème

## USA

*Von links nach rechts, von hinten nach vorn:*

Scott Russel
Leonard Edward
Joachim Buchner
Richard Rosendale
Patricia Nash
Daniel Scannel

Trilogie vom amerikanischen Taschenkrebs mit Bisque von weißen Krabben, Taschenkrebs-Terrine und knusprigem Krabbenbein

Saisonale Wildplatte mit Kartoffelkloß, Pilzen und Wurzelgemüse

Elemente des herbstlichen Geschmacks: Gebäck mit Nuancen von Kürbis, Apfel, Vanille, Haselnuss, Karamell und Preiselbeeren

Trilogy of american edible crab with bisque of white crabs, terrine of crab and crispy crab leg

Seasonal wild meat platter with potato dumpling, mushrooms and root vegetables

Elements of autumn taste, pastries with taste of pumpkin, apple, vanilla, haselnut caramel und cranberry

Trilogie de tourteau américain et bisque d'écrevisses, terrine de tourteau et patte de crabe croquante

Plateau de gibier de saison aux boulettes de pommes de terre, champignons et légumes-racines

L'éléments automnaux, pâtisseries parfumées à la citrouille, aux pommes, à la vanille, aux noisettes, au caramel et aux canneberges

*Von links nach rechts, von hinten nach vorn:*

Karl Jones-Hughes
Wayne Roberts
Kurt Fleming
Lee Jeynes
Graham Tinsley
Nick Davies

Waliser Meeresfrüchte nach asiatischer Art

Medaillon vom Waliser Rind mit einem Pudding aus geschmorter Rinderhesse und Lauch, Kartoffelkuchen, Waliser Bier-chutney und eine cremige Waldpilzsauce

Dunkle Schokoladen-Trüffel-Torte, Parfait aus weißer Schokolade und Orangenquark, warme Blutorangen mit Zimt, Karamell-waffel

Welsh seafood asian style

Medaillon of welsh beef with a braised shin and leek pudding, potato cake, welsh ale chutney and a cream sauce of forest mushrooms

Dark chocolate truffle gateau, semi iced white chocolate and orange curd parfait, warmed blood orange with cinnamon, caramel wafer

Fruits de mer gallois à l'asiatique

Médaillon de boeuf gallois et pudding de jarret braisé et de poireau, gâteau de pommes de terre, chutney à l'ale galloise et sauce à la crème et aux champig-nons sylvestres

Gâteau au chocolat noir truffé, parfait au chocolat blanc et crème à l'orange, orange sanguine chaude à la cannelle, gaufre au caramel

# Zypern

*Von links nach rechts, von hinten nach vorn:*

Yiannos Gregoriov
Petros Gavriel
Elia Spyros
Antonis Charalambous
George Damianoy
Marios Andreoy

Warme Terrine von Lachs und Zander, kurzgebratene Riesen-Jakobsmuschel mit Basilikumschaum, wilder Seebarsch und Muschelfrikassee, Fisch-Tomaten-Sauce

Gefülltes gebratenes Kalbsfilet mit Wildpilzen, Wurst von Kalbsbries und Morcheln, Kartoffelpüree und Saisongemüse, mit Commandaria verfeinerter Jus

Ingwer-Schokoladen-Mousse und Bananenkonfit mit knuspriger Pfannkuchenrolle, Passionsfrucht-Sorbet, marinierte Kirschen mit Thymian vollendet

Warm salmon and pike-perch terrine, pan-seared giant scallop, with basil foam, wild sea bass and mussel fricassée, fish tomato sauce

Stuffed roasted veal tenderloin on wild mushroom, sweetbread and morrel sausage, mashed potato and seasonal vegetables, commandaria scented jus

Ginger chocolate mousse and banana confit, topped with crispy pancake rolls, passion fruit sorbet and marineted cherries scented with thyme

Terrine chaude de saumon et sandre, coquille Saint-Jacques géante saisie à l'écume de basilic, bar sauvage au four et fricassée de coquillages, sauce de poisson aux tomates

Rôti de filet de veau farci sur champignons sauvages, saucisse de ris de veau aux morilles, purée de pommes de terre et légumes de saison, jus parfumé au commandaria

Mousse au chocolat et au gingembre, confit de bananes et crêpes en rouleaux, sorbet au fruit de la passion et cerises marinées parfumées au thym

## Medaillen- und Bewertungsspiegel der Nationalmannschaften

| *Land* | *Kategorie A* | *Kategorie B* | *Kategorie C* | *Kategorie R* | *Gesamtpunktzahl* |
|---|---|---|---|---|---|
| Schweden | Gold (76,94) | Gold (72,66) | Gold (74,79) | Gold (218,6) | 442,99 |
| Schweiz | Silber (71) | Gold (74,396) | Gold (72,198) | Gold (218) | 435,59 |
| USA | Silber (69,52) | Silber (64,26) | Gold (74,33) | Gold (220,6) | 428,71 |
| Kanada | Gold (73,58) | Gold (76,79) | Gold (72,2) | Silber (202,6) | 425,17 |
| Schottland | Silber (68,4) | Silber (67,928) | Silber (68,06) | Gold (216,4) | 420,788 |
| Deutschland | Gold (72) | Silber (70,12) | Silber (70,52) | Silber (201,8) | 414,44 |
| Singapur | Gold (72,6) | Bronze (62,596) | Gold (73,198) | Silber (205,4) | 413,794 |
| Italien | Silber (65,58) | Silber (64,33) | Silber (68,46) | Silber (210,6) | 408,97 |
| Norwegen | Gold (72) | Bronze (57,19) | Silber (64,92) | Silber (210,6) | 404,71 |
| Australien | Gold (72) | Bronze (59,13) | Bronze (61,12) | Silber (206,4) | 398,65 |
| Südafrika | Silber (64,26) | Bronze (61,8) | Silber (67,59) | Silber (200) | 393,65 |
| Finnland | Silber (70,580) | Bronze (56,2) | Silber (64,59) | Silber (201,2) | 392,57 |

| *Land* | *Kategorie A* | *Kategorie B* | *Kategorie C* | *Kategorie R* | *Gesamtpunktzahl* |
|---|---|---|---|---|---|
| Island | Diplom (53,2) | Silber (66,664) | Silber (64,66) | Silber (206,2) | 390,724 |
| Japan | Silber (65,92) | Silber (66,066) | Diplom (51,06) | Silber (203) | 386,046 |
| Niederlande | Silber (66,18) | Bronze (60,59) | Silber (65,99) | Silber (192,8) | 385,56 |
| Zypern | Silber (65,9) | Bronze (61,33) | Bronze (61,13) | Bronze (186) | 374,36 |
| Wales | Bronze (60,94) | Bronze (58,73) | Bronze (60,33) | Bronze (183) | 363 |
| Tschechien | Bronze (57,4) | Bronze (60,13) | Diplom (52,13) | Silber (192) | 361,66 |
| Irland | Bronze (59,52) | Bronze (56,39) | Bronze (60,33) | Bronze (185,4) | 361,64 |
| Dänemark | Bronze (59,32) | Diplom (48,46) | Silber (64) | Bronze (188,4) | 360,18 |
| Slowenien | Bronze (57,02) | Silber (66,59) | Bronze (59,33) | Bronze (177,4) | 360,14 |
| Österreich | Bronze (56,38) | Bronze (56,2) | Diplom (55,19) | Silber (192) | 359,77 |
| Malta | Bronze (56) | Diplom (48,66) | Silber (64,66) | Bronze (187,4) | 356,72 |
| Malaysia | Bronze (60,5) | Bronze (56,198) | Bronze (61,864) | Bronze (177,4) | 355,962 |
| Ägypten | Bronze (60,652) | Bronze (58,998) | Bronze (62,33) | Bronze (168) | 349,98 |

| *Land* | *Kategorie A* | *Kategorie B* | *Kategorie C* | *Kategorie R* | *Gesamtpunktzahl* |
|---|---|---|---|---|---|
| Portugal | Bronze (58,4) | Diplom (48,19) | Diplom (54,73) | Bronze (186,4) | 347,72 |
| Südkorea | Bronze (57,532) | Diplom (50,33) | Diplom (45,12) | Bronze (182,8) | 335,782 |
| Slowakei | Bronze (57,8) | Bronze (57,73) | Diplom (50,13) | Bronze (176,4) | 333,06 |
| Bahamas | Bronze (56,33) | Diplom (46,39) | Bronze (51,33) | Diplom (166,6) | 320,65 |
| Russland | Diplom (44,66) | Diplom (44,532) | Diplom (52,19) | Bronze (172,8) | 314,182 |
| Luxemburg | Diplom (49,6) | Diplom (38,59) | Diplom (46,33) | Bronze (174,2) | 308,72 |
| Rumänien | Diplom (43,52) | Diplom (41,73) | Diplom (48,6) | Bronze (171,4) | 305,25 |

HansDamp

INTERNATIONAL

MESSE ERFU

C H E F
K O C H

Volvic

Junior

Culinary Olympics
1
Kitchen

Swiss
Junior Team

# 16 Jugendnationalmannschaften mit ihren Menüs und Kalten Platten

# 16 National Youth Teams and their Menus and their Cold Platters

# 16 équipes nationales de jeunes et leurs menus et leurs plats froids

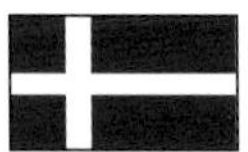

*Von links nach rechts, von hinten nach vorn:*

Casper Madsen
Rasmus Kliim
Flemming Nielsen
Jeppe Andresen
Ulla Pedersen

Gefülltes Schweinefilet, Apfel mit Schweinebacke und Portweingelee, Austernpilze in Rahm und Krüstchen auf Kohl, Tartelette mit glacierten Zwiebeln auf braunem Zwiebelpüree mit Jus

Stuffed pork fillet, apple with meat from pigs cheek and port jelly, oyster-mushrooms in creamsauce and crumle on cabbage „mille feuille", gateau with glaced onions on brown onion-puree with jus

Filet de porc farci, pommes aux joues de porc et gelée au porto, pleurotes à la crème et petite croûte sur chou, tartelette aux oignons glacés sur purée d'oignons bruns au jus

*Von links nach rechts, von hinten nach vorn:*

Frank Ottersbach
Martin Vanicek
Hans-Peter Tuschla
Heike Schmidt
Josef Hartl
Marian Schneider
Felix Petrucco

Rendezvous von Poularde und Ente, Roulade mit Steinpilz und Gewürzblütenfarce, Entenbrust mit Balsamico und Honig glaciert, Geflügeljus und Traubensabayon, Petersilienwurzel-Kartoffelpüree, glacierte Gemüse, Getreidetürmchen mit Tomatenwürfel

Rendezvous of duck and chicken, Roulade with boletus and spiceflower-farce, duck breast glaced in balsamico and honey, chicken gravy and grape sabayon, puree of pasternak and potato, glaced vegetable and graintower with tomato cubes

Rendez-vous de poularde et de canard, roulade et farce aux cèpes et fleurs d'épices, blanc de canard glacé au vinaigre balsamique et au miel, sauce au jus de poulet et sabayon au raisin, purée de persil et de pommes de terre, légumes glacés, tourelle de tomates

*Von links nach rechts, von hinten nach vorn:*

Steven Jarman
Raj Mandal
Graham Squire
James Davis
Nicola Elston
Andrea Elston

Hähnchenbrust, gefüllt mit getrockneten Tomaten, Hähnchenkeule mit Olivenpaste und Knoblauchbrösel, Paprika, Kartoffelpüree, glaciertes Baby-Gemüse und Waldpilz-Rotwein-Jus

Chicken breast filled with sun dried tomatos, chicken leg with olive paste and garlic crumbel, red pepper, mashed potatoes, glazed baby vegetable and forest mushrooms-red-wine-jus

Blanc de poulet farci au tomates séchées au soleil, cuisse poulet à la pâte d'olives et miettes d'ail, poivrons et purée de pommes de terre, petits légumes glacés et jus de champignons sylvestres et de vin rouge

## Irland

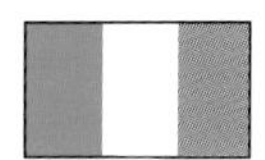

*Von links nach rechts, von hinten nach vorn:*

Ciaran Foley
Rory Fay
James Richardson
Paul Phillips
Derek Hall

In Honig gebratene Entenbrust, Entenconfit im Pfannkuchenmantel, Chutney von süßen Zwiebeln, Süßkartoffelauflauf mit Tempura von grünen Bohnen, Jus

Honey seared duck breast with a duck-confit wrap, sweet onion chutney, yam fondant, tempura from green beans, jus

Blanc de canard rôti au miel, confit de canard en manteau de crêpe, confiture d'oignons doux, soufflé fondant de patates douces et tempura de haricots verts, jus

*Von links nach rechts, von hinten nach vorn:*

Richard Braunauer
Craig Youdale
Hans Anderegg
Natalie Fortier
Gerald Sharpe
Mark Sheehy
Rebecca Hutchings
Kelly Clarke
Gillian Gilfoy
Kreg Graham
Archibald Tommy

Mit Anis marinierter Lachs, in Butter gebratenes Hummerallerlei, Muschelmousse, Yukon-Gold-Kartoffeln mit Eichenkäsewürfel, Pampelmusenfilet, Lauch-Buttersauce, grüner Spargel in Zitronenbutter

Anis marinated salmon, butter seared lobster medley, mussels mousse, Yukon Gold potato and oak cheese cubes, grapefruit fillets, leek-butter sauce, green asparagus in lemon butter

Saumon mariné à l'anis, macédoine de homard revenue au beurre, mousse de coquillages, pommes de terre Yukon Gold et cubes de gouda, filet de pamplemousse, sauce aux poireaux et au beurre, asperge verte en beurre au citron

## Luxemburg

*Von links nach rechts, von hinten nach vorn:*

Egide Mannen
Jeff May
Kai-Uwe Fliegner
Raoul Koeune
Carlo Campertz
Marc Junker
Joel Schaeffer
André Schuller

Kaninchenrücken mit Backpflaumen gefüllt, Jus mit Madeirawein, Kartoffelträne mit Kürbis und Porree, feines Gemüse in weißer Buttersauce

Saddle of rabbit stuffed with prunes, jus with madeira wine, potato tear with pumpkin and leek, young vegetables in white butter sauce

Selle de lapin farcie aux pruneaux, jus au madère, larme de pommes de terre au potiron et au poireau, petits légumes en sauce au beurre blanc

*Von links nach rechts, von hinten nach vorn:*

Kari Innera
Petter Joakinsen
Frode Helberg
Espen Aunaas
Trond Aam
Sven Erik Renaa
Steffen Engelhard
Andreas Myhrvold

Mit Gewürzen in Olivenöl pochiertes Kabeljaufilet, glaciertes Gemüse, Kartoffel-Speck-Tartelette, Orangensauce

With spices and olive oil poached codfish fillet, glaced vegetables, potato bacon tartelett, orange sauce

Cabillaud poché aux épices et à l'huile d'olive, légumes glacés, tartelette aux pommes de terre et au lard, sauce à l'orange

## Polen

*Von links nach rechts, von hinten nach vorn:*

Lukasz Wojnarowicz
Piotr Przyslupski
Marek Wolski
Andrzej Bryk
Mariusz Nowicki
Monika Wisnioch
Magdalena Kolosionek
Magdalena Poplawska

Gerolltes Kalbfleisch mit Chobry-Schinken in weißem Senf gebraten, Kroketten, geschmortes Kraut im Pfannkuchen und mit Honig glaciertes Kalbsbries, Gemüse

Veal loin wrapped with chobry´s ham roasted in white mustard, croquettes, braised cabbages, with honey glazed sweetbreat, vegetables

Roulade de veau et jambon chobry rôtie en moutarde blanche, croquettes, chou braisé en crêpe et ris de veau glacé au miel, légumes

*Von links nach rechts, von hinten nach vorn:*

Ricardo Rourao
Edgarz Alves
Carlos Gonzales
Joao Sihoges
Celestino Grave
Manuel Martins

Sautierter Zackenbarsch mit portugiesischem Bouillabaisse-Kompott, Muschelroulade „bulhao pato", Krokantkartoffeln

Saute grouper with portuguese bouillabaise compote, clam roulade „bulhao pato", potato brittle

Mérou sauté à la compote de bouillabaisse portugaise, roulade de palourdes „bulhao pato", croquant de pommes de terre

*Von links nach rechts, von hinten nach vorn:*

Gennadiy Soukharev
Dimitry Kochanov
Alexander Propkovich
Anna Butrimova
Sergey Sinitsyn
Marina Krylova

Gebratene Entenbrust mit Preiselbeersauce, in Rotwein pochierte Birne, Wirsinggemüse und Kürbisstrudel

Roasted duck breast with cranberry sauce, in red wine poached pear, savoy cabbage and pumkin strudel

Blanc d'oie rôti sauce aux airelles, poire pochée au vin rouge, chou de Milan et chausson à la citrouille

*Von links nach rechts, von hinten nach vorn:*

William Boyter
Adrian Manson
Robert Brwce
Craig Munro
Sean McGowan
Mandy Fraser
Scott Lyall
Pamela Fowlis

Schweinebauch mit Pflaumen, geräuchertes Schweinefilet, Kohlpäckchen, Chutney von roten Zwiebeln, Bohnen, Cannelloni in Senfsauce, Fenchel, Wurzelgemüse und Salbeischaum

Pork belly stuffed with prunes, smoked pork fillet, cabbage parcel, red onion chutney, beans, cannelloni in a mustard sauce, fennel, root vegetables and sage foam

Poitrine de porc farcie aux prunes, filet de porc fumé, sachets de chou, confiture d'oignons rouges, haricots, cannelloni en sauce à la moutarde, fenouil, légumes-racines et écume de sauge

**Schweden**

*Von links nach rechts, von hinten nach vorn:*

Fredrik Björlin
Johan Laursen
Peter Rehn
Fredrik Hedlund
Daniel Gustavsson
Daniel Svensson

Hähnchenwurst mit Hähnchenschenkel, Gemüseterrine, Hähnchenroulade, Pilze, Sauce und Kartoffelpüree

Chicken sausage with chicken leg, vegetable terrine, chicken roulade, mushrooms, sauce and mashed potatoes

Saucisse et cuisse de poulet, terrine de légumes, roulade de poulet, champignons, sauce et purée de pommes de terre

*Von links nach rechts, von hinten nach vorn:*

Michael Eschmann
Patrick Mahler
Patrick Diethelm
Patrick Zogg
Luzia Enzler
Doris Vögeli
Jessica Thiehatten

Kreation vom Kaninchenschenkel, Bündner Gerstenrolle und Aargauer Kartoffelpüree, herbstliches Marktgemüse

Creation of rabbit leg, grison barlay roll and argovian mash potatoes, autumn market vegetables

Création de cuisse de lapin, rouleau d'orge des Grisons et purée de pommes de terre d'Argovie, légumes du marché d'automne

## Tschechien

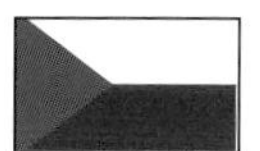

*Von links nach rechts, von hinten nach vorn:*

Josef Rychtr
Lukas Otahal
Jan Horky
Petr Hajny
Miroslav Kubec
Martina Sykorova

Gebratene Damhirschlende, gebratenes Herbstgemüse, Knödel mit Gemüse gefüllt und Rahmsauce

Roasted deer tenderloin, seared autumn vegetable, stuffed dumplings with vegetable and cream sauce

Filet de daim rôti, légumes d'automne sautés, boulettes fourrées aux légumes et sauce à la crème

*Von links nach rechts, von hinten nach vorn:*

Steven Jilleba
Scott Campbell
Lou Yocco
Krystal Weaver
Chad Durkin
Kim Lex

Gebratenes Milchlamm in Auberginen eingehüllt, Feigenrelish, geschmorte Lammschulter mit getrockneten Zitronenstreifen

Roasted milk lamb wrapped with eggplant, fig relish, braised lamb shoulder with preserved lemonstripes

Agneau de lait rôti enveloppé d'aubergine, condiment aux figues, épaule d'agneau braisée aux lamelles de citron séchées

*Von links nach rechts, von hinten nach vorn:*

Brian Spackman
Arnyn Watkins
Garm Griffith
Hefin Roberts
Adam Taylor

Mit Peperoni marinierter Lachs auf Fenchel, Laverbrot und Kartoffelplätzchen mit Kirschtomatenkompott, Steinbutt und Brunnenkresse-Ravioli, Zitronen-Rahmsauce

Chilli marinated salmon on a fennel, laverbread and potato scone with cherry tomato compote, turbot and watercress-ravioli, lemon cream sauce

Saumon mariné au peperoni sur fenouil, gâteau d'algues et biscuit de pommes de terre à la compote de tomates et cerises, turbot et ravioli au cresson de fontaine, sauce au citron et à la crème

MDR Kochstudio

Ferdinand Metz, CMC
President

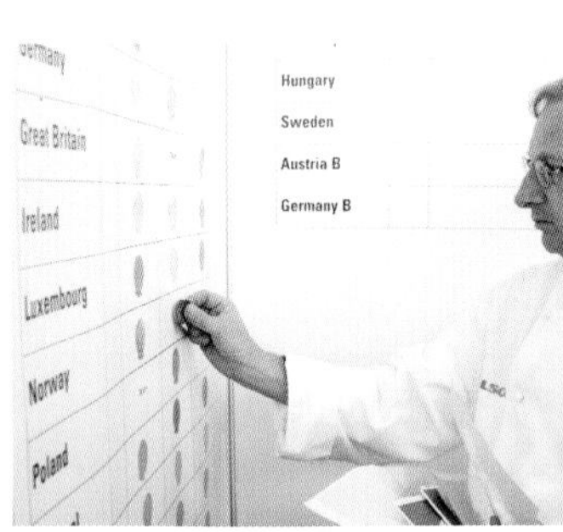
Germany
Great Britain
Ireland
Luxembourg
Norway
Poland
Hungary
Sweden
Austria B
Germany B

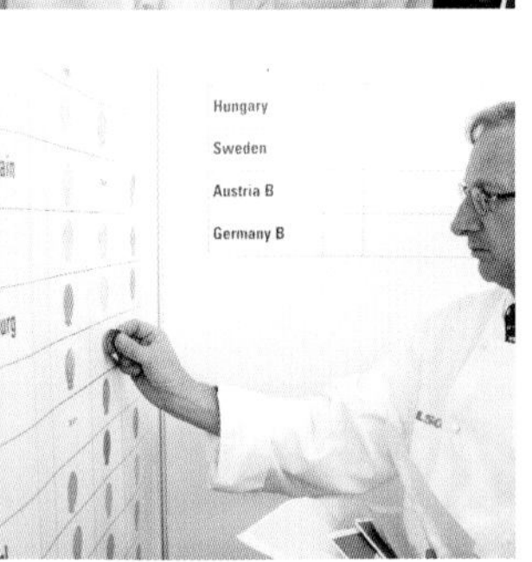

Landesverband der Köche Baden-Württemberg
Die Landesverbände
CLUB DER KÖCHE
Portugal

**Dessert.** Mousse von Kokosnuss und Mango, Zitronengelee, Beerensalat auf drei Saucen; Pecan-Nuss-Tarte, Vanille- und Zitronenmelisse-Eiscreme, Schokoladensauce.

**Dessert.** Coconut and mango mousse with lemon jelly, trio of sauces, berry salad; Pecan pie, vanilla and lemon balm ice cream, chocolate sauce.

**Dessert.** Mousse à la noix de coco et à la mangue, gelée au citron, salade de baies sur trio de sauces; tarte aux noix de pecan, crème glacée à la vanille et à la mélisse, sauce au chocolat.

**Restaurantplatte für zwei Personen.** Gefüllter Rücken und geschmorte Keule vom jungen Hasen, neue Kartoffeln und Lauchgratin, Pommery-Senfsauce.

**Restaurant platter for two persons.** Stuffed saddle and braised leg of young hare, new potatoes and leek gratin, pommery mustard sauce.

**Plat de restauration pour deux personnes.** Selle farcie et cuissot braisé de jeune lièvre, gratin de pommes de terre nouvelles et de poireau, sauce à la moutarde pommery.

**Restaurantplatte für zwei Personen.** Heilbutt und Lachs mit Nusskruste, Hummer- und Kamm-Muschelroulade, Kräuterkartoffeln, Zitronen- und Schnittlauch-Buttersauce.

**Restaurant platter for two persons.** Nut crusted halibut and salmon, lobster and scallops roll, herbed potatoes, citrus and chive butter sauce.

**Plat de restauration pour deux personnes.** Flétan et saumon en croûte aux noix, rouleau de homard et coquilles Saint-Jacques, pommes de terre aux herbes, sauce au citron et au beurre de ciboulette.

**Dessert.** Haselnuss- und Schokoladenmousse, Mokka-Tartelette, Sauce von frischen Früchten und Himbeeren; Birnen- und Pistazien-Galette, Grenadine-Zitroneneis, Vanillesauce und Kumquatkompott, Pralinensauce.

**Dessert.** Hazelnut and chocolate mousse, mocha tarte, fresh fruit and raspberry coulis; pear and pistachio galette, grenadine and lemon ice cream, vanilla sauce and kumquat compote, toffee sauce.

**Dessert.** Mousse aux noisettes et au chocolat, tarte au moka, fruits frais et coulis de framboises; galette à la poire et à la pistache, grenadine, glace au citron, sauce à la vanille et compote de kumquats, sauce au caramel.

**Restaurantplatte für zwei Personen.** Lammfilet mit Kartoffelkruste und Zungenfächer, Reduktion aus Feigensaft, Praline aus Ziegenkäse, lila Artischocken, Zucchini, Gemüsepfanne.

**Restaurant platter for two persons.** Lamb fillet in a crust of potatoes and fantail of tongue, reduced gravy with figs, goat's cheese bonbon, purple artichokes, courgettes, pan of garden vegetables.

**Plat de restauration pour deux personnes.** Filet d'Agneau en croûte de pommes de terre et éventoil de langue, jus réduit aux figues, bonbon de fromage de chévre, artichaut violet, courgettes, poêlée du potager.

**Meeresfrüchte-Bouillon aus Kvitsay.** Glattbuttfilet, Hummer, Fenchel mit Hummerscheren, Lachsforellenwurst, Fjord-Kamm-Muscheln, Kartoffelklöße mit Fisch, Gemüse, Krustentierbouillon; Toast mit Garnelen, Sellerie und Apfel in Dillmayonnaise.

**Seafood and Crustacean´s bouillon from Kvitsay.** Brill fillet, lobster, stuffed fennel with lobster claw, sea trout sausage, bay scallops, potato dumpling with fish, vegetables, crustacean´s bouillon; toast served with prawn, celery, apple and dill mayonaise.

**Bouillon de fruits de mer et crustacés de Kvitsay.** Filet de barbue, homard, fenouil farci aux pinces de homard, saucisse de truite de mer, coquilles Saint-Jacques de fjord, boulette de pomme de terre au poisson, légumes, bouillon de crustacés; toast aux crevettes, céleri et pomme en mayonnaise au fenouil.

**Restaurantplatte für zwei Personen.** Provenzialischer Kräuterlachs, mit Hummermousse gefüllte Tintenfische, serviert mit gedünstetem Gemüse, Kartoffeln „Napoleon" mit Kaviar und Swerdsauce.

**Restaurant platter for two persons.** Provencale style herbet salmon, with lobster mousse stuffed Calamari served with steamed vegetables, caviar, potatoes napoleon and swerd sauce.

**Plat de restauration pour deux personnes.** Saumon aux herbes à la provençale, calamar farci à la mousse de homard et légumes à la vapeur, caviar, pommes de terre napoléon et sauce à l'espadon.

**Restaurantplatte für zwei Personen.** Kräuterkabeljaufilet auf Linsen, ofengetrocknete Tomate und Olive mit Zitronen- und Thymiandressing mit Meeresfrüchtetortellini, rotes Paprikasabayon, Ratatouille- und provenzalische Würzpastete, rote Paprikasauce.

**Restaurant platter for two persons.** Herbed codfish fillet on lentil du puy, oven dried tomato and olives in a lemon-thyme dressing, served with shellfish tortellini and red pepper sabayon, ratatouille and tapenade-pithivier, red pepper coulis.

**Plat de restauration pour deux personnes.** Filet de cabillaud aux herbes sur lentilles du Puy, tomate séchée au four et olives assaisonnées au citron et au thym, tortellinis aux fruits de mer, sabayon au poivron rouge, ratatouille et pithiviers à la tapenade, sauce au poivron rouge.

**Restaurantplatte für zwei Personen.** Gedünstete Steinbuttfilets mit Tintenfisch-Garnelenfüllung, Gemüse-Bouchée, Erbsenschaum, Kartoffelkäsekroketten.

**Restaurant platter for two persons.** Steamed turbot fillets with calamaris prawn filling, vegetable bouche, pea foam, potato-cheese croquettes.

**Plat de restauraiton pour deux personnes.** Filet de turbot à l'étuvée et garniture de seiche et de crevettes, bouchée aux légumes, mousse de petits pois, croquettes aux pommes de terre et au fromage.

**Dessert.** Duett von hiesigen Pflaumen mit Lindenblütenmarinade, grünes Apfeleisparfait, Basler-Leckerli-Eis, Schokoladensouflee.

**Dessert.** Duett from plums marinated in linden blossom, green apples iceparfait, Basel leckerli glace, chocolate souflee.

**Dessert.** Duo de prunes locales et marinade aux fleurs de tilleul, parfait glacé à la pomme verte, glace au basler leckerli, soufflé chocolat.

## Medaillen- und Bewertungsspiegel der Jugendationalmannschaften

| *Land* | *kalt* | *Punkte* | *warme Küche/Studio* | *Punkte* | *Gesamtpunktzahl* |
|---|---|---|---|---|---|
| Schweiz | Gold | 224,66 | Gold | 274,90 | 499,56 |
| Schweden | Gold | 216,66 | Gold | 259,94 | 476,60 |
| Norwegen | Silber | 212,00 | Gold | 250,99 | 462,99 |
| Deutschland | Silber | 198,00 | Gold | 252,53 | 450,53 |
| Kanada | Gold | 223,00 | Silber | 223,88 | 446,88 |
| USA | Bronze | 186,00 | Gold | 236,63 | 422,63 |
| Schottland | Silber | 197,00 | Silber | 214,76 | 411,76 |
| Tschechien | Silber | 198,00 | Silber | 194,80 | 392,80 |
| Irland | Silber | 195,00 | Silber | 196,25 | 391,25 |
| Wales | Gold | 216,00 | Bronze | 163,24 | 397,24 |
| Luxemburg | Bronze | 186,33 | Silber | 204,48 | 372,81 |
| Portugal | Silber | 188,00 | Bronze | 170,00 | 358,90 |
| Dänemark | Bronze | 170,33 | Silber | 177,82 | 348,15 |
| Großbritannien | Silber | 203,00 | Diplom | 130,16 | 333,16 |
| Polen | Diplom | 137,00 | Bronze | 171,10 | 308,10 |
| Russland | Diplom | 109,33 | Bronze | 153,09 | 262,42 |

C H E F K O C H

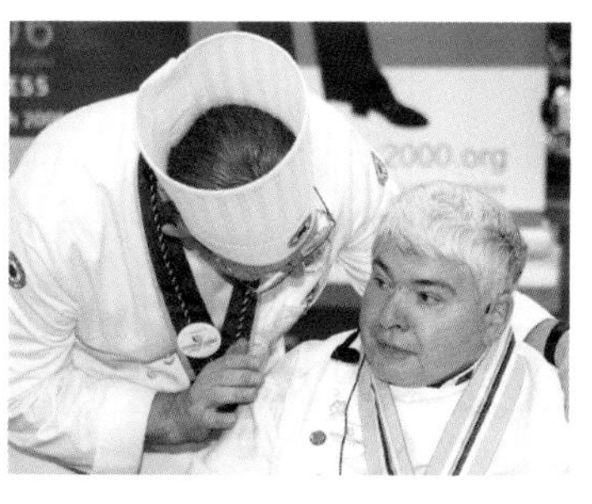

An invite to

MESSE ERFURT

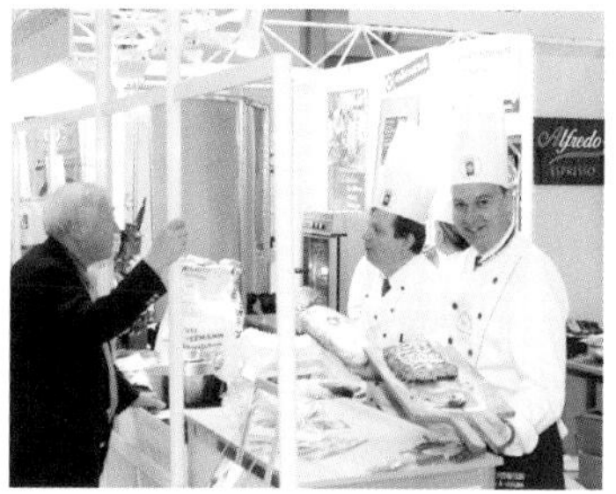

Berufsbildungswerk
rufsausbildung

VERBAND DER KÖCHE DEUTSCHLANDS e.V.
Der Verband der Köche Deutschlands e.V.
bedankt sich bei seinen Sponsoren
ALSCO
Bartscher
BECHER
Bitburger
BLANCO
BOHNER
DITO
Duni
Electrolux
FRANZ
GEROLSTEINER
HansDampf
HUPFER
iRiNOX
KENWOOD
KRONEN
LANGNESE
iglo
LEIFHEIT
Melitta
Nestlé FoodServices
RATIONAL
Rilling
RÖSLE
SOEHNLE
Toppits
TRANSOPLAST
VECTRON
Villeroy & Boch
ZANUSSI

Achenbach

AUSTRALIA

A warm welcome to the chefs of the world

CYPRUS

AUSTRALIA

PORTUGAL

11 Militärnationalmannschaften
und 2 B-Mannschaften mit einer Menüauswahl
und ihren Kalten Platten

11 Armed Forces National Teams
and 2 B-Teams with a Choice of Menus
and their Cold Platters

11 équipes nationales des forces armées
et 2 équipes B avec un choix de menus
et leurs plats froids

## Deutschland A

## Deutschland B

## Großbritannien

## Luxemburg

## Niederlande

## Polen

Schweden

Schweiz

## Südafrika

## USA

Nationalmannschaft
WETTBEWERB
DER
STREITKRÄFTE

**Menü 1:** Lachs-Heilbuttröllchen im Algenblatt, Gemüse-Sprossensalat, Tomatensugo, Kerbelpesto, Curry-Reisnudeln; Crepinette vom Schweinefilet, Waldpilz-Rahmsauce, Gemüsekorb, gefüllte Schupfnudeln; Birnencreme im Zimtbiskuit, Vanille-Riesling-Gelee, Birne im Strudelsäckchen, Feigen in Portwein, Fruchtsauce und Hippen.

**Menu 1:** Salmon and halibut rolls wrapped in seaweed, vegetables-sprout salad, tomato sugo, chervil pesto, fried curry-rice noodles; crepinette of pork fillet, forrest mushrooms in a cream sauce, vegetables basket, stuffed german schupfnudeln; pear cream in cinnamon sponge, vanilla-riesling-jelly, pear in strudel sacks, figs in port wine, fruit sauce and almond cookies.

**Menu 1:** Roulé de saumon et étan en feuille d'algue, salade de légumes et de jeunes pousses, sauce tomate, pesto au cerfeuil, nouilles de riz au curry sautées; crépinette de filet de porc, sauce à la crème et aux champignons des bois, panier de légumes, pâtes de pommes de terre farcies; crème à la poire en biscuit à la cannelle, gelée à la vanille et au riesling, poires en chaussons, figues au porto, croissants d'amandes et sauce aux fruits.

**Menü 2:** Geflügel-Amaretto-Mousse mit Spargel und Melone, Salatbukett in der Käsegarnitur, Paprika-Honig-Sauce, Balsamico; Lammrücken mit Tandoori gewürzt in der Kruste, Lammstelze mit Couscous und Gemüse eingerollt, Jus, Bohnenpfanne mit Gnocchi; Quitten-Mango-Charlotte, Quittenkompott, Waldbeeren, Fruchtsauce, Krokant.

**Menu 2:** Poultry-amaretto-mousse mit asperagus and melon, salad bouquet in cheese garnish, sweet pepper and honey sauce, balsamico; rack of lamb in crust, tandoori style, deboned lamb knuckle wrapped with couscous and vegetables, jus, medley of beans with gnocchi; quince and mango charlotte, quince compote, wild berries, fruit sauce, brittle.

**Menu 2:** Mousse de volaille et d'amaretto aux asperges et au melon, bouquet de salade en garniture fromagère, sauce au paprika doux et au miel, vinaigre balsamique; carré d'agneau en croûte épicé tandoori, jarret d'agneau au couscous et légumes croquants, jus, poílée de haricots aux gnocchis; charlotte aux coings et à la mangue, compote de coings, baies sauvages, sauce aux fruits, praliné.

**Menü 1:** Pikante Fischsuppe mit Gemüse und Crème-fraîche-Nocken, Kresse im Mürbeteigschiffchen; Lammlachs mit Kräuterkruste, Paprikagemüse, Gratinkartoffeln und Jus; mit Orangencreme gefüllte Schokoladencanneloni, Pink-Grapefruit-Kompott mit Chilifäden und Krokant.

**Menu 1:** Spice fish soup with vegetables, dollop of crème fraîche and cress in a short cake pastry; lamb saddle in a herb crust, sweet peppers, potato gratin and jus; chocolate canneloni filled with orange cream, pink grapefruit compote with chili threads and brittle.

**Menu 1:** Soupe de poissons piquante aux légumes et crème fraîche en abondance, cresson en navette de pâte brisée; selle d'agneau en croûte aux herbes, poivrons doux, gratin de pommes de terre et jus; cannelloni au chocolat fourrés à la crème d'orange, compote de pamplemousse rose aux filaments de chili et praline.

**Menü 2:** Weißwurstterrine mit süßem Senf und Kurkuma, marinierte Kartoffelscheiben mit Radieschen, Salatbukett; Lachs-Rotzungen-Praline am Zitronengrasspieß mit Shrimps, Spargel, Frühlingslauch, Zuckerschote, Melonenbällchen, Gnocchi, Paspiapesto und Limonensauce; schwarze Teecreme im Baumkuchenmantel, Kiwisorbet, Hippen und zwei Fruchtsaucen.

**Menu 2:** Bavarian veal sausage terrine with sweet mustard and turmeric, marinated potato with radish, salad bouquet; salmon and witch flounder praline on a lemon grass skewer with shrimps, aspargus, spring leeks, snow peas, melon balls, gnocchi, paspia pesto and lemon sauce; black tee cream in a pyramid cake, kiwi fruit sorbet, almond cookies an two fruit sauces.

**Menu 2:** Terrine de boudin blanc à la moutarde douce et au curcuma, tranches de pommes de terre marinées aux radis, bouquet de salade; roulade de saumon et de plie grise sur brochette de citronnelle aux crevettes, asperges, ciboule, pois mange-tout, boulettes de melon, gnocchi, pesto paspia et sauce au citron; crème au thé noir en pièce montée, sorbet au kiwi, croissants secs et deux sauces aux fruits.

**Menü 1:** Mit Orange und Honig glasiertes Rehfilet, sautierter Spinat, angebratene Birnen-Süßkartoffeln, Kumquatchutney und Senfdressing; schottische Meeresfrüchtepastete, Ofenkartoffeln, junger Lauch und Mais; weiße Schokoladen- und Erdbeer-Mousse mit Rhabarber-Sable und Vanilleeis.

**Menu 1:** Orange and honey glaced Tenderloin of venison, sauteed spinach, seared pears yam, kumquat chutney and mustarddressing; scottish seafood-pie, baked potatoes, young leek and corn; white chocolate and strawberry-mousse, rhubarb sable and vanilla ice cream.

**Menu 1:** Filet de chevreuil glacé à l'orange et au miel, épinards sautés, poires-patates douces revenues, chutney de kumquat assaisonné à la moutarde; vol-au-vent de fruits de mer écossais, pommes de terre au four, jeune poireau et maïs; mousse au chocolat blanc et aux fraises avec sablé, la rhubarbe et glace à la vanille.

**Menü 2:** Thai-Essenz mit Nudeln, Gemüsesalat, serviert mit Jakobsmuschel, Garnele und Meeresfrüchte Won-Ton; gebratene Hühnchenbrust mit einer Farce aus getrockneten Tomaten und Basilikum, Fondant-Kartoffeln, Kürbis und Kastanienchampignons mit Hühneressenz; Bayerische Creme mit Grand Marnier, Kirschparfait mit Orangen- und Sauerkirschsauce.

**Menu 2:** Thai essence with noodles, vegetable salad with scallops, prawn and seafood won-ton; roasted chicken breast with a sun-dried tomato and basil farce, fondant-potato, squash and chestnut mushrooms with chicken essence; Grand Marnier bavarois, cherry parfait with orange and morellosauce.

**Menu 2:** Essence thaî et salade de nouilles et de légumes aux coquilles Saint Jacques,won-ton de crevettes et de fruits de mer; blanc de poulet ròti à la farce de tomates séchées et de basilic, pomme de terre fondante, potiron et champignons aux châtaignes à l'essence de poulet; bavarois au Grand Marnier, parfait aux cerises, sauce aux oranges et griottes.

**Menü 1:** Lachsknödel in Blätterteig; Kaninchenrücken mit Pfifferlingen; zwei Joghurtkuchen mit Waldbeeren und Vanille.

**Menu 1:** Salmon dumplings in filo pastry; rack of rabbit with chantarelle mushrooms; duo of yoghurt sponge cake with wild berries and vanilla.

**Menu 1:** Boulettes de saumon en pâte feuilletée; râble de lapin aux girolles; duo de gâteaux au yaourt aux baies sauvages et à la vanille.

**Menü 2:** Wachtelsalat mit Honig-Basilikum-Dressing; Lamm im Spinatmantel; Mangotörtchen mit Himbeersauce.

**Menu 2:** Quail salad with honey-balsamico-dressing; lamb in a spinach wrap; mango tartlet with raspberry sauce.

**Menu 2:** Salade de caille assaisonnée au miel et au basilic; agneau en manteau d'épinards; tartelette à la mangue et sauce à la framboise.

**Menü 1:** Törtchen von Kabeljaufilet mit Nordseegarnelen und Paprikasauce, Orangenpaprika und Galette von Gemüsebananen; gegrillte Kalbslenden-Medaillon mit Bauernschinken und Duxelles, Kartoffelbirne mit Maisflocken, Champignon, Mairübchen und grüner Spargel, Jus mit Liebstöckel; Kaffeeganache mit roten Pfefferschoten, Bayerische Creme mit Früchten.

**Menu 1:** Small pie of codfish with dutch shrimps and pepper sauce, orange peppers and small plantan galettes; grilled veal medaillons with farmer's ham and duxelles, fried potato pears with sweetcorn flakes, champignons, turnips and green asperagus, jus with lovage; coffee ganache with red peppers, bavarois with fruits.

**Menu 1:** Tartelette de filet de cabillaud à l'étouffée aux crevettes de la Mer du Nord et sauce au poivron, poivrons orange et galette de bananes plantain; médaillon de veau grillé au jambon fermier et duxelles de pommes de terre frites et de poires aux flocons de maïs doux, champignons, navets et asperges vertes, jus à la livèche; ganache au café au poivron rouge et bavarois aux fruits.

**Menü 2:** Gebratenes Pangasiusfilet mit Kräutern, sautiertem Chicoree und Karotten, Marsalasauce; Lammnüsschen mit Zucchinisalat, Gratinkartoffeln mit Thymian, Mairüben mit Kräuter-Lavendel-Essig; Haselnußmousse mit Mokkacreme, Mascarponemousse, Apfelkompott mit Calvados, Süßholz und Ahornsirup.

**Menu 2:** Herb seared pangasius fillet with sauteed chicory and carrots, marsala sauce; lamb medaillons with zucchini salad, gratinated potatoes with thyme, turnips and herb and lavender vinegar; hazelnut mousse with mocha cream, mascarpone mousse, apple compote with calvados, liquorice and maple syrup.

**Menu 2:** Filet de pangasius rôti aux herbes aux endives sautées et carottes, sauce au marsala; médaillons de noix d'agneau et salade de courgettes, pommes de terre en gratin au thym, navets au vinaigre d'herbes et de lavande; mousse de noisettes et crème au moka, mousse de mascarpone, compote de pommes au calvados, réglisse et sirop d'érable.

**Menü 1:** Rinderfilet mit Hähnchenfüllung in Blaubeersauce; Zander auf Kartoffelküchlein in Basilikum-Tomaten-Sauce; Birne in Zimtsauce mit Pfefferminzeis.

**Menu 1:** Beef fillet with chicken stuffing in blueberry sauce; pike-perch on potato-cake in a basil and tomato sauce; pear in cinnamon sauce with mint ice cream.

**Menu 1:** Filet de boeuf farci au poulet en sauce aux myrtilles; sandre sur gâteau de pommes de terre en sauce au basilic et aux tomates; poire en sauce à la cannelle et glace à la menthe.

**Menü 2:** Tatar von geräucherter Forelle mit Wachtelei; König-Sigmund-Krone mit Hirse-Graupen-Grütze und Steinpilzen in Rahmsauce; Apfelstreusel mit Zimteis in Fruchtsauce.

**Menu 2:** Smoked trout tartare with quail egg; crown of king sigmund with millet groats and cep mushrooms in a cream sauce; apple crumble with cinnamon ice cream in fruit sauce.

**Menu 2:** Tartare de truite fumée à l'oeuf de caille; couronne du roi Sigmund au gruau de millet et orge mondé et cèpes en sauce à la crème; tarte aux pommes et glace à la cannelle en sauce aux fruits.

**Menü 1:** Gebratener Thunfisch mit Spargelcreme und schwarzem Rettichsalat; vacuumgegartes Wildschweinsteak mit Rotweinsauce und Fondantkartoffeln; Zitronencreme mit Apfelsorbet und Aprikosensauce.

**Menu 1**: Grilled tuna with asperagus cream and black radish salad; vakuum simmered wild boar sirloin steak with red wine and fondant-potatoes; lemon cream with apple sorbet and apricot sauce.

**Menu 1:** Grillade de thon à la crème d'asperges et salade de radis noir; steak de sanglier sous vide en sauce au vin rouge et pommes de terre fondantes; crème au citron avec sorbet à la pomme et sauce à l'abricot.

**Menü 2:** Teegeräucherter Seehase mit Gurkensalat und Teriyaki-Reduktion; Wildente in Sichuanmarinade mit Pommes Dauphine und Maissauce; Kaktusmousse mit Zitronengrassorbet und eingelegten Kirschen.

**Menu 2:** Tea smoked lumpfish with cucumber salad and teriyaki reduction; Sechuan pickled wild duck with dauphine potatoes and corn gravy; cactus mousse with lemon grass sorbet and preserved cherries.

**Menu 2:** Lompe fumé au thé, salade de concombres et réduction teriyaki; canard sauvage en marinade au poivre de Szechuan aux pommes dauphine et sauce au maïs; mousse de cactus au sorbet de citronnelle et conserve de cerises.

**Menü 1:** Red Snapper, Kabeljau- und Meeresfrüchte-Komposition im Glas gegart; glasierte Schweinebrust mit Erbsen und Azuki-Bohnen, Pilz-Fleisch-Kreation, Gemüseschnitte und Gemüsebündel; bayerische Pistazien- und Vanillecreme mit Sauerkirschen.

**Menu 1:** Trio of red snapper, codfish and seafood cooked in a jar; glazed pork breast with green peas, azuki beans, mushroom-meat-composition, vegetables slice, vegetables bundle; bavarian pistacho and vanilla cream with sour cherries.

**Menu 1:** Trio de vivaneau, cabillaud et composition de fruits de mer en verre; poitrine de porc glacée aux petits pois et haricots azuki, création aux champignons et à la viande, tailles de légumes et bouquet de légumes; bavarois aux pistaches et crème à la vanille aux griottes.

**Menü 2:** Masthuhngalantine mit Bananendip und Korianderwaffel, Sellerie-Kürbis-Salat; Damhirschbraten mit Mango, Gersten-Heidelbeerküchlein, Kohl mit Ingwer; heißer Schokoladenpudding, weiße Schokoladensauce mit Rum und Krokant.

**Menu 2:** Galantine of chicken, banana dip and coriander wafer, celery-pumpkin-salad, fallow deer roast with mango, barley-blueberry-cakes, cabbage with ginger; hot chocolate pudding, white chocolate sauce with rum and brittle.

**Menu 2:** Galantine de poularde sauce aux bananes et gaufre à la coriandre, salade de céleri et de potiron; rôti de daim à la mangue, gâteaux d'orge et de myrtilles, bettes au gingembre; entremets chaud au chocolat, sauce au chocolat blanc au rhum et à la praline.

**Menü 1:** Suppe von gerösteten Peppadews mit Mango Tian; pikante Springbocklende, Curry-Weizenbrötchen, Mairüben, Kürbis und Karottenperlen mit Honig-Limettensauce; Orangen-Mohn-Kuchen mit Stachelbeerkompott.

**Menu 1:** Roasted peppadew soup with mango tian; spicy loin of springbok, curried wheat roll with pearls of turnips, pumpkin and carrotpeals with a honey and lime sauce; orange and poppy seed cake with a gooseberry compote.

**Menu 1:** Soupe de peppadews rôtis au tian de mangue; longe de springbock piquante, petits pains de blé au curry, perles de navets, courge musquée et carotte,s sauce au miel et au citron vert; gâteau à l'orange et au pavot, compote de groseilles à maquereau.

**Menü 2:** Straußencarpaccio mit Marsalapaste und Advocado-Chili-Parfait; Kingklip-Duo mit Basilikum und Koriander, Paprika mit Zuckererbsen, Kürbis und Süßkartoffel-Tian auf Dillsauce und Limetten-Salsa, garniert mit rotem Zwiebelchutney; Granadilla-Bayerische-Creme mit Passionsfruchtsauce.

**Menu 2:** Ostrich carpaccio with masala pie and avocado-chili-parfait; duo of kingklip brushed with basil and coriander, sweet pepper with snow peas, pumpkin and yam-tian on dill sauce and lime salsa, topped with red onion chutney; granadilla bavarois with passion fruit coulis.

**Menu 2:** Carpaccio d'autruche à la pâte au marsala et parfait d'avocat et de chili; duo d'abadèche au basilic et coriandre, poivron aux haricots mange-tout, tian de courge musquée et de patates douces sur sauce au fenouil et sarabande de citron vert garni de confiture d'oignons rouges; bavarois granadilla et coulis aux fruits de la passion.

**Menü 1:** Geflügellebermousse mit Polentaküchlein, Cannelloni mit Bohnenpüree, Johannisbeer-Apfelkompott, Morcheln in Madeira; Corned-Beef-Sülze mit Tomaten-Meerrettichknödel, Wurzelgemüse und Kohltimbale; Schokoladen- und Orangen-Sahnetorte, Blutorangen- und Kumquat-Sauce, Schokoladendekor.

**Menu 1:** Chicken liver mousse with polenta cake, cannelloni with bean puree, red current apple compote, morels in a madeira wine; corned beef with a tomato-horse-radish-dumpling, root vegetables and cabbage timbale; chocolate and orange cream-gateau, blood orange and kumquat coulis, chocolate decor.

**Menu 1:** Mousse de foie de volaille et gâteau de polenta, purée de haricots canneloni à la compote de pommes et de groseilles, morilles en réduction au madère; corned-beef et boulette de tomate et de raifort, tubercules et timbale de chou; gâteau à la crème au chocolat et à l'orange, coulis d'orange sanguine et de kumquat, décor en chocolat.

**Menü 2:** Ochenschwanzsuppe mit Möhren, Pastinaken und Zwiebelstreifen; Entenbrust mit Kroketten, Mandarinensauce mit grünem Pfeffer und dreierlei Kürbis, tropische Fruchtsuppe mit Kokos-Pannacotta und Schokoladen-Krönchen, Fruchtchips.

**Menu 2:** Oxtail soup with carrots, parsnips and onions stripes; duck breast with croquets, green peppercorn and mandarin orange sauce, sqash trio; tropical fruit soup, coconut pannacotta with chocolate dacquoise, fruit chips.

**Menu 2:** Potage de queue de boeuf aux carottes, panais et lamelles d'oignon; blanc de canard aux croquettes, sauce à la mandarine au poivre vert et trois sortes de citrouille; soupe de fruits tropicaux et pannacotta à la noix de coco dacquoise au chocolat, chips aux fruits.

**Menü 1:** Osterschinken, Creme vom geräucherten Bauerschinken im Wirsing mit Wachtelei, Rettich- und Rote-Bete-Chips mit Sahnemeerrettich; Gänsebrust mit Koriander und Entenleber gefüllt, Bohnensalat und gegrillte Kartoffeln, Traubensauce; Sauerkirschcreme im Vanillemantel.

**Menu 1:** Easter ham, smoked farmer's ham cream wrapped in savoy cabbage with quail egg, radish and beetroot chips with creamed horseradish; goose breast stuffed with coriander and duck liver, bean salad, grilled potatoes and grape sauce; vanillecoated morello cherry cream.

**Menu 1:** Jambon de Pâques, crème de jambon fermier fumé en chou de Milan aux oeufs de caille, chips de radis et de betteraves rouges à la crème de raifort; blanc d'oie farci, au foie gras d'oie et à la coriandre, salade de haricots et pommes de terre grillés à la sauce aux raisins; crème de griottes en manteau à la vanille.

**Menü 2:** Forellenfilet mit Makrelencreme, Forellen mit Streifen von schwarzem Kaviar, Avocado mit Kaperndressing, Gebäck; Perlhuhnbrust mit Ingwer und Früchten gefüllt, Roséweinsauce, Maisfladen mit Zucchini und Karottenstreifen, gebackene Holunderblüten; Trüffelcreme.

**Menu 2:** Trout fillet with mackarel cream, trout with stripes of black caviar; avocado and caper dressing, pastries, guinea fowl breast stuffed with ginger and fruit, rose wine sauce, maize chapattis, zucchini and carrot strips, baked elderflower; truffle cream dessert.

**Menu 2:** Filet de truite à la crème de maquereau, truites et rayures de caviar noir; avocat assaisonné aux câpres, feuilletés, blanc de pintade farci au gingembre et aux fruits, sauce au vin rosé, galettes de maïs et bandes de courgettes et de carottes, fleur de sureau au four; crème aux truffes.

TAUFURKUNDE

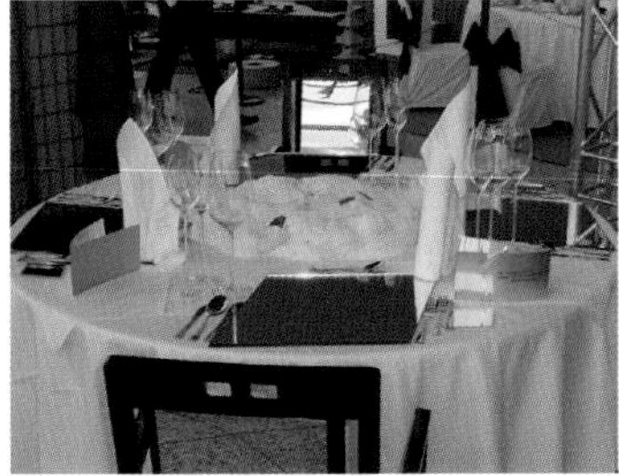

**Menü.** Kaninchen in Sülze aus Gemüse, Senffrüchte und marinierter Salat, Kräuterwürzgebäck; Seeteufelmedaillon in Basilikum-Schinkenmantel, Waldpilze in Sahnesauce, Gemüsepfanne, dreierlei Nudeln, fritiertes Basilikumblatt, Käsegarnitur; Cappuccinocreme in der Schokoladentasse, Giottoeis, Hippenlöffel, Blutorangen-Maracuja-Kompott.

**Menu.** Rabbit in jelly from vegetable, pickle fruits and marinated salad, herbal spicy bisquit, monkfish medaillons in basil ham coating, mushrooms in cream sauce, vegetables, three kinds of noodles, fried basil leave, cheese garnishing, cappuccino bavarois in a chocolate cup, Giotto ice cream, hippen spoon, blood orange passion fruit compote.

**Menu.** Lapin en gelée de légumes, fruits à la moutarde et salade marinée, feuilleté épicé aux herbes; médaillon de lotte en manteau de jambon au basilic, champignons sylvestres en sauce à la crème, poêlée de légumes, trois sortes de nouilles, feuille de basilic frite, garniture au fromage; crème au cappuccino en tasse de chocolat, glace gitto, petit cuiller croissant, compote d'oranges sanguines et de maracuja.

**Menü.** Tomatenkraftbrühe, Ricotta-Kartoffelteigtaschen, Minitomaten, Tomatenwürfel mit Basilikumhaube; marmorierte Tortellini, gefüllt mit Tofu und Kresse, Pflaumenwein-Sesam-Sauce, asiatische Gemüsepfanne; Filogebäck mit Batidacreme, Kirschsauce, Ananaskonfit, Baumkuchenpraline, Ananaschip.

**Menu.** Tomato consomme, ricotta potato bags, small tomatos, tomato concassee with basil topping; marbled tortellini filled with tofu and cress, plum wine sesame sauce, asian vegetables; filo biscuits with badida cream, cherry sauce, pineapple confit, tree cake praline, pineapple crisp.

**Menu.** Consommé de tomates, feuilletés à la ricotta et aux pommes de terre, mini-tomates, dés de tomates en bonnet de basilic; tortellinis marbrés fourrés au tofu et au cresson, sauce au vin de prune et au sésame, poêlée de légumes asiatiques; gâteau de pâte filo à la crème batida, sauce aux cerises, confit d'ananas, praline pièce montée, chips à l'ananas.

**Menü.** Pembroke Seebarsch, Knoblauchcreme, Pastete mit Krabben und geräuchertem Schellfisch in einer Weißwein-Petersiliensauce; Lammkoteletts mit Minz-Dauphinkartoffelkruste, Wirsing, Möhrchen und Zwiebelpüree, Lammjus; Apfel „Financier", Calvadossahne und Heidelbeereis.

**Menu.** Pembroke sea brass garlic cream, pie from prawns smoked haddock in white wine parsley sauce; lamb chops with mint dauphine potato crust, savoy cabbage, carrots and onion puree, lamb jus, appel „Financier", calvados cream and blue berry ice cream.

**Menu.** Bar du Pembroke, crème à l'ail, vol-au-vent de crabe et d'églefin fumé en sauce au vin blanc et au persil; côtelettes d'agneau et pommes dauphine à la menthe, chou de Milan, carottes et purée d'oignons, jus d'agneau; pommes „financière", crème au calvados et crème glacée aux myrtilles."

**Menü.** Terrine von „Brabant"-Schinken mit einer Kombination von Salat, Aprikosen und Pflaumen; Egerlingsauce mit Balsamico; „Pot-au-feu" von gedünstem Perlhuhnfilet mit gefülltem Schenkel, gedünstetes Herbstgemüse und Kartoffeln; Brombeersuppe mit Brotpudding.

**Menu.** Terrine of Brabant Ham with salad, plum and apricot, balsamico dressing; „pot-au-feu" of guinea fowl with stuffed legs of guinea fowl, vegetables and potatoes; black berry soup, bread pudding.

**Menu.** Terrine de jambon „Brabant", salade, apricots, prunes, champignons de Paris en balsamico; pot-au-feu au filet de pintade et cuisse de pintade farci, légumes et pommes de terre; soupe de mûres, entremet de pain.

**Menü.** Roulade vom Maishähnchen mit Orangen-Fenchel-Sauce, Chili und Mango im Strudelteig, gebackene Topinambur und Zwiebelchutney; in Pernod gedämpfter Heilbutt an Muschelragout mit Wasabi, Safranfond; Kroatzbeerenkaltschale mit Pistazienpudding und Nusszwieback.

**Menu.** Roulade from maize chicken with orange fennel sauce, chili and mango in a strudel, baked topinambur and onion chutney; in Pernod steamed halibut with mussel ragout, with Wasabi saffron fond; cranberry cold soup with pistatio pudding and nut rusks.

**Menu.** Roulade de coquelet fermier, sauce à l'orange et au fenouil, chili et mangue en pâte à chausson, topinambour au four et chutney d'oignons; flétan étuvé au pernod sur ragoût de coquillages au wasabi, fumet au safran; soupe froide de mûres, entremet à la pistache et biscuit aux noix.

**Menü.** Süppchen von Bärlauch mit Hummerklößchen und Brunoise; gefüllte Lammbrust mit Fetakäse im Pfannkuchen, Polentarösti, Thymianrahmsauce, Tomatenbuttersauce mit Salbei; Schokoladensoufflé mit Chili, Himbeereis, Rhabarberkompott mit Vanille, Mango- und Litchiwürfel und kleinem Schokoladengebäck.

**Menu.** Soup from wood garlic with lobster dumplings and brunoise; stuffed lamb breast with feta cheese wrapped in pancake; polenta roesti, thyme sauce, tomato butter sauce with sage; chocolate souffle with chili, raspberry ice cream, rhubarb compote with vanilla, mango and litchi cubes and small chocolate cookies.

**Menu.** Soupe d'ail sauvage aux boulettes de homard et brunoise de légumes; poitrine d'agneau farcie à la fêta en crêpe, rösti de polenta, sauce à la crème et au thym et sauce au beurre de tomate et sauge; soufflé de chocolat au chili, glace à la framboise sur compote de rhubarbe à la vanille, dés de mangue et de litchi, gâteau fin au chocolat.

**Menü.** Geräucherte Lammhüfte mit Gewürzöl, Artischockenkuchen, Peperoni-Avocado-Schaum; in Lauch gedämpfter Heilbutt mit Amaranth, Buchweizen-Nudelteigecken, Gemüse mit Tomatensabayon; gebackene Filoteigspitze mit eingelegten Pflaumen, Kokonuss-Joghurt-Sorbet, Aprikosensauce.

**Menu.** Smoked lamb hip with spicy oil, artichoke cake, pepper-avocados-foam, in leek steamed halibut with amaranth, buckwheat noodles, vegetable with tomato sabayon; baked filo cakes with pickled plums, coconut-joghurt sauce, apricot sauce.

**Menu.** Gigot d'agneau fumé à l'huile épicée, gâteaux d'artichauts, mousse de peperoni et d'avocats; flétan étuvé en poireau à l'amaranth, coins de pâte à nouilles au sarrasin, légumes et sabayon à la tomate; pointes de pâte filo au four et prunes confites, sorbet à la noix de coco et au yaourt, sauce aux abricots.

**Menü.** Heringsfilet in Apfel-Zwiebel-Salat, Lachswürstchen mit Dillsenf und Roggenbrot; Geflügel-Rotwein-Eintopf mit Reistaschen, Poulardenschenkel mit Herbstpilzen; Himbeer-Quark-Roulade mit Pfirsichparfait.

**Menu.** Harings fillet in apple onion sauce, sausage from salmon with dill mustard and rye bread, chicken red wine stew with rice bags, chicken legs with autumn mushrooms; raspberry curd roulade with peach parfait.

**Menu.** Filet de harengs en salade aux pommes et aux oignons, petite saucisse de saumon moutarde à l'aneth et pain de seigle; pot-au-feu de volaille au vin rouge et sachets de riz, cuisse de poularde aux champignons d'automne; roulé aux framboises et fromage blanc et parfait aux pêches.

**Menü.** Lachs vom Kap in einer Würzkruste, serviert mit Chinakohl, Spinat und einer Safranvelouté; gedämpfte Kuduwürfel in Kräutersauce, serviert in einem knusprigen Kartoffelkörbchen mit einem Hauch von Pfeffer, Gemüsen; Weinbrandpudding serviert mit Stachelbeeren und Pekan-Nüssen, Karamellsauce.

**Menu.** Tapenade crusted cape salmon served with chinese cabbage and spinach with an saffronvelouté; slow stewed kudu cubes in a rich herb gravy served in a crispy potato basket accompanied by a pepperdew flavoured samp and vegetables; brandy pudding served with a duo of gooseberry and pecan nut and caramelsauce.

**Menu.** Saumon du Cap en croûte de tapenade, servi avec sauté de bok choy et épinards au velouté de safran; cubes de kudu mijotés en sauce riche aux herbes et panier croquant de pomme de terre, accompagnés de légumes, parfumés au peppadew; entremet au cognac servi avec un duo de groseilles et de noix de pécan, sauce au caramel.

**Menü.** Ragout aus Innereien vom Hahn im Fenchelblatt mit Salzbrezelteig; Kalbsbraten im Kartoffelmantel mit Schnittlauch, Karotten, Zuckererbsen, Blumenkohlröschen, Bratensaft mit Waldpilzen; Topfenstrudel mit Johannisbeeren in Vanillesauce.

**Menu.** Chicken giblets ragout in a fennel leave with salt pretzel dough; roasted veal in a potato coating with chives carrots und snow peas, cauliflower roses jus with mushrooms; curd strudel with red currents in vanilla sauce.

**Menu.** Ragoût d'abats de poulet en feuille de fenouil et pâte à bretzel; rôti de veau en manteau de pommes de terre et ciboulette, carottes, pois mange-tout, roses de chou-fleur, jus et champignons sauvages; chausson à la caillebotte et groseilles en sauce à la vanille.

**Menü.** Hasen-Kraftbrühe mit Roulade vom Hasen und Senf-Eierstich, Pilze und Gemüsewürfelchen; Schellfisch in der Polenta-Parmesankruste, Spargel auf Artischocke, grünes Spargelmousse in der Tomate, Dillrahmsauce; Schokoladenparfait, Haselnußsoufflé mit Limonensauce, Ingwergebäck, Macadamia-Eis.

**Menu.** Hare consomme with roulade from hare and mustard royale, mushrooms und vegetable brunoise; haddock in a polenta parmesan crust, asparagus on artichoke caps, green asparagus mousse in a tomato cup, dill cream sauce, parfait of chocolate haselnut souffle with lemon sauce, ginger cookies, macadamia ice cream.

**Menu.** Consommé au lièvre, roulade de lapin et crème renversée à la moutarde, champignons et brunoise de légumes; églefin en croûte au parmesan et à la polenta, asperges sur artichauts, mousse d'asperges vertes en tomate, sauce à l'aneth et à la crème; parfait au chocolat et soufflé aux avelines, sauce au citron, croquet au gingembre, glace aux noix de macadamia.

## Medaillen- und Bewertungsspiegel der Militärmannschaften

| *Land* | *B Restaurationsgerichte Medaillen* | *Punkte* | *R Restaurant der Nationen/Medaillen* | *Punkte* | *Gesamtpunktzahl* |
|---|---|---|---|---|---|
| USA | Gold | 75,88 | Gold | 94,80 | 170,68 |
| Großbritannien | Gold | 74,02 | Silber | 87,50 | 161,52 |
| Deutschland | Gold | 74,20 | Silber | 86,70 | 160,90 |
| Israel | Silber | 68,39 | Gold | 91,00 | 159,39 |
| Niederlande | Gold | 72,59 | Silber | 83,40 | 155,99 |
| Südafrika | Gold | 72,28 | Bronze | 78,30 | 150,58 |
| Österreich | Silber | 67,80 | Silber | 81,60 | 149,40 |
| Luxemburg | Silber | 67,19 | Silber | 81,90 | 149,09 |
| Belgien | Gold | 72,45 | Bronze | 75,50 | 147,95 |
| Schweden | Silber | 69,40 | Bronze | 76,90 | 146,30 |
| Schweiz | Silber | 64,05 | Bronze | 77,40 | 141,45 |
| Frankreich | Silber | 64,31 | Bronze | 70,20 | 134,51 |
| Ungarn | Bronze | 60,11 | Bronze | 72,20 | 132,31 |
| Irland | Diplom | 48,80 | Bronze | 72,40 | 121,20 |

REWE
GROSSVERBRAUCHER-SERVICE

IKA
GROSSVERBRAUCHER-SERVICE

AMT Gastroguss
2-605

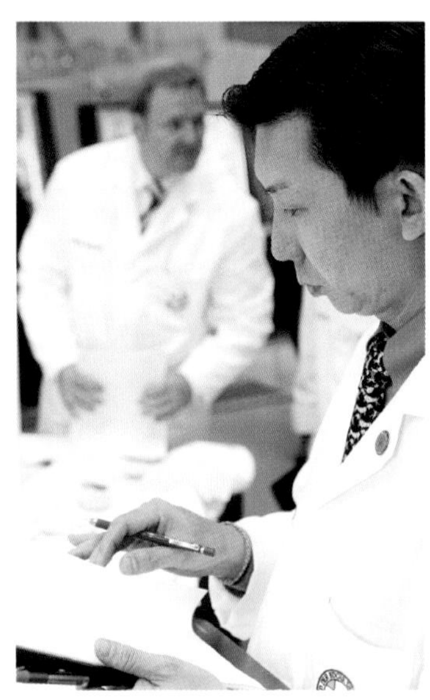

# 7 Gemeinschaftsverpflegungs-Mannschaften mit ihren Menüs

# 7 Teams of Communal Feeding and their Menus

# 7 équipes de ravitaillement collectif et leurs menus

*Von links nach rechts:*

Lukas Maj
Tim Küsters
Thomas Meisinger

Terrine von Zander und Lachs mit Tomatendip, Blattsalate, Fenchel und Sesamstange

Schweinefilet im Haselnussmantel, Rahmsauce, Pfannengemüse und Schupfnudeln

Schokoladentropfen mit Ingwermus, Mangoconfit und Schokoladenstäbchen

Terrine of pike-perch and salmon with tomatodip, lettuces, fennel and sesamsticks

Fillet of pork in hazelnuts, cream sauce, vegetables and german Schupfnudeln

Chocolate-ring with ginger mousse, mango confit and stick from chocolate

Terrine de sandre et de saumon, sauce tomate, salade, fenouil et bâton de sésame

Filet de porc en manteau de noisettes, sauce à la crème, poêlée de légumes et pâtes aux pommes de terre (schupfnudel)

Gouttes de chocolat sur purée de gingembre, confit de mangue et bâtonnets au chocolat

*Von links nach rechts:*

Heiko Becker
Carola Bartelt
Markus Beerbaum

Waldpilzsalat mit herbstlichen Blattsalaten und Paprika-vinaigrette, Pumpernickel mit Frischkäse und Kräutern

Kürbis mit Streifen vom Truthahn, Zwiebeln, Sojasprossen, Maiskörner und Möhren mit Ebly-Zartweizen, schwarze Bohnensauce

Minze-Kokos-Vanilletimbale auf Ananas mit Karamellsauce

Mushrooms with autum lettuces and peppers vinaigrette, cottage-cheese-cream and herbes on pumpernickel

Pumpkin filled with stripes of turkey, onions, soya sprouts, corn and carrots, ebly-wheat, black bean sauce

Mint-coconut-vanillatimbale on pineapple, caramel-sauce

Salade de champignons sylvestres aux salades d'automne et vinaigrette au poivron, pain noir pumpernickel au fromage frais et aux herbes

Potiron et lamelles de dinde, oignons, pousses de soja, grains de maïs et carottes au blé tendre ebly, sauce de soja noir

Timbale menthe-coco-vanille sur ananas à la sauce au caramel

*Von links nach rechts:*

Fabio Pretto
Gerardo Pesavento
Roberto Puddu

Herbstliche Komposition von Maronen, Kürbis und grünen Bohnen auf Radiccio mit Pesto-Brot

Roulade vom Schwertfisch mit Parmaschinken und Chiodinipilzen auf buntem Wokgemüse

Heidelbeeren und Waldbeeren mit sizilianischem Malvasiawein

Autumn composition of chestnuts, pumpkin, green beans on radiccio, mediterranean pesto croustinos

Roulade of sword fish with parma ham and „chiodini mushrooms" on varied vegetables from the wok

Blue and wild berries, flavoured with malvasia wine of sicily

Composition automnale de marrons, citrouille et haricots verts sur radis et pain au pesto

Roulé d'espadon au jambon de Parme et champignons chiodini sur wok de légumes colorés

Myrtilles et fruits des bois au vin sicilien de Malvoisie

*Von links nach rechts:*

Bruno Krismer
Anita König
Franz Krautsack

Erlesenes von heimischen Fischen an geliertem Rotkrautsalat

Steirische Putenroulade an Thymianjus mit Safran-Ingwer-Püree und braisiertem Chicoree

Waldviertler Mohnkuchen mit Sauerkirschespuma und Mascarponetörtchen

Exquisite of domestic fish, jelled red cabbage salad

Styria turkey roulade on thymianjus with saffron-ginger-puree and braised chicory

Waldviertler poppy seed cake with sour cherries espuma and mascarpone tartlet

Délicatesse de poissons locaux sur salade de chou rouge gelée

Roulade de dinde de Styrie en jus de thym à la purée de gingembre et de safran et endive braisée

Gâteau au pavot du Waldviertel à l'espuma de griottes et tartelettes à la mascarpone

*Von links nach rechts:*

Michael Schwarz-Vasall
Rene Strohbach
Gerhard Schöberl

Herbstliche Pilze in Butter gebraten, verfeinert mit frischen Gartenkräutern, auf Ruccola-Radicciobukett mit steirischem Kürbiskernöl und Traubenessig, Blätterteiggebäck

Lachsfilet in der Zitronenpfefferkruste mit Korianderhirse auf Rieslingschaum, Tomaten-Zucchini-Mozarella-Türmchen, Petersilienkartoffeln

Birnen-Vanilletarte auf Karamellsauce mit Waldmeisterschaum

Autumn mushrooms roasted in butter, refined with fresh gardenherbs on ruccola-radicciobouquet with styria pumpkinseedoil and grape-vinegar with danish pastry

Salmon fillet in lemon-pepper crust with coriander millet on riesling foam and tomatoe-zucchini-mozarella, parsley-potato

Pear-vanillatarte on caramel sauce with woodruff foam

Champignons d'automne revenus au beurre, affinés aux herbes fraîches du jardin, sur bouquet de ruccola et radis à l'huile de graines de citrouille de Styrie et au vinaigre de raisin, feuilleté

Filet de saumon en croûte au citron poivrée et millet à la coriandre sur écume de riesling, tourelle de tomates, courgettes, mozzarelle, pommes de terre persillées

Tarte aux poires et à la vanille sur sauce au caramel et écume d'aspérule

*Von links nach rechts, von hinten nach vorn:*

Matthias Burger
Roger Carlsson
Anna Gustafsson
Viktor Söderberg

Quiche mit Vasterbottenkäse, mit Limetten mariniertes Lachstatar, Felchenkaviar, Blattsalate mit Dill-Vinaigrette

Gebratenes Rentier mit Pilzklößchen und Preiselbeerjus, Wurzelgemüse, Labskaus mit geräuchertem Rentierherz und Schnittlauch

Maulbeercreme mit Haselnussbaiser, Hagedornsauce

Quiche with Versterbotten cheese, lime marinated tartare of salmon with whitefishcaviar, lettuces with dill-vinaigrette

Roasted reindeer and mushroom dumplings with lingonberry jus, routvegetables and Labskaus with smoked reindeerheart and chive

Cloudberrycream with hazelnutbaiser, rose hip sauce

Quiche au fromage de Vaster-botten, tartare de saumon mariné au citron vert, caviar de fenouil, salade et vinaigrette à l'aneth

Renne frit aux boulettes de champignons et jus d'airelles, légumes-racines, labskaus au coeur de renne fumé et à la ciboulette

Crème de ronce petit-mûrier et meringue aux noisettes, sauce à l'aubépine

*Von links nach rechts, von hinten nach vorn:*

István Varga-Zimre
Tibor Dobos
Norbert Roncsák

Kalte, gebackene Paprika mit Auberginen-Schafkäse-Getreidepaste gefüllt, Sprossensalat und Toast

Steinpilz-Wellington mit Thymian-Käse-Fondue, geröstetes Gemüse in Sellerie

Mandeln „Maglyarakas" mit Johannisbeeren, Honig und Joghurt

Baked pepperoni cold stuffed with eggplant, sheep´s cheese and grain, soya sprouts-salad and toast

Boletus-wellington with thyme-cheese-fondue celery filled with roasted vegetables

Almonds „Maglyarakas" with red currants, honey and yoghurt

Poivron froid au four farci à la pâte d'aubergines, de fromage de brebis et de céréales, salade de jeunes pousses et toast

Wellington de cèpes et fondue de fromage au thym, légumes rôtis au céleri

Amandes „Maglyarakas" aux groseilles, miel et yaourt

## Team gesunde Ernährung

*Von links nach rechts, von hinten nach vorn:*

Gunter Pfefferle
Bernd Brunkhardt
Horst Wetterau
Klaus Meyer
Dieter Girg

Asiatisches Gemüse aus dem Wok mit frischen Sprossen und Garnelen, Duftreis

Gebratenes Zander- und Rotbarbenfilet auf Linsengemüse, Apfelbalsamico, Staudensellerie und Pfifferlinge, Kirschtomate

Asian vegetables from the wok with sprouts and prawns, basmati aromatised rice

Seared pike-perch and red barbel on lintels, apple balsamic, celery, chanterelles and cherry tomato

Légumes asiatiques du wok aux pousses fraîches et aux crevettes, riz parfumé basmati

Filet grillé de sandre et de rouget barbet sur lentilles, vinaigre pomme balsamique, célerie aux girolles, tomate-cerise

## Medaillen- und Bewertungsspiegel der Gemeinschaftsverpflegung

| *Platz* | *Team* | *Punkte* | *Rang* |
|---|---|---|---|
| 1. | Österreich | 94,81 | Gold |
| 2. | Deutschland A | 91,27 | Gold |
| 3. | Österreich/Wien | 82,44 | Silber |
| 4. | Schweden | 81,15 | Silber |
| 5. | Deutschland B | 80,33 | Silber |
| 6. | Italien | 71,66 | Bronze |
| 7. | Ungarn | 71,25 | Bronze |

Anna
Gold

RICAN MILITARY TEAM
YEARS OF FREEDOM
STAHL
STAHL

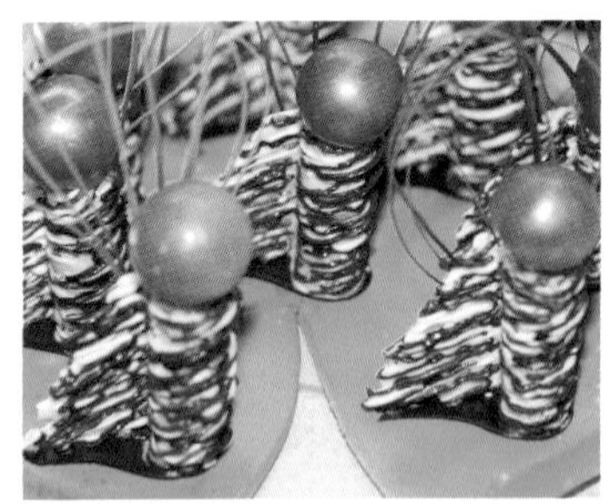

Wäschekrone

QimiQ

# 7 Patisseriemannschaften

# 7 Patisserie-Teams

# 7 équipes de pâtisserie

## Australien

*Von links nach rechts:*

Matthew McBain
Kirsten Tiballs

## Deutschland

*Von links nach rechts:*

Synke Ahner
Jens Gradel

**Mexiko**

*Von links nach rechts:*

Oscar Ortega
Alfonso Rivera

**Norwegen**

*Von links nach rechts:*

Kenneth Aas
Bernhard Azinger

**Österreich**

*Von links nach rechts:*

Michael Dällarosa
Manuel Krückl

**Rumänien**

*Von links nach rechts:*

Valerica Novac
Anna Tudor

*Von links nach rechts:*

Roy Pell
Darrin Aoyama

## IKA 2004 – Olympiade der Patissiers

| *Team* | *Teil 1* | *Punkte* | *Teil 2* | *Punkte* | *Gesamt* |
|---|---|---|---|---|---|
| Deutschland | Gold | 185 | Silber | 351 | 536 |
| USA | Silber | 161 | Gold | 360 | 521 |
| Australien | Bronze | 144 | Gold | 375 | 519 |
| Norwegen | Diplom | 124 | Gold | 362 | 386 |
| Österreich | Diplom | 99,2 | Diplom | 265 | 364 |
| Rumänien | Diplom | 112 | Diplom | 228 | 340 |
| Mexico | Diplom | 104 | Diplom | 232 | 336 |

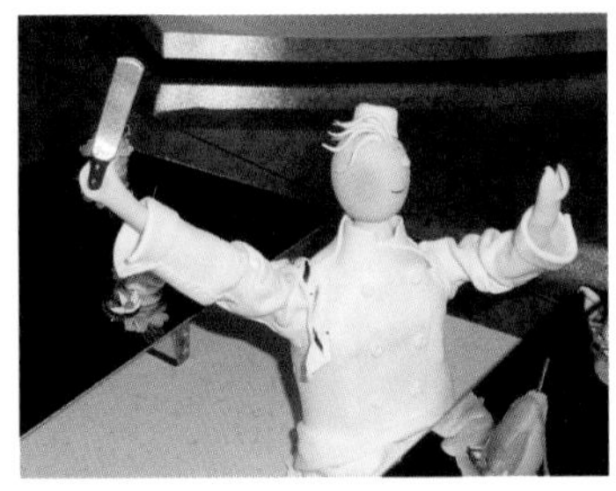
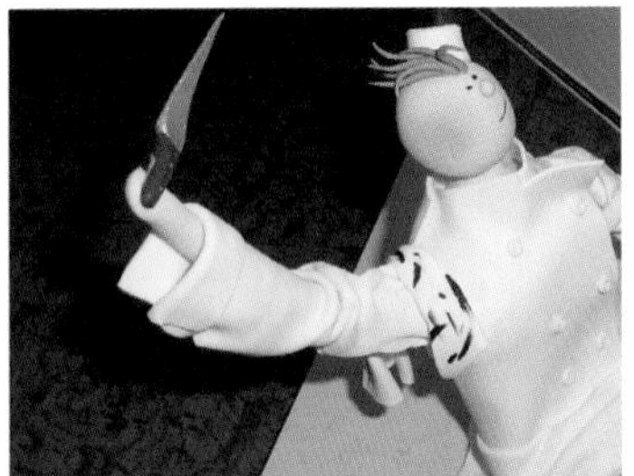
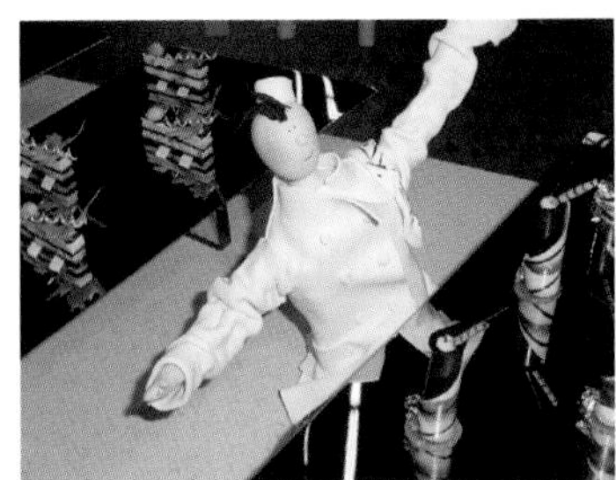

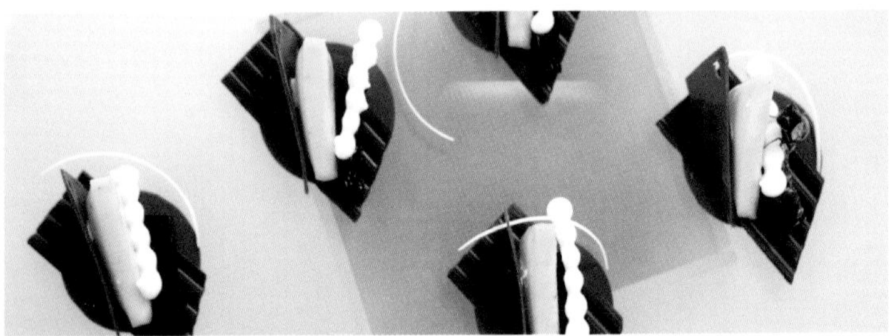

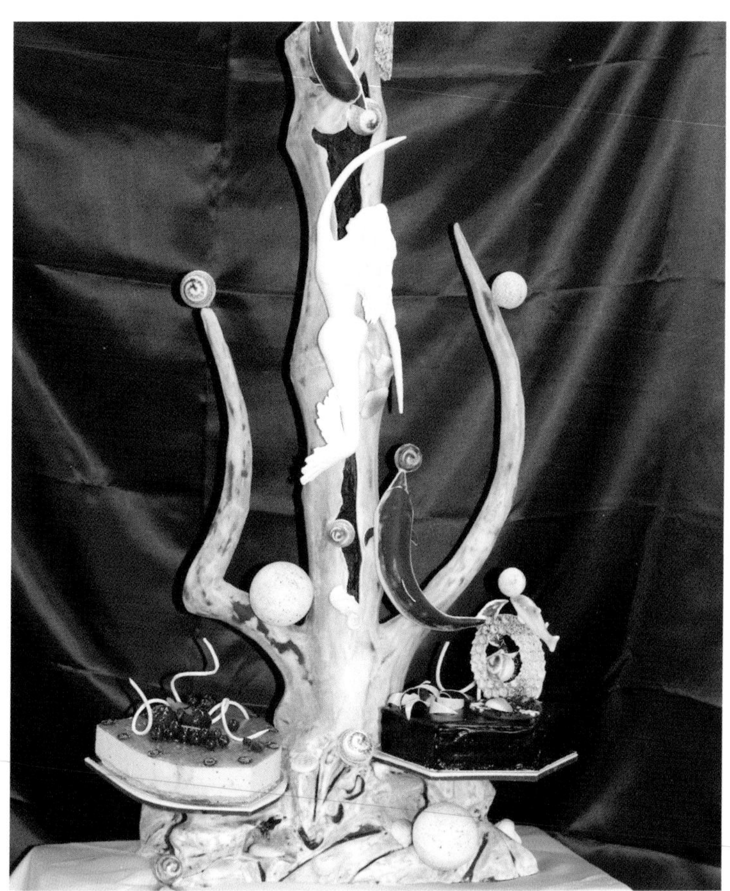

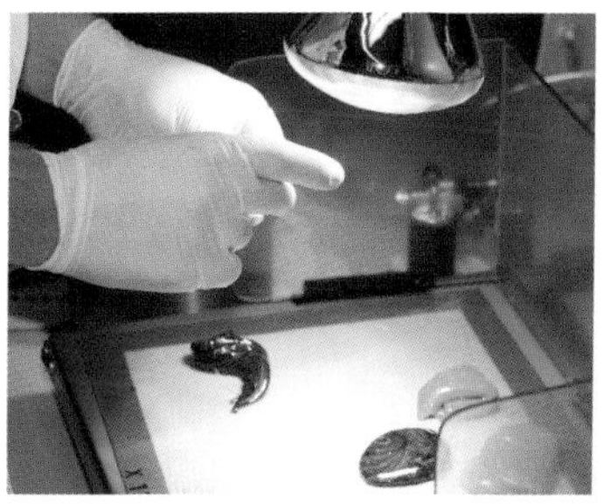

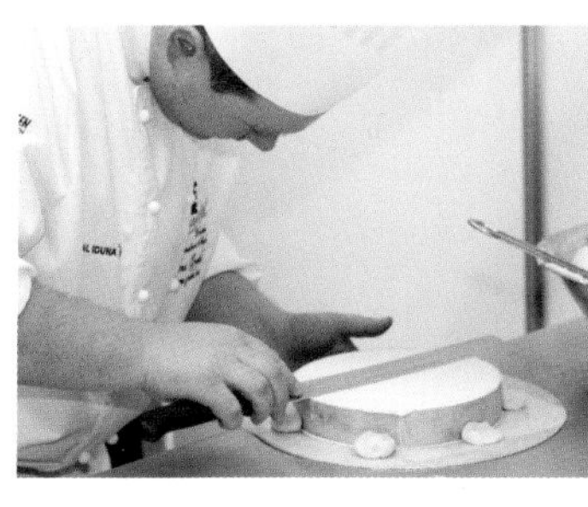

DIGITAL

NESCAFÉ

# Vorspeisen und kalte festliche Platten

# Hors-d'oeuvres and Cold Festive Platters

# Hors-d'œvre et plats de fête froids

**Festliche Platte.** Fischplatte mit Gemüse.

**Festive platter.** Fish platter with vegetables.

**Plateau de fête.** Plateau de poissons et légumes.

David F. Schneider

**3 von 6 Vorspeisen.** Schwein, Meeresfrüchte, Ente.

**3 of 6 hors d'oeuvres.** Pork, seafood, duck.

**3 entrées parmi 6.** Porc, fruits de mer, canard.

**5 Vorspeisen.** Eisgekühlte Kraftbrühe von Tomaten, Gemüse, Muschel-Hummer-Roulade; Thunfisch in Nori Algenspargel, Teriyaki-Sauce, Shrimps gefüllt mit Kräutern, Chutney von Mango und Fenchel, fritierter Reisteig, gegrillte marinierte Jakobsmuscheln, Püree von grünen Erbsen, Pfeffer-Vinaigrette; Pannacotta vom Kürbis; Tataki Lachsmedaillon, fritierter Kerbel.

**5 Apetizers.** Chilled consommé from tomatoes, vegetables, mussel and lobster roll; tunny in nori seaweed, asparagus, teriyaki sauce; shrimp filled with herbal fache, chutney from mango and fennel, fried rice dough; grilled marinated scallops, green peas puree, pepper vinaigrette; pannacotta from pumpkin, tataki salmon medaillon, fried chervil.

**5 Assiettes.** Consommé froid de tomates, légumes, moules et rouleau de homard; thon en algues nori, asperges, sauce teriyaki; crevettes farcies aux herbes, chutney de mangue et fenouil, pâte de riz frite; grillade de coquilles St Jacques marinées, purée de petits pois, vinaigrette au poivre; pannacotta de citrouille, médaillon de saumon tataki, cerfeuil frit.

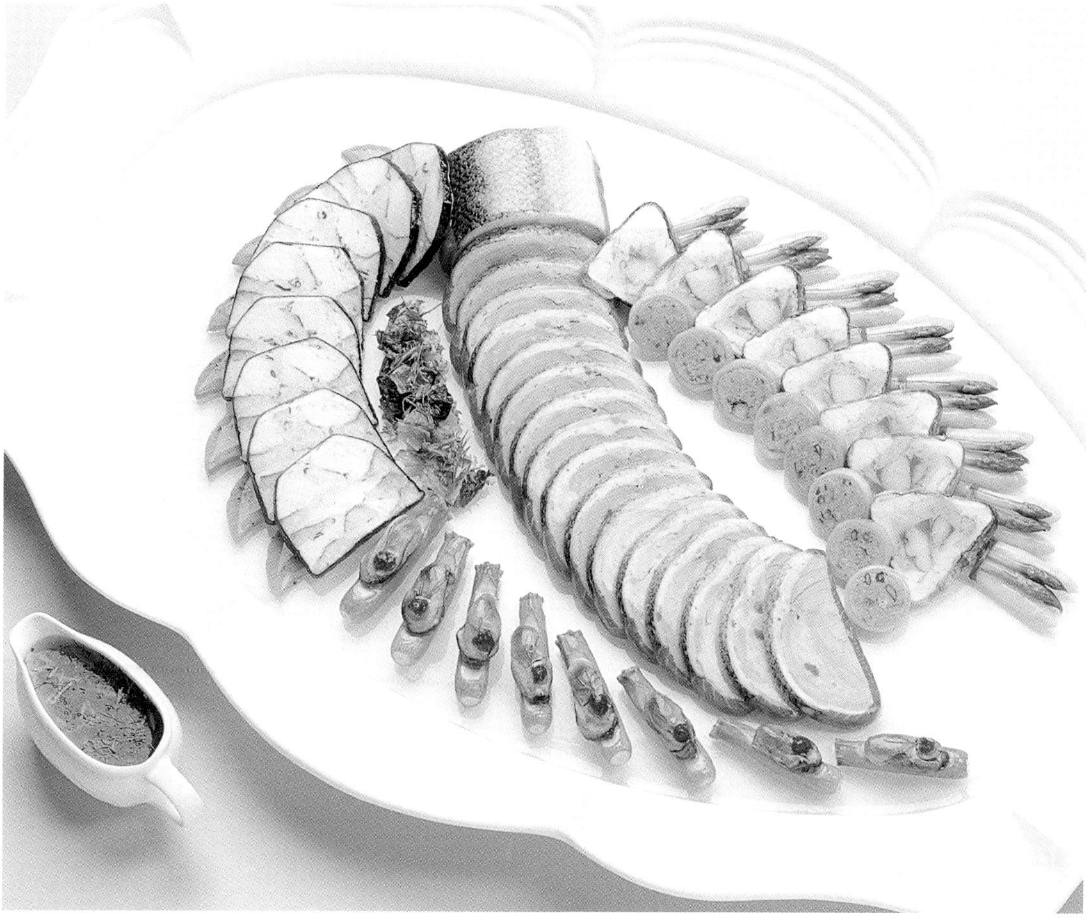

**Festliche Platte.** Kräutergeräuchertes Lachsfilet und Loch Fyne Kamm-Muscheln; Conger Aalterrine mit roter Meeräsche; Wolfsbarsch mit geräucherter Makrele; mit Lauch gefüllter Cornwall-Schellfisch und Pilze; frischer Spargel und Salat, zarte Austern, Zitronen-Kräuter-Dressing.

**Festive platter.** Herb roasted fillet of salmon and Loch Fyne scallops; terrine of conger eel and red mullet; sea bass with smoked mackarel; leeks stuffed with cornish shellfish and mushrooms; fresh asparagus and salad, whitstable oysters dainties, citrus herb dressing.

**Plateau de fête.** Filet de saumon rôti aux herbes et coquilles Saint Jacques du Loch Fyne; terrine de congre et de rouget barbet; loup de mer au maquereau fumé; poireaux farcis aux crustacés de Cornouailles et champignons; asperges fraîches et salade assaisonnée, délicatesses d'huîtres blanches, condiment aux herbes et agrumes.

Timothy Loveland

**Festliche Platte für 8 Personen.** Pochierter Lachs und Heilbutt mit Kräutereinlage, rote Linsen und Paprikamantel; Terrine von Lachs, Heilbutt und Brunnenkresse, Safranrahm mit Fenchel; Heilbuttbrandade mit Chutney von goldenen Rosinen, Karottencräcker auf Steckrübe; Terrine von geräuchertem Lachs und Frischkäse; eingelegte Perlzwiebeln in Zitrus; Sellerie- und Kerbelrahm, Gurkensalat, Zitronenmayonaise, Sherryvinaigrette.

**Festive platter for 8 persons.** Poached salmon and halibut with herbs, red lentels and coat of peppers, terrine of salmon, halibut and waterkress, saffroncream with fennel; halibuttebrandade with chutney of golden raisins, carrotcracker on swede; terrine of smoked salmon und cream cheese; pickeld onions in lemon; celeri- and chervilcream, cucumber salad, lemonmayonaise, sherryvinaigrette.

**Plateau de fête pour 8 personnes.** Saumon poché et flétan en garniture aux herbes, lentilles rouges et manteau de poivron; terrine de saumon, flétan et cresson de fontaine, crème au safran et fenouil; brandade de flétan et chutney de raisins secs dorés, biscuits salés aux carottes sur ru, terrine de saumon fumé, fromage blanc, oignons au citron; célerie et cerfeuil à la crème, salade de concombre, mayonnaise au citron, vinaigrette au xérès.

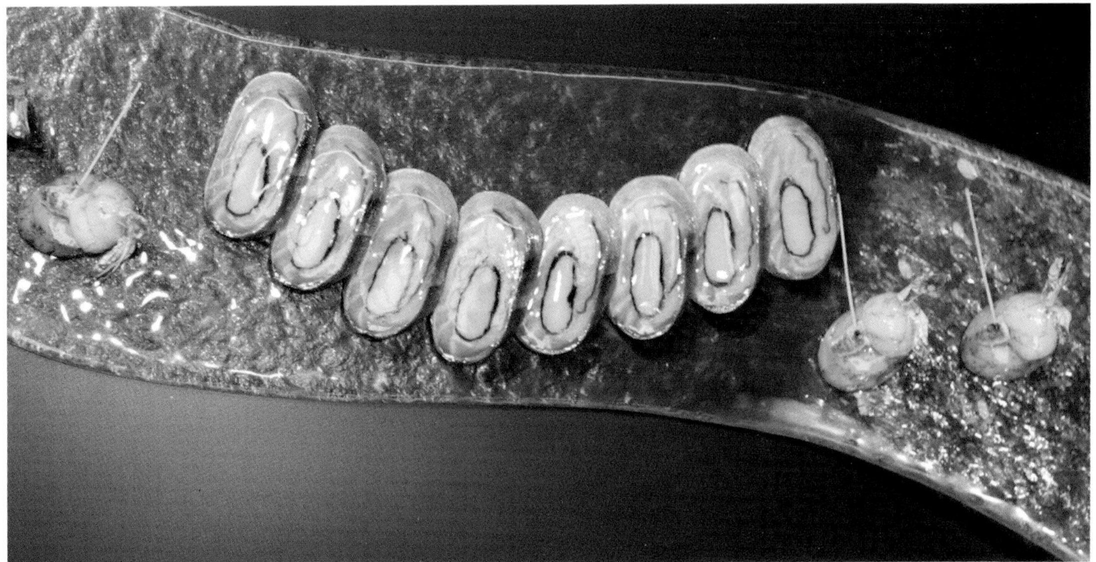

**Warme Fingerfood.** Sauerkrautmuffin mit Kaninchen und Preiselbeeren; Lammrückenfilet im Currypfannkuchenmantel auf Gerste mit rotem Pfeffer; Zanderfilet mit Peperonata, Rohschinken und Kräuterpolenta; gefüllte Amandine-Kartoffel mit Freiburger Vacherin und Gemüse; gefüllte Nudeln mit Weinbergschnecken, kleinem Gemüse und Butterschaumsauce.

**Hot fingerfood.** Sauerkraut muffin with rabbit und cranberries; lamb loin in a curried pancake coating, on barley with pink pepper, pike-perch with peperonata, smoked ham and herb polenta; stuffed Amadine-potato with Freiburg Vacherin and vegetables; stuffed noodles with snails, small vegetables und butter foam sauce.

**Amuse-gueule chauds.** Muffin à la choucroute au lapin et aux airelles; filet de selle d'agneau en manteau de crêpe au curry sur orge au poivre rose; filet de sandre à la peperonata, jambon cru et polenta aux herbes; pommes de terre amandine farcies au vacherin fribourgeois et légumes; nouilles farcis aux escargots de Bourgogne, petits légumes et sauce à l'écume de beurre.

**Festliche Platte.** Gepökelter Lachs mit Porree, gehüllt in Sauce Tatar und Basilikumsauce; Flusskrebs mit Fischmilch gefüllt; Thunfisch mit Sushi-Reis; Sterlet in Senf-Curry-Sauce mit Schnittlauch; Taboulé mit Lachskaviar in kleinen Zwiebeln; Kürbis im Spinatblatt; Backkürbisfische, grüner Spargel.

**Festive platter.** Salted salmon with leek, tartare and basil sauce; crayfish stuffed with milt, tunny with shushi rice; sterlet in curry mustard sauce with chives; taboulé with salmon caviar and little onions; pumpkim in spinach leaves, baked pumpkin fish, green asparagus.

**Plateau de fête.** Saumon salé aux poireaux en voile de sauces tartare et au basilic; écrevisse de rivière fourrée frai de poisson; thon et riz à sushi; sterlet à la ciboulette en sauce à la moutarde et au curry; taboulé et caviar de saumon en petits oignons; potiron en feuille d'épinard; poissons de citrouille au four, asperge verte.

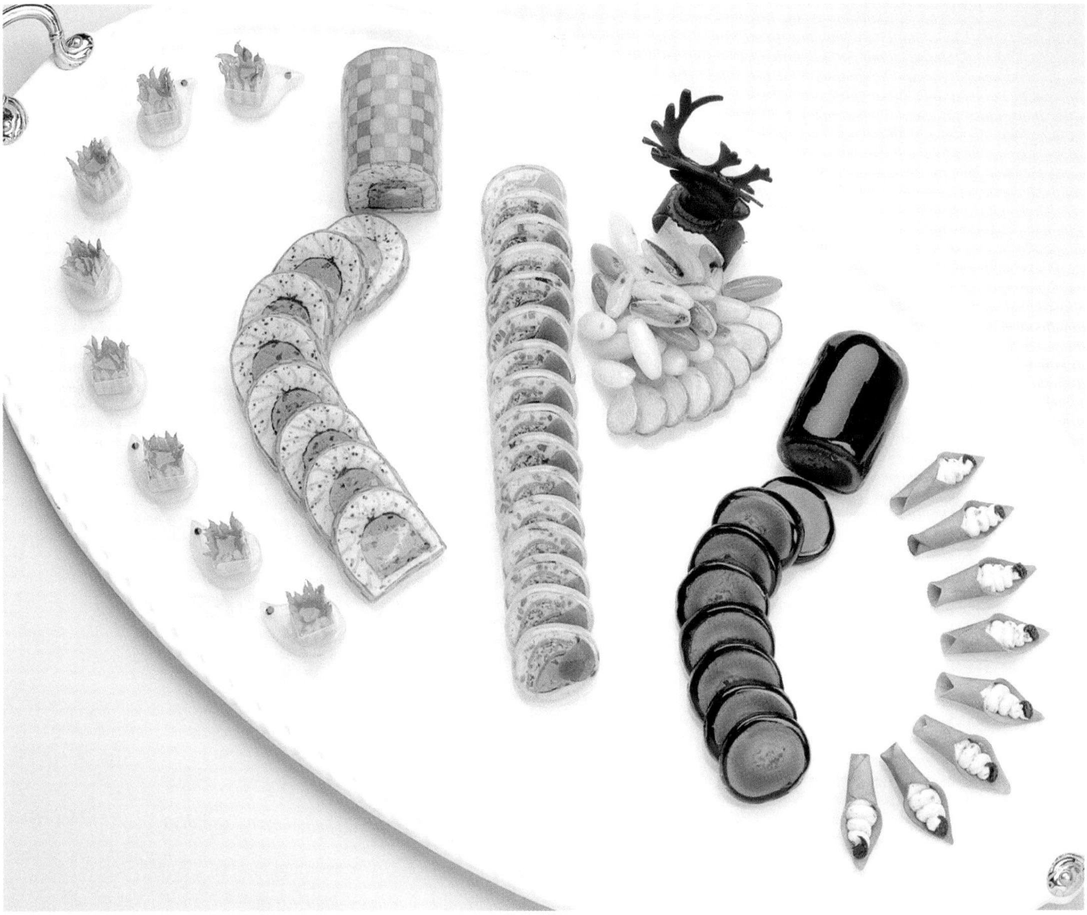

**Festliche Platte.** Gebratener Rehrücken; gebeiztes Rehfilet; Wild-und Fasanenpastete; Cracker mit Kürbismousse; Gemüsesalat; Kirschsauce.

**Festive platter.** Roasted loin of venison; cured venison tenderloin, venison and pheasant pate; horns with butternut squash puree; pickled vegetable salad; black cherry sauce.

**Plateau de fête.** Longe de chevreuil rôtie; filet de chevreuil mariné; pâté au gibier et au faisan; biscuit salé à la mousse de courge musquée; salade de légumes macérés; sauce aux cerises.

**Platte für 8 Personen.** Gebeizter Lachs, Hummerterrine mit Lachs, Roulade vom gerauchten Lachs, Seegrassalat, Flusskrebsschwänze auf Mosaik, Cracker mit Avocadocreme.

**Platter for 8 persons.** Salmon tasso, lobster terrine with salmon, smoked salmon roulade, seaweed salad, crayfish on mosaic, cracker with creamy avocado.

**Plateau pour 8 personnes.** Saumon mariné, terrine de homard au saumon, roulé de saumon fumé, salade d'algues, queues d'écrevisses de rivière sur mosaïque, biscuit salé à la crème d'avocat.

**Festliche Platte.** Pastrami-Atlantik-Lachs mit Gemüsesalat; Meeresfrüchteterrine mit verschiedenen Kräutern, gefüllte goldene Seeforelle mit Blumenkohlsalat, Dillcremesauce.

**Festive platter.** Pastrami Atlantik salmon with vegetable salad; herbed assorted seafood-terrine, stuffed sea-golden trout with cauliflower salad; dill cream sauce.

**Plateau de fête.** Pastrami de saumon de l'Atlantique et salade de légumes; terrine de fruits de mer assortis aux herbes, truite de mer dorée farcie à la salade de chou-fleur; sauce à la crème et à l'aneth.

**3 von 6 Hauptgängen.** Geräucherte Schweinezunge, umhüllt mit Meerrettich und Carpaccio von Roter Bete und Sellerie; Thunfisch in geröstetem Sesam mit Tomaten an Chicorée, Krabbenmarinade in Zitronen-Weißwein-Sabayon; Weißkohlpudding mit Basilikum, gegrillter Ground vollendet mit Sojasprossencreme.

**3 of 6 Main platters.** Smoked pork tongue cover in horseradish on carpaccio of beetroot and celery; tunny in roast sesam with tomatoes, chycory, prawn marinade in lemon-white wine sabayon; pudding of cabbage with basilicum, grilled ground, completed with cream of soya beans.

**3 Plats principaux parmi 6.** Langue de porc fumée sous raifort sur carpaccio de betteraves et de céleri; thon au sésame grillé, tomates et chicorée, marinade de crevettes roses en sabayon au citron et vin blanc; pudding de chou au basilic, farine grillée complète et crème de soja noir.

**3 Kalte Vorspeisen.** Waldpilzterrine, mit Basilikum gewürztes Tomatenmus, farbige Paprika; Entenleberparfait mit Trauben, Preiselbeersauce; Geflügelterrine mit Feigen, Salat-Ikebana in Balsamicovinaigrette mit Honig.

**3 Cold hors d'oeuvres.** Mushroomterrine with basil and spicy tomatopuree, colorful peppers, duckliverparfait with grapes, cranberrysauce; chickenterrine with figs, salad-ikebana in balsamic vinaigrette with honey.

**3 Entrées froides.** Terrine de champignons sylvestres au basilic et purée de tomates aux épices, poivrons de couleurs; parfait de foie de canard aux raisins, sauce aux airelles; terrine de volaille aux figues, ikebana de salade en vinaigre balsamique au miel.

**3 Vorspeisen.** Pikanter Grillhummer, Mais und Hummer, Eierroyale, Gemüse- und Hummer-Blätterteigfleurons; Gemüsetofu, Pot-au-feu mit Ravioli, Spaghettikürbis und Gemüsechips, Duo von Kaninchenrücken und geschmolzener Gänseleber, glasierte Süßkartoffeln und gebratene Birnenscheiben, Zucchinibänder, körnige Senf-Mango-Sauce und Portweinsirup.

**3 hors d'oeuvres.** Savory lobster broin, corn and lobster, egg royale, vegetables and lobster pastry fleuron; vegetables tofu, Stew with raviole, spaghetti-squash and vegetable chips; duo of rabbit loin and molten foie gras, glaced sweet potatoes and roasted pear slices, zucchini ribbons, a grainy mustard mango sauce and port wine sirup.

**3 entrées.** Grillade de homard à la sarriette, maïs et homard, oeuf royale, fleur de pâte aux légumes et homard; légumes et tofu, pot-au-feu aux ravioles, spaghettis de citrouille et chips aux légumes; duo de filet de lapin et de foie gras fondu, patates douce glacées et tranches de poire rôtis, rubans de courgette, sauce à la mangue et à la moutarde en grains et sirop de porto.

Charlie Falida 

**Festliche Fischplatte.** Marinierter Lachs und Heilbutt, Thunfischrolle, Lachsroulade, Sardellenhappen, Salatbukett.

**Festive fishplatter.** Marinated salmon and halibut, tunny roll, salmon roll, anchovy snack, salad bouquet.

**Plateau de poisson de fête.** Saumon mariné et flétan, rouleau de thon, roulade de saumon, bouchées aux anchois, bouquet de salade.

**3 Vorspeisen.** Thunfisch mit Gänseleber auf Lakasauce; Terrine von Artischocken und Tomaten-Confit mit Senfsauce; Lachsterrine mit Shrimps und in Kräutern gebratener Lachs.

**3 Starters.** Tunny stuffed with goose liver of a laka sauce; terrine of artichoke and tomato confit with mustard vinaigrette; salmon terrine with shrimps with seared salmon in herbs.

**3 Entrées.** Thon farci au foie gras d'oie et sauce au laka; terrine d'artichaut et confit de tomates, vinaigrette au moutarde; terrine de saumon aux crevettes et saumon grillé aux herbes.

Yasuhiro Yasunaga 

**Auszug aus einer Schauplatte.** Fischterrine mit einem bunten Salat; Fasanenpastete, garniert mit verschiedenen Pickles; gebratenes Reh mit Maronensauce; gedämpfter Meerbarsch mit festlichem Bohnentopf.

**Essence of a show platter.** Terrine fishes with mixed salad; the pie with pheassant, garnished various pickles; roasted venison with chestnut sauce; steamed see bass; festive beans jerry.

**Extraits d'un plateau de présentation.** Terrine de poisson et salade colorée; tourte au faisan garnie de condiments divers; rôti de gibier, sauce aux châtaignes; loup de mer à la vapeur; jarre de haricots de fête.

Christopher Smith

**Festliche Platte.** Wildpilz-Fansanen-Terrine mit einem Karottenmantel; Schweinelende mit Pistazien und getrockneten Früchten; eingelegte Kalbsschenkel.

**Festive platter**. Wild mushroom and pheasant terrine with a carrot mantle; pork tenderloin with pistachios and dried fruits; pickled veal shank.

**Plateau de fête.** Terrine de champignons sauvages et faisan en manteau de carottes; filet de porc aux pistaches et fruits secs; jarret de veau au vinaigre.

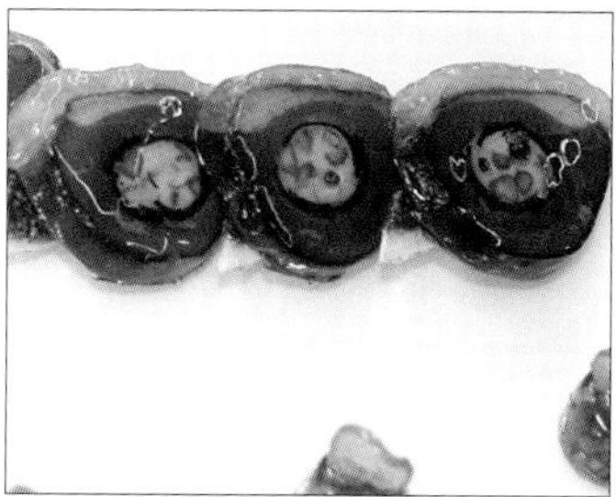

**3 Teller der festlichen Platte.** Ballotine von Perlhuhn mit Kirschen; gebratene und gefüllte Entenbrust mit Pistazien; Pastete von Minigemüsen.

**3 Platters of a festive platter.** Ballotine of guinea fowl with cherry; roasted and stuffed duck breast with pistachio; mini vegetables pie.

**3 Assiettes du plateau de fête.** Ballotine de pintade aux cerises; rôti de blanc de canard farci aux pistaches; mini-légumes et tourte.

Shigeru Hata

**3 Vorspeisen.** Gebratenes Lammfilet mit Kräutern, Gemüsepüree; Gänseleberconfit und Hummer mit sizilianischem Gemüse-Allerei; Terrine von geräucherter Entenbrust mit Balsamicosauce.

**3 Starters.** Lamb fillet roasted with herbs, vegetables puree; goose liver confit and lobster with Caponata; terrine of smoked duck breast with sauce balsamico.

**3 Entrées.** Filet d'agneau rôti aux herbes, légumes en purée; confit de foie d'oie et homard à la caponata; terrine de blanc de canard fumé à la sauce balsamique.

**5 Vorspeisen.** Timbale von basilikumgewürzter Jacobsmuschel in Tomatenjus; karamelisierter Kürbis, grüne Erbsen im Teigblatt mit Pinienkernen-Vinaigrette und Tamarindenglasur; Lachs- und Gurken-Raita und Karottenschaum; Lachs mit Babyfenchel und Parmesanchips; Reh und Beerengelee mit Salat; Fasanenbrust mit Pilzen gefüllt, Bohnenrisotto; Trilogie von der Ente und Gänseleber.

**5 Starters.** Timbale of basil-flavored scallop in tomato jus; caramelized pumpkin, baked green pea parcel with pinenut vinaigrette and tamarind glaze; salmon and cucumber raita and carrot foam, salmon with baby fennel and parmesan crisp; venison and berries jelly with salad; breast of pheasant stuffed with mushrooms, bean risotto; trilogy of duckling and foie gras.

**5 Entrées.** Timbale de coquilles Saint-Jacques parfumées au basilic en jus de tomates; citrouille caramélisée, sachet de pois verts au four, vinaigrette aux arachides et glaçage au tamarin; raita au saumon et au concombre et poussière de carottes, saumon au jeune fenouil et croustillant de parmesan; gibier et gelée aux baies accompagnés de salade; blanc de faisan farci aux champignons, risotto aux haricots; trilogie de cannette et foie gras.

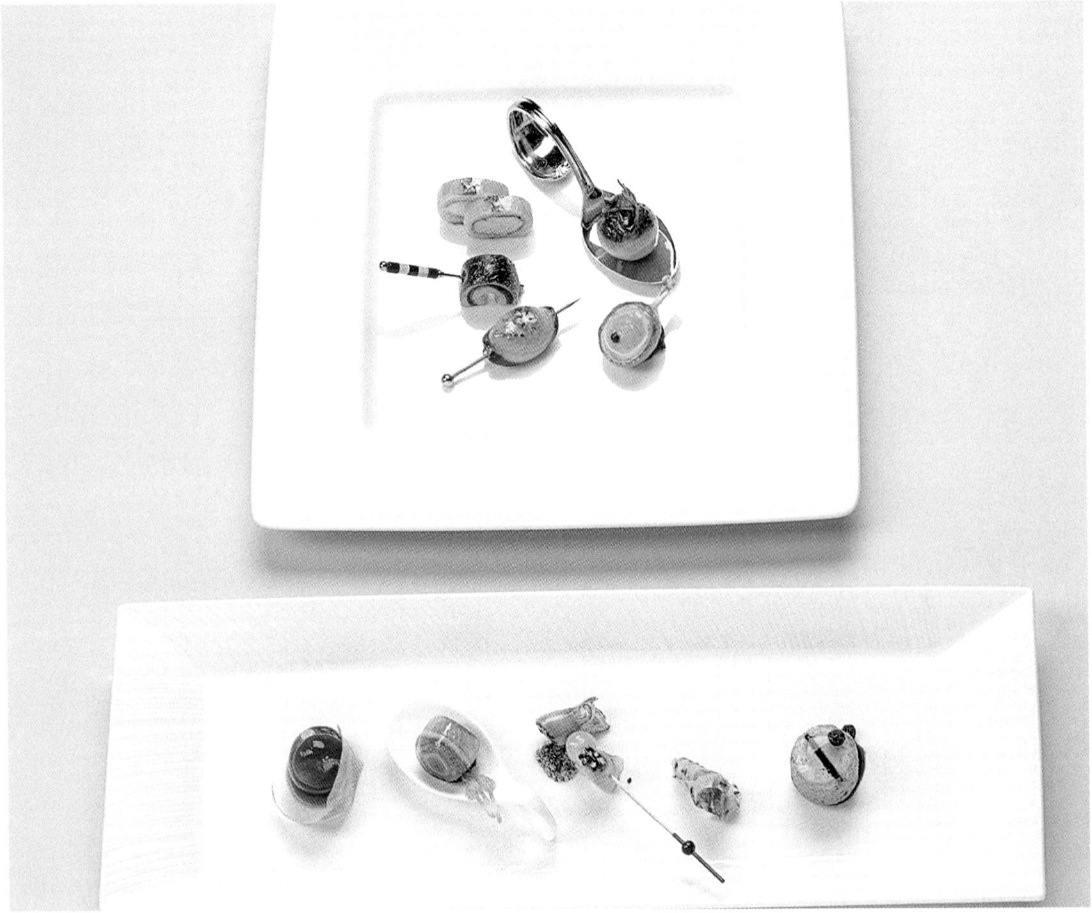

**Auswahlteller warme und kalte Fingerfood.** Kalt: gefüllte Kirschtomaten, Roulade vom Sayori-Fisch, Tintenfisch-Cocktail, Kegel von Perlhuhn, Brioche von Gänseleber; warm: geschmorter Ochsenschwanz mit Schnecken, Gratin von japanischen Abalone, Pastete von Krabbenfleisch, traditionelles japanisches Grillhähnchen; Wachtelmousse.

**Platter with warm and cold fingerfood.** Cold: stuffed mini-tomatoes, „Sayori" fish roulade, cocktail squid, cone of wild chicken, brioche of goose liver; hot: stewed oxtail with snail, gratine of japanese abalon, pate of crabmeat, japanese traditional barbecue chicken; quail mousse.

**Choix d'amuse-gueule chauds et froids.** Froids: petites tomates farcies, rouleau de poisson „sayori", cocktail de calmar, cornet de pintade, brioche de foie gras d'oie; chauds: queue de boeuf à l'étouffée aux escargots, gratin d'ormeaux japonais, pâté de chair de crabe; poulet rôti façon traditionelle, mousse de caille.

**Festliche Platte.** Lachsfilet Sushi-Art; Hummerscheren Gänseleber und Shitakepilze in Spaghettikürbis; Hecht, gefüllt mit Paprika und Kräutern, in Safran gekocht; Hummer-Lachs-Rolle; Lauch mit Lachs und Trompetenpilzen; Thunfisch in Tempura; Kürbis mit Frischkäse und Gebäck; Zucchini mit Brunoise.

**Festive platter.** Salmon Sushi; lobster claws, foie gras and shiitake mushrooms in spaghetti-pumpkin, pike stuffed with peppers and herbs poached in saffron; lobster-salmon roll; leek with salmon and trumpet mushrooms; tunny in tempura; pumpkin with fresh cheese und biscuits, zucchini with brunoise.

**Plateau de fête.** Filet de saumon façon sushi; pinces de homard; foie gras d'oie et champignons shiitake en spaghetti de potiron; brochet farci au poivron et aux herbes cuit au safran; roulé de homard et de saumon; poireaux au saumon et trompettes de la mort; thon en tempura; potiron au fromage frais et petit gâteau; courgettes et brunoise.

**Festliche Platte.** Terrine von Lachs und roter Meeräsche, umhüllt von gegrillten Auberginen; safrangebeizter Schwertfisch; Terrine von frischem Lachs und Schwertfisch mit schwarzen Oliven; zitrusmarinierter Lachs; Austern in Tequila und Limonengelee; Tomaten- und Zitronengrasspieß; kleiner Salat mit Toast Melba; Meeresfrüchtesalat mit Chilli- und Koriander-Dressing; gekochte Kartoffeln und Spargel; schwarze Oliven und Kräuterdressing; Zitrussalsa.

**Festive platter.** Salmon and red mullet terrine wrapped in grilled aubergines; saffron cured swordfish; terrine of fresh salmon and swordfish with black olives; citrus marinated salmon; oyster in tequila and lime jelly; tomato an lemongras brochette, small salad with toast Melba; seafood salad dressed with chili and cilantro dressing; boiled potatoes and asparagus; black olives and herb dressing; citrus salsa.

**Plateau de fête.** Terrine de saumon et de rouget barbet enveloppée d'aubergines grillées; espadon fumé au safran; terrine de saumon frais et d'espadon aux olives noires; saumon mariné aux agrumes; huîtres en gelée au tequila et au citron vert; brochette de tomates et de citronnelle; petite salade en biscotte fine; salade de fruits de mer assaisonnée au chili et à la coriandre; pommes de terre cuites et asperges assaisonnées aux olives noires et aux herbes; sarabande d'agrumes.

**3 von 6 Vorspeisen.** Hummer-Pannacotta mit Gurkengelee, Zitronen- und Zwiebelrelish, Gurkenspaghetti, Chicorée und Essenz von Schalentieren; gegrillter Knollensellerie und Portobelloterrine, Lauch mit Pfifferlingen, Bohnen und Ziegenkäse, Zucchini mit Kräuterquinoa, roter Pfeffer und Thymiansirup; Taubenballotine mit Perlhuhn und Pistazien-Mousseline, Taubenbrust, Orangenmarmelade, Waldpilze, Fafabohnen und Schalottensalat, Apfelweindressing.

**3 of 6 Starters.** Lobster pannacotta with cucumber jelly, lemon and onion relish, cucumber spaghetti, grilled chicory and shellfish essence; grilled celeriac and portobello terrine, stuffed leek with chantarelle, beans and goats cheese, courgette with herbed quinoa, red pepper and thyme syrup; pigeon ballontine with guinea fowl and pistachio mousseline, smoked pigeon breast, bitter orange marmelade, wild mushrooms, fafa bean and pickled shallot salad, cider dressing.

**3 Entrées parmi 6.** Pannacotta au homard et à la gelée de concombres, condiment au citron et à l'oignon, spaghetti de concombre, grillade d'endive et essence de coquillages; céleri au gril et terrine au portobello, poireau farci aux chanterelles, haricots et fromage de chèvre, courgette et quinoa aux herbes, poivre et siroup au thym, ballotine de pigeon avec pintade et mousseline aux pistaches, blanc de pigeon fumé, marmelade d'oranges amères, champignons sauvage, haricots fafa et salade d'échalotes macérées assaisonnée au cidre.

*Culinary Team Ontario*

**Festliche Platte.** Gebratene Truthahnkeule, gefüllt mit getrockneten Früchten, Truthahnlende mit Gemüse; Entenbrustterrine, Beinfleisch und Entenleber; geräucherte Fasanenbrust mit Couscous; Perlhuhnbrust, umwickelt mit Wildpilzen und Pistazien; Paprikaschiffchen mit Kräuterkäsefüllung; Apfelschnitze mit Mangobrunoise.

**Festive platter.** Roasted leg of turkey stuffed with dried fruits; turkey tenderloin with vegetables; terrine of duck breast, leg and duck liver; smoked pheasan breast with couscous; guinea fowl breast wrapped in wild mushrooms and pistachios; tian of roasted pepper with herbed cream cheese; carved apple with mango brunoise.

**Plateau de fête.** Cuisse de dinde rôtie farcie aux fruits secs; filet de dinde aux légumes; terrine de blanc de canard, jarret et foie gras d'oie; blanc de faisan fumé dans son enveloppe de champignons sauvages et de pistaches; navette de poivron fourrée de fromage frais aux herbes; pomme coupée et brunoise de mangue.

**3 Vorspeisen.** Gedämpfter Fisch und Kaisergranat am Spieß mit grünem Curryschaum und Gemüse; in Barolo gegartes Seeteufelmedaillon, marinierte Meeresfrüchte, herbstlicher Blattsalat; Quinoarolle mit roten Bohnen, Kirschtomaten, Kürbiswürfel.

**3 Starters.** Steamed fish and scampi on a skrewer with green curry foam and vegetables; in Barolo steamed monkfish medaillon, marinated sea fruit, autumn leaves salad; quinoa roll with kidney beans, cherry tomatoes, pumpkin cubes.

**3 Entrées.** Poisson à l'étuvée et langoustines en brochette à la mousse de curry vert et aux légumes; médaillon de lotte cuit au barolo, fruits de mer marinés, salade d'automne; rouleau de quinoa aux haricots rouges, tomates-cerise, cubes de citrouille.

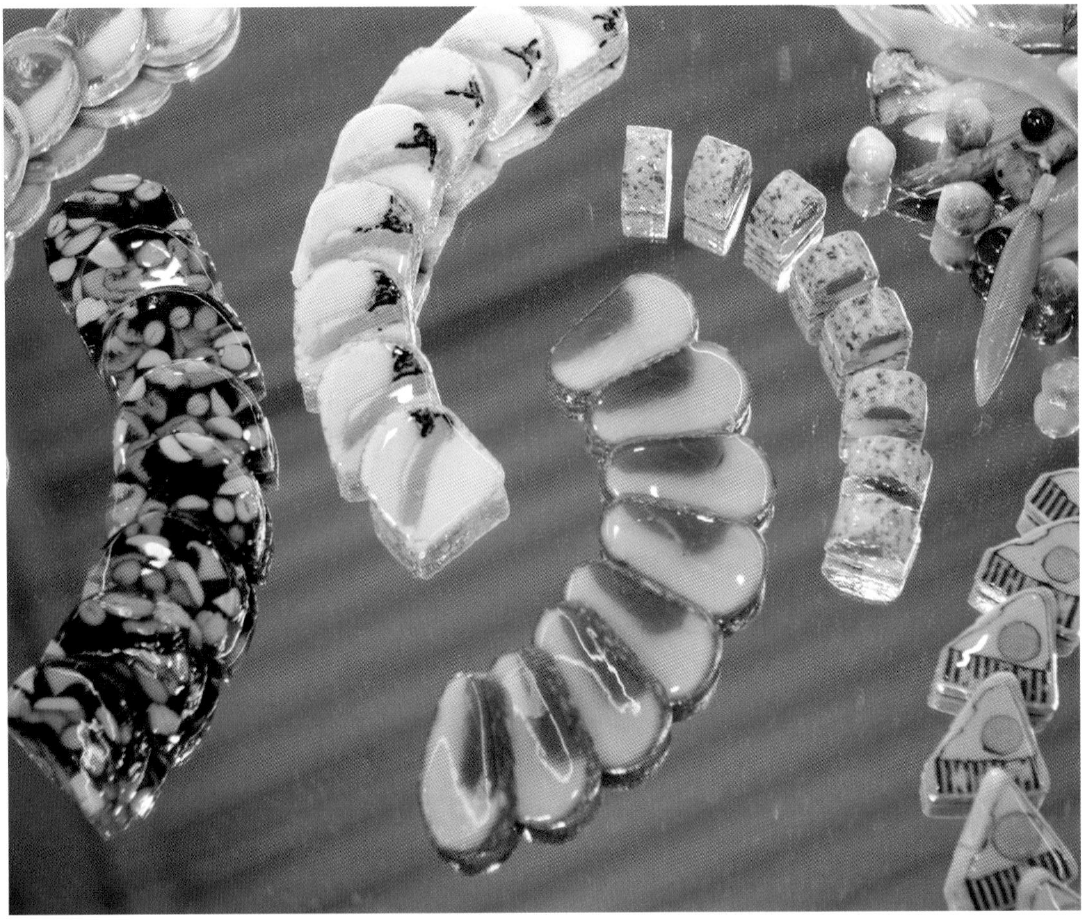

**Reflexionen einer holländischen Wiese.** Trio vom Kalb; gefüllter Schweinefuß; Terrine von Wiesenchampignons; Spanferkel- und Lammpastete; Terrine vom Friander Kalb.

**Reflection of a dutch meadow.** Trio of veal; stuffed pork trotter; wild-mushroom terrine; sucking pig and lamb pâte; terrine of friander veal.

**Reflet d'un pré néerlandais.** Trio de veau; pied de porc farci; terrine de champignons sauvages; pâté de cochon de lait et d'agneau; terrine de veau friander.

**3 Vorspeisen.** Bress-Täubchen mit Pilzen in Serrano-Schinken, Tomate bayerisch, Portweinsauce; gesalzener Lachs mit Hummer, Safransauce, Zanderterrine und Krabben, Lachs und Kamm-Muschel, Kräuterdressing; Lammfilet mit Kalbsbries in Kräutern, Pistazienkruste, Hörnchen mit viel Sauce.

**3 Starters.** Bress pigeon with mushrooms in Serrano ham, tomato bavarois, port sauce; salted salmon with lobster, saffron sauce; terrine of pike-perch and crab, salmon and scallop, herb dressing; lamb fillet and sweetbreads in herbs, a pistachio crust and horn of plenty sauce.

**3 Entrées.** Pigeon de Bresse aux champignons en jambon de Serrano, bavarois aux tomates, sauce au porto; saumon salé au homard, sauce au safran; terrine de sandre et de crabe, saumon et coquilles Saint-Jacques, garniture aux herbes; filet d'agneau et ris de veau aux herbes, croûte aux pistaches et sauce en corne d'abondouce.

**Kalte Tapas.** Röllchen vom geräucherten Schinken mit Sahnemeerrettich, Rotweingelee und Senf; Königskrabbe- und grüne Bohnenterrine; gebeizte Lachsforelle mit Salsa auf Toast; marinierter Hering auf Kartoffelküchlein mit Schnittlauch-Sahne und Rote-Bete-Chips; Olivenöl-Vichyssoisse, Krebs-und Lachsrogen.

**Cold tapas.** Smoked ham with horseradish, red wine jelly and mustard; king crab and green beans terrine; cured sea trout with salsa on toast; marinated hering on potato cakes, chives cream and beetroot chips; vichyssoise with olive oil, crayfish and salmon roe.

**Tapas froides.** Petits rouleaux de jambon fumé à la crème de raifort, la gelée au vin rouge et la moutarde; terrine de crabe des Moluques et haricots verts; truite de mer marinée et sarabande sur toast; hareng mariné sur gâteau de pommes de terre, crème à la ciboulette et chips de betteraves rouges; crème vichyssoise à l'huile d'olive, oeufs des écrevisses et de saumon.

**Festliche Buffetplatte.** Variationen von Lamm und Poularde; Lammkeule mit Chorizo und Auberginen; gebratenes Filet vom Lamm mit Estragon; Poulardenbrust mit Spinat und Pilzen; zitronenglacierte Pastinaken; Steckrüben in Gewürzen und Sahnemeerrettich; Poulardenrillete mit Kräutern; Couscous in Fenchel; Zwiebeln mit Karotten auf Sablé, Angelotti mit Aubergine und Parmesan, Kräuterrahmsauce.

**Buffet platter.** Variation of lamb and chicken; leg of lamb with chorizo in eggplant; roasted fillets of lamb with tarragon; chicken breast with spinach in mushrooms; lemon glazed parsnips; rutabaga boiled in spices with horseradish cream; herb crusted chicken rilletes; couscous in fennel; onion and carrot on sablé; angelotti filled with aubergine and parmegiano cheese; creamy herb sauce.

**Buffet de fête.** Variations d'agneau et de poulet: gigot d'agneau au chorizo et aux aubergines; filets d'agneau rôtis à l'estragon; blanc de poulet aux épinards et champignons; panais glacés au citron; rutabagas aux épices et crème de raifort; rillettes de poulet en croûte aux herbes; couscous au fenouil; oignons et carottes sur sablé; angelotti fourrés aux aubergines et au parmesan; sauce à la crème et aux herbes.

**Warme Tapas.** Marinierte gegrillte kleine Tintenfische gefüllt mit Zitronen-Knoblauch-Püree, knusprige Zwiebeln; gebratene Kamm-Muscheln mit Kürbis- und Krebsmousseline mit gesalzenen Kürbiskernen; Sojasauce- und orangenmarinierte Wachtelkeule in einem Tartelette mit Erbsenpüree; Terrine von geräucherter Entenbrust und Entenkeulenconfit mit Pilzen; pochierter Seewolf mit sautiertem Gemüse und Blumenkohlschaum.

**Warm tapas.** Grilled and marinated Squid, filled with lemon and garlic puree, crispy onions; roasted scallops with pumpkin and a shellfish mousseline, salty pumpkin seeds; Soya and orange glazed quail-leg served in a tart with peas puree; terrine of smoked duck breast, confit of duck leg and mushrooms; poached wolf fish with sautéed vegetables, cauliflower foam.

**Tapas chauds.** Calmar mariné et grillé farci à la purée de citron et d'ail, oignons croquants; coquilles Saint-Jacques grillées et mousse de potiron et de crustacés aux graines de citrouille salées; cuisse de caille marinée à la sauce de soja et à l'orange en tarte à la purée de petits pois; terrine de blanc de canard fumé et confit de cuisse de canard aux champignons; loup de mer poché aux légumes sautés et écume de chou-fleur.

**Warme Tapas.** Seezungenmousseline mit Corail der Spinnenkrabbe; Fasanenconsommé mit Wintergemüse; gefüllte Kirschtomaten mit Erdnuss- und Kichererbsenpüree; sesamgefüllte Tiger Prawns, gedämpft in einem Basilikum-Zitronen-Aufguss.

**Warm tapas.** Sole mousseline with spider crab corail; pheasan consommé with winter vegetables; stuffed cherry tomatoes with peanut and chickpea puree; sesame stuffed tiger prawns steamed in a basil and citrus infusion.

**Tapas chauds.** Mousseline de sole au corail d'araignée de mer; consommé de faisan aux légumes d'hiver; tomates cerise farcies aux arachides et purée de pois chiches; crevettes géantes farcies au sésame cuites à la vapeur en infusion de basilic et d'agrumes.

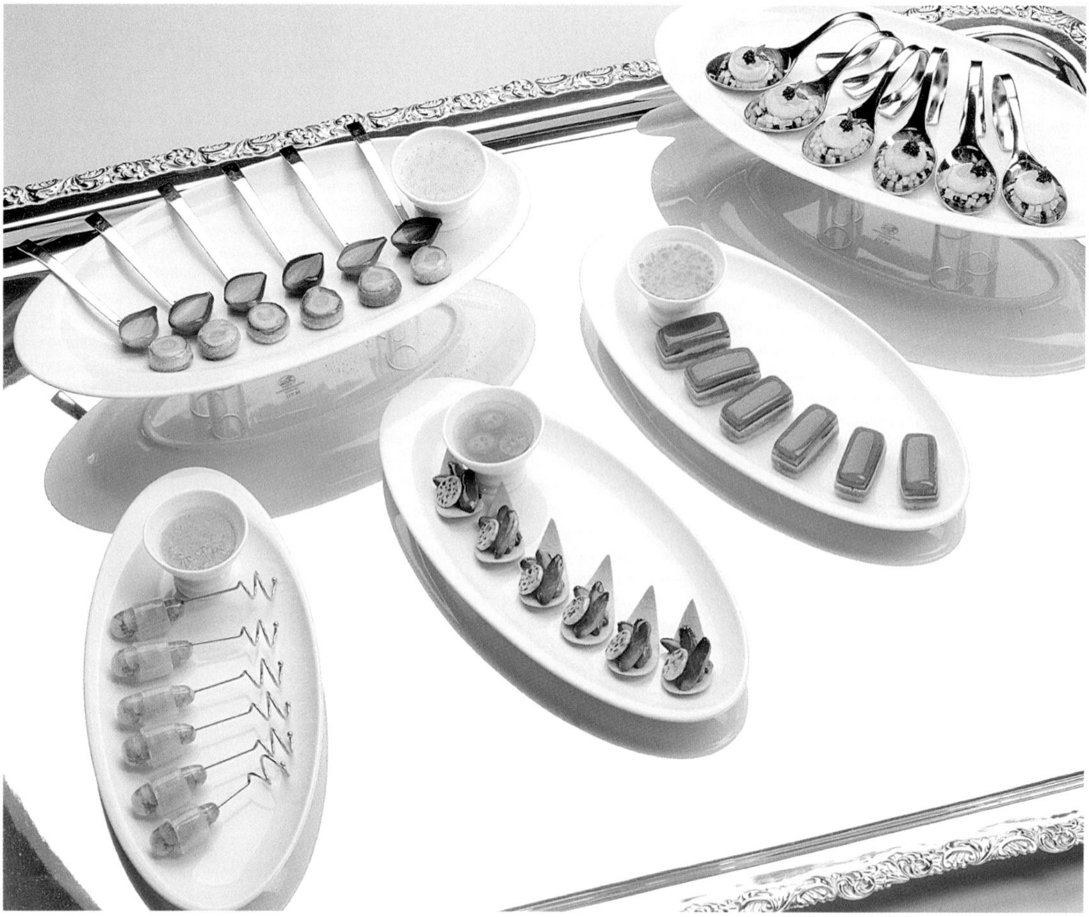

**Kalte Fingerfood.** Hering mit süßen Gurken und violetten Silberzwiebeln, Apfel-Crème-fraîche; Gemüsesushi mit Wasabi und Gurkenjoghurt; geräucherte Wachtelbrust mit Frischkäse und getrockneten Kirschen, Kumquatmarmelade; Garnelenspieß in Kokosnuss-gelee, Erdnussdip; Wachteleier auf Kartoffel-Trüffel-Salat, Spargelspitzen und Kaviar.

**Cold fingerfood.** Herring with sweet cucumber and purple pearl onion, apple crème fraîche; vegetarian sushi, washabi and cucumber yoghurt; smoked quail breast with dried cherry cream cheese, kumquat marmalade; skewered prawn wrapped in coconut jelly, peanut dip; quail egg on potato and truffle salad, asparagus tip and caviar.

**Amuse-gueule froids.** Hareng aux cornichons doux et petits oignons violets, pomme crème fraîche; sushi de légumes au wasabi et yaourt au concombre; blanc de caille fumé au fromage frais et cerises séchées, marmelade de kumquat; brochette de crevettes en gelée à la noix de coco, sauce aux cacahuètes; oeufs de caille sur salade de pommes de terre et de truffes, pointes d'asperger et caviar.

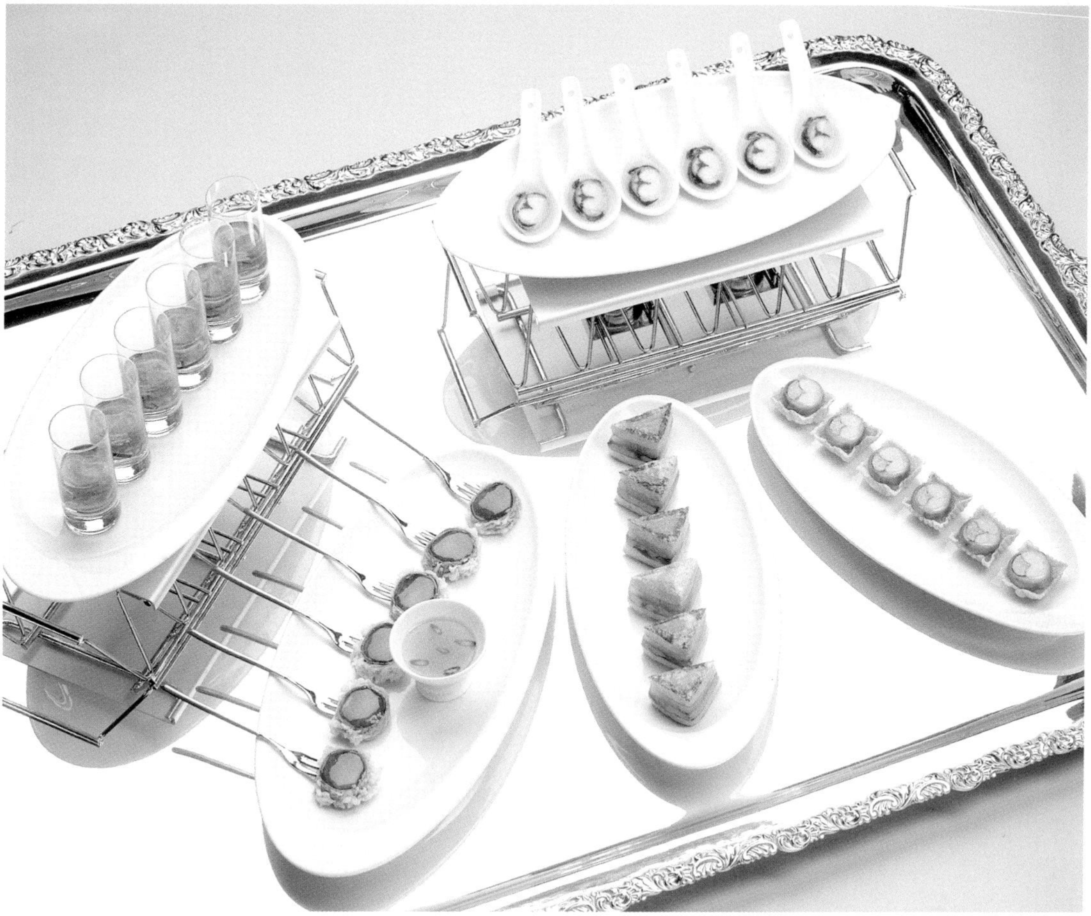

**Warme Fingerfood.** Cocktail-Sandwich; in Portwein eingelegte Gänseleber mit Karotten in Zimt, Brioche; Thunfisch-Tempura in Eiercrêpe und Nori, süßer Reis und Limettensauce; warme Austern, Herbstkürbis, Meeresfrüchtebrühe; in Vanillebutter pochiertes Hummermedaillon, Pfifferlinge in Avocadosuppe; mit Pistazien gefüllter Hasenrücken, Törtchen mit Ahornsirup und Spaghettikürbis.

**Hot fingerfood.** Cocktail sandwich, foie gras stepped in port wine and carrot in cinnamon, brioche french toast; tempura tunny wrapped in egg crêpe and nori; sweet rice and lime sauce; warm oyster, fall squash, seafood broth; in vanilla butter poached lobster medaillon, chantarell mushrooms in avocado soup; pistacho stuffed rabbit saddle, in a maple glazed spaghetti squash filled tartelette.

**Amuse-gueule chauds.** Sandwich cocktail, foie gras d'oie mariné au porto et carottes à la cannelle, brioche; tempura de thon en crêpe aux oeufs et nori, riz sucré et sauce au citron vert; bouchée d'huîtres chaude, courge d'automne, bouillon aux fruits de mer; médaillon de homard poché au beurre vanillé et girolles en soupe à l'avocado; selle de lièvre farcie aux pistaches, tartelette au sirop d'érable et spaghettis de citrouille.

**3 Warme Vorspeisen.** Rosa gebratene Entenbrust und Confit vom Entenschenkel im Frühlingsrollenteig, Spinatkreation und Linsen; Sepiateigwaren nach Neptuns Art, gefülltes Knurrhahnfilet mit Saibling und gegrilltes Zanderfilet; Mais, Erbsen und Kerne, Kreation mit Rosenkohl, Süßkartoffelpüree und rotes Zwiebelchutney.

**3 Warm starters.** Pink rosted duckbreast and duckleg confit in a springrollcoating; spinach creation with lentils, Sepia-pasta, stuffed growling rooster with pink trout and grilled pike perch; corn, peas, and brussels, sweet potatoes and red onion chutney.

**3 Entrées chaudes.** Blanc de canard rosé et cuisse de canard confite en pâte rouleaux de printemps, création aux épinards et lentilles; pâtes de seiche à la neptuns, filet de grondin farci à l'omble et filet de sandre grillé; création de maïs, petits pois et graines aux choux de Bruxelles, purée de pommes de terre douces et chutney d'oignons rouges.

**3 Kalte Vorspeisen.** Aspik vom Kaninchen mit Melonengelee, in Bergkräutern geräuchertes Kaninchenfilet, Portulaksalat und Zucchini; asiatisch gewürztes Rotbarbenfilet, Früchte-Shitake-Sushi im Noriblatt; Weizentortilla mit Polenta, Jalapeno-Chili, mit Frischkäse gefüllt, mexikanischer Bohnensalat.

**3 Cold starters.** Aspic of rabbit with melonjelly, herb smoked lion of rabbit, salad of portulak with zucchini; asian seasoned red mullet fillet, fruity shiitake sushi in a nori leaf; tortilla with polenta, Jalapeno chilli stuffed with cream cheese and mexican bean salad.

**3 Entrées froides.** Aspic de lapin à la gelée de melon, filet de lapin fumé aux herbes des montagnes, salade de pourpier et courgettes; filet de rouget aux épices asiatiques, sushi de fruits et shiitake en feuille de nori; tortilla de blé à la polenta, piment jalapeno farci au fromage frais et salade de haricots mexicaine.

**Warme Tapas.** Eisgekühltes Krabbenfleisch und Maistimbale mit Safransauce; Entenbrust mit gegrillten Pflaumen, gefüllt mit Rosinen; Singapur-Rindfleisch-Satay mit Erdnusssauce und Ananaspüree; Kartoffelgratin mit pochiertem Wachtelei und Speckstreifen; Spanferkelrippchen und Confit mit Knoblauchschaum und Dörrpflaumenkompott.

**Hot tapas.** Chilled crabmeat and corn timbale with saffron sauce; duckling breast with grilled plum stuffed with sultanas; „Singapore" beef satay with peanut sauce and pineapple puree; potato gratin with poached quail egg and bacon strips; rips of suckling pig and confit with garlic foam and prune compote.

**Tapas chauds.** Chair de crabe rafraîchi et timbale de maïs, sauce au safran; blanc de canette et prunes grillées farcies aux raisins de smyrne; boeuf satay „Singapour", sauce aux arachides et purée d'ananas; gratin de pommes de terre à l'œuf de caille poché et lanières de lard; côtes de cochon de lait et confit à la mousse d'ail et compote de pruneaux.

**Kalte Tapas.** Bouillabaisse mit Knoblauch-Chips; Gurkenparfait mit geräucherten Kirschtomaten; Avocadosalat mit Orangensalsa; geräuchterter Lachs und Frischkäseterrine mit Peperonatasalat; Hühnchenfleischreisball, serviert mit Knoblauch und Salat.

**Cold tapas.** Bouillabaisse with garlic studded chips; cucumber parfait with smoked cherry tomatoes; compressed avocado salad with orange salsa; smoked salmon and cream cheese terrine with Peperonata salad; chicken rice ball served with garlic and salad.

**Tapas froides.** Jet de bouillabaisse et chips saupoudrés d'ail; parfait au concombre et tomates-cerise fumées; salade d'avocat concentré et sauce salsa aux oranges; terrine de saumon fumé et fromage frais accompagnée de salade à la Peperonata; boulette de riz au poulet servie avec ail et salade.

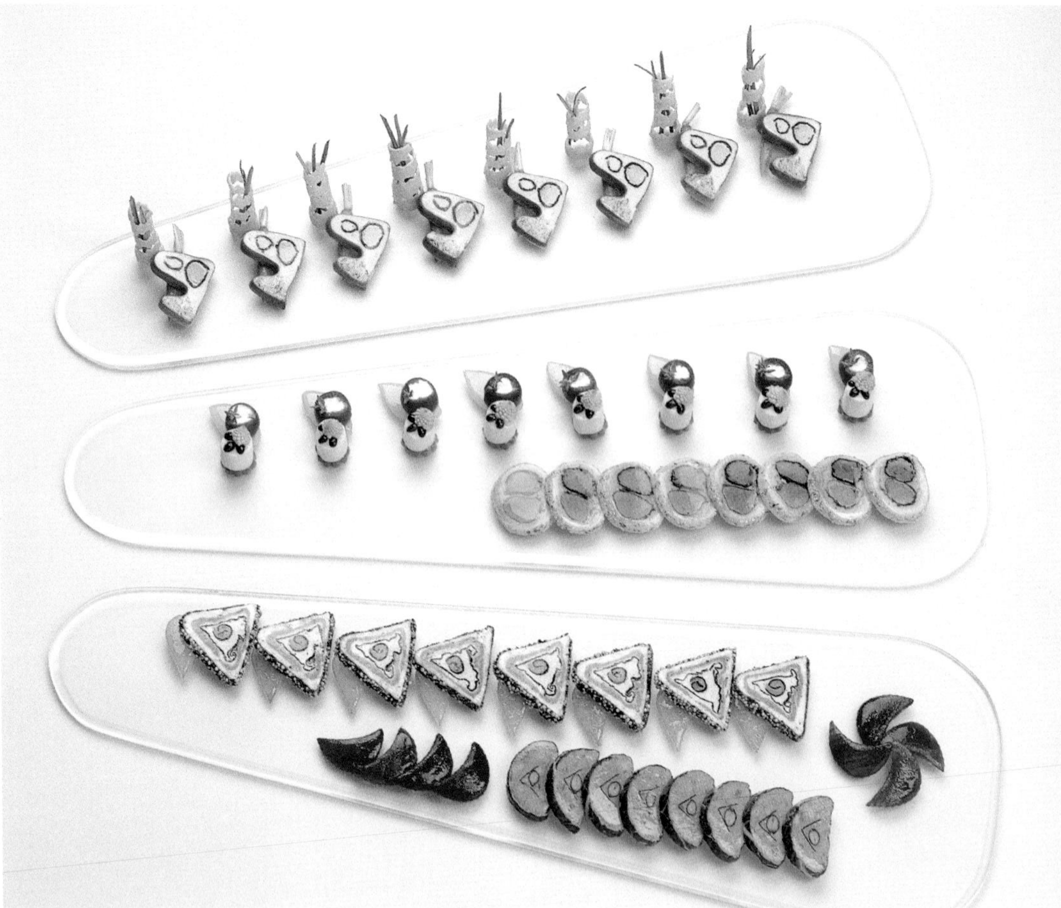

**Festliche Platte.** Karottenpudding im Kohlblatt; Fleischdreieck mit Mosaik und Senfumhüllung; Schweinefleisch in Maisumhüllung und Gemüse; Geflügelterrine mit Gemüsen; Champignon-Zwiebel-Sauce.

**Festive platter.** Carrot pudding in a cabbage leaf; meat triangle with mosaic and mustard wrapper; pork maiden in the maize wrapper and vegetables; poultry terrine with vegetables; champignon and onion sauce.

**Plateau de fête.** Pudding de carottes en feuille de chou; triangle de viande en couverture de mosaïque et moutarde; cochon de lait en couverture au maïs et compliment aux légumes; terrine de volaille aux légumes; sauce aux champignons et oignons.

**Hauptgänge.** Gefülltes Schwein mit Pute und Schweinefilet mit Linsenkruste; Dreieck von Geflügel mit Oliven und Erbsen; gefülltes Käsebrötchen mit Spinat und Pinienkernen.

**Main courses.** Stuffed pork of turkey with fillet of pork with lentil cruste; triangles of poultry with olive and pea; stuffed roll of cheese with spinach and pine nuts.

**Plats principaux.** Porc et dinde farcis et filet de porc en croûte aux lentilles; triangles de volaille aux olives et petits pois; rouleau de fromage farci aux épinards et pignons de pin.

**Fingerfood.** Tiger Prawns in pikanter Gemüsebrühe mit Zitronengras, inspiriert von einem Hauch Süßkartoffeln; Eiernudeln mit Gemüse und Pilzen in Zwiebel-Honig-Sauce mit Sojasauce und Chili; Entenleber mit warmem Polentakuchen in Spinatblättern und süßlicher Cognacglasur; Gemüseauszug; Kaninchenroulade mit dunklen Linsen, Geflügelglace.

**Fingerfood.** Tiger prawns in piquant vegetable bouillon with lemon grass inspirated by taste of tom yam; egg noodles with vegetables and mushrooms on onion-honey sauce with soya sauce and chilli; duck liver with hot polenta cake in spinach leave and sweet cognac glaze; vegetable essence with chervil mousse; rabbit roll an dark lentils with poultry glace.

**Amuse-gueule.** Crevettes géantes au bouillon de légumes piquant à la citronnelle inspiré par le goût de la soupe tom yam; nouilles aux oeufs aux légumes et champignons sur sauce aux oignons et au miel à la sauce de soja et au chili; fois gras de canard et gâteau chaud de polenta en feuille d'épinard et glaçage au cognac doux; essence de légumes à la mousse de cerfeuil; roulé de lapin et lentilles noires glacés à la volaille.

**Warme Fingerfood.** Lachsrücken, Mousse von Brunnenkresse und Tomaten, Zitronensauce; braisiertes Poulardenfilet mit Speck umhüllt; gedämpfte Shrimpsklöße und Zitronenbrühe; geräuchertes Stubenküken, gefüllt mit Schinken und schwarzen Trompetenpilzen; Wirsing gefüllt mit Salbeiwürstchen, Meerrettichsauce.

**Hot fingerfood.** Rack of salmon, watercress mousse and tomato citrus coulis; braised bacon-wrapped chicken tenderloin; steamed shrimp dumplings and lemon broth; smoked poussin stuffed with ham and black trumpets; savoy cabbage filled with sage sausage, horseradish sauce.

**Amuse-gueule chauds.** Carré de saumon, mousse au cresson de fontaine et coulis de tomates aux agrumes; filet de poulet braisé en enveloppe de bacon; boulettes de crevettes à la vapeur et bouillon au citron; poussin fumé farci au jambon et trompettes de la mort; chou de Milan farci à la saucisse de sauge, sauce au raifort.

**3 Vorspeisen.** Sülze von Rentierzunge mit Salbei, Timbale von Pilzfrischkäse, Kompott von weißem Wurzelgemüse mit roten Linsen, Hagebuttensauce; Terrine von gebeiztem Lachs und Äpfeln, Crêpes mit Lauch, Erdartischockenpüree, Salat und Senfvinaigrette; in Olivenöl gegartes Saiblingfilet mit Petersilienrisotto, Blumenkohl, Tomatenconcassé und Zitronengrassauce.

**3 Starters.** Jelly from rendeer tongue with sage, timbale of mushroom cream chesse, compote of white root vegetables with red lentils, rose hip sauce; terrine of marinated salmon and apples, crêpes with leek, puree of Jerusalem artichoke, salad with mustard vinaigrette; olive oil seared char fillet with parsley risotto, cauliflower, tomato concassé and lemongras sauce.

**3 Entrées.** Gelée de langue de renne à la sauge; timbale de fromage frais aux champignons, compote de salsifis aux lentilles rouges, sauce au gratte-cul; terrine de saumon mariné et pommes, crêpes aux poireaux, purée de topinambours, salade et vinaigrette à la moufonde; filet d'omble rôti à l'huile d'olive et risotto au persil, chou-fleur, concassé de tomates et sauce à la citronelle.

**Kalte Fingerfood.** Havelländer Flusskrebs in Pernodsulz mit Paprikasauce; geräuchertes Rehfilet auf Kürbiskompott mit Walnuss-Limonen-Dressing; Mousse von Lachs und Stör mit ihrem Kaviar; Gemüse-Schmand-Törtchen; Cocktail von gebratener Maispoulardenbrust.

**Cold tapas.** Havelland Crayfish in pernod jelly with red pepper sauce; smoked tenderloin from venison on pumpkin compote with walnut-lime dressing; mousse from salmon und sturgeon with its caviar; vegetable sour cream tartelette; cocktail of rosted maize chicken breast.

**Amuse-gueule froids.** Ecrevisses de rivière du Havelland en gelée au pernod et sauce au poivron; filet de chevreuil fumé sur compote de potiron assaisonnés aux noix et au citron; mousse de saumon et d'esturgeon avec leur caviar; tartelette aux légumes et à la crème; cocktail de blanc de poularde au maïs.

**Warme Fingerfood.** Im Fenchellöffel pochierte Seezunge; Erlesenes vom Kaninchen; Sud vom grünen Tee mit Meeresfrüchtespieß; Schwarzfederhuhn mit Kresse, hellem Auberginen-Chutney und Karottennudelnest; Vollkornbaguette mit gepökelter Kalbszunge, Kalbsbries und gedämpftem Lauch.

**Hot fingerfood.** Sole fillets in fennel; selections of rabbit; stock of green tea with seafruit skrewer; blackfeather chicken with cress; light eggplant chutney and carrot noodle nest; full corn baquette with pickled tongue of veal, sweet bread and steamed leek.

**Amuse-gueule chauds.** Sole pochée en cuillre de fenouil; délicatesse de lapin; décoction de thé vert et brochette de fruits de mer; pintade au cresson, chutney clair d'aubergines et nid de nouilles de carottes; baguette complète et langue de veau salée, riz de veau et poireau réchauffé.

**Festliche Platte.** Graved Lachs, Nadelmoräne und Kartoffelsalat; Terrine von Hummer mit grünem und weißem Spargel, Pflaumentomaten; mit Pistazien garnierte Variante von kaltgeräuchertem Rochen mit Thunfisch, dazu Gemüsesalat.

**Festive platter.** Graved salmon, moraine and potato salad, terrine of lobster with white and green asparagus, plum tomatos; smoked ray and tunny garnished with pistatio vegetable salad.

**Plateau de fête.** Saumon mariné, murène aiguille et salade de pommes de terre; terrine de homard aux asperges blanches et vertes, tomates-prune; variante de raie fumée à froid au thon garnie de pistaches et salade de légumes.

**3 Vorspeisen.** Ziegenkäse mit Zwetschgen und gegrilltem Zucchini, griechischer Salat und Bulgurdariole; souffliertes Steinbuttfilet mit rotem Curry und Kokos, Feigensenf, Gemüsesalat; Topinambur-Rotwein-Kreation, Kalbsbäckchensalat und Kräutervinaigrette.

**3 Starters.** Goats cheese with plums and grilled zucchini, greek salad, souffled turbot with red curry and coconut, fig-mustard, vegetable salad; topinambur redwine creation, calvs cheek salad and herb vinaigrette.

**3 Entrées.** Fromage de chèvre aux quetsches et courgettes grillés, salade grecque et dariole de boulgour; filet de turbot soufflé au curry rouge et noix de coco, moutarde aux figues, salade de légumes; création de topinambour et vin rouge, salade de joues de veau et vinaigrette aux herbes.

**Tapas und Fingerfood.** Amerikanisches Fischgericht mit Lauch und Chilikruste; knusprige Zampone vom Spanferkel; getrocknete Früchte; Tandoori-Hähnchenflügel; geminzter Naan; pfannenfrischer Kabeljau; geräucherter Pimanto; Ziegenkäse, Butternusskürbis und Macadamia-Nusstorte.

**Tapas and fingerfood.** Clam chowder with leek and chilli crustade; crispy zampone of suckling pig, dried fruit; tandoori chicken winglet; minted naan; pan fried salt cod brandade; smoked pimanto; goats cheese, butternut squash, macadamia nut cake.

**Tapas et amuse-gueule.** Croustade de soupe de palourdes avec poireaux et chili; zampone croquant de cochon de lait; fruits secs; aile de poulet tandoori; naan à la menthe; brandade de morue frite; piment fumé; fromage de chèvre, courge musquée; tarte aux noix de macadamia.

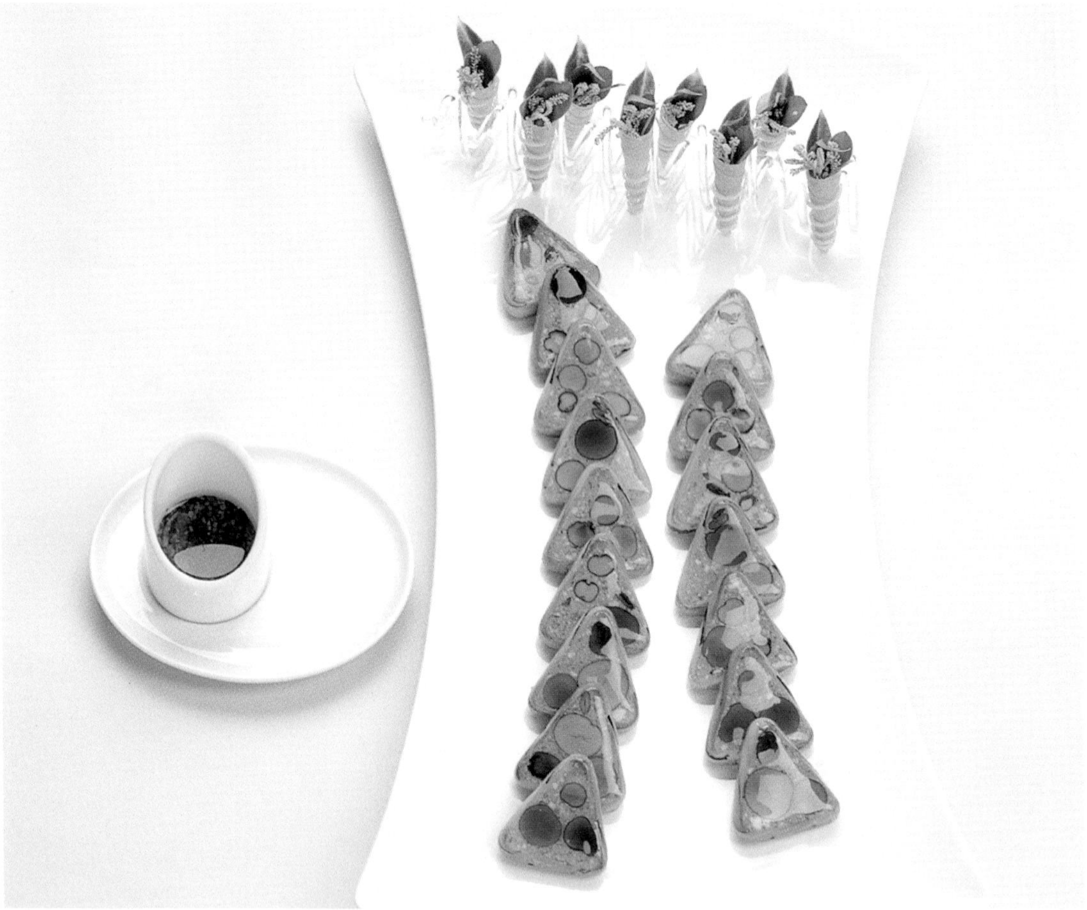

**Teil von Platten.** Bio-Ziegenterrine mit naturbelassenen Blaukartoffeln und Bergwiesenkräutern im Salzteigcornet.

**Part of platter.** Bio goats cheese terrine with nature blue potatoes and mountain meadow herbs in a salted cornet.

**Éléments de plateaux.** Terrine de chèvre bio aux pommes de terre bleues naturelles et herbes des monts et des prés en cornet de pâte salée.

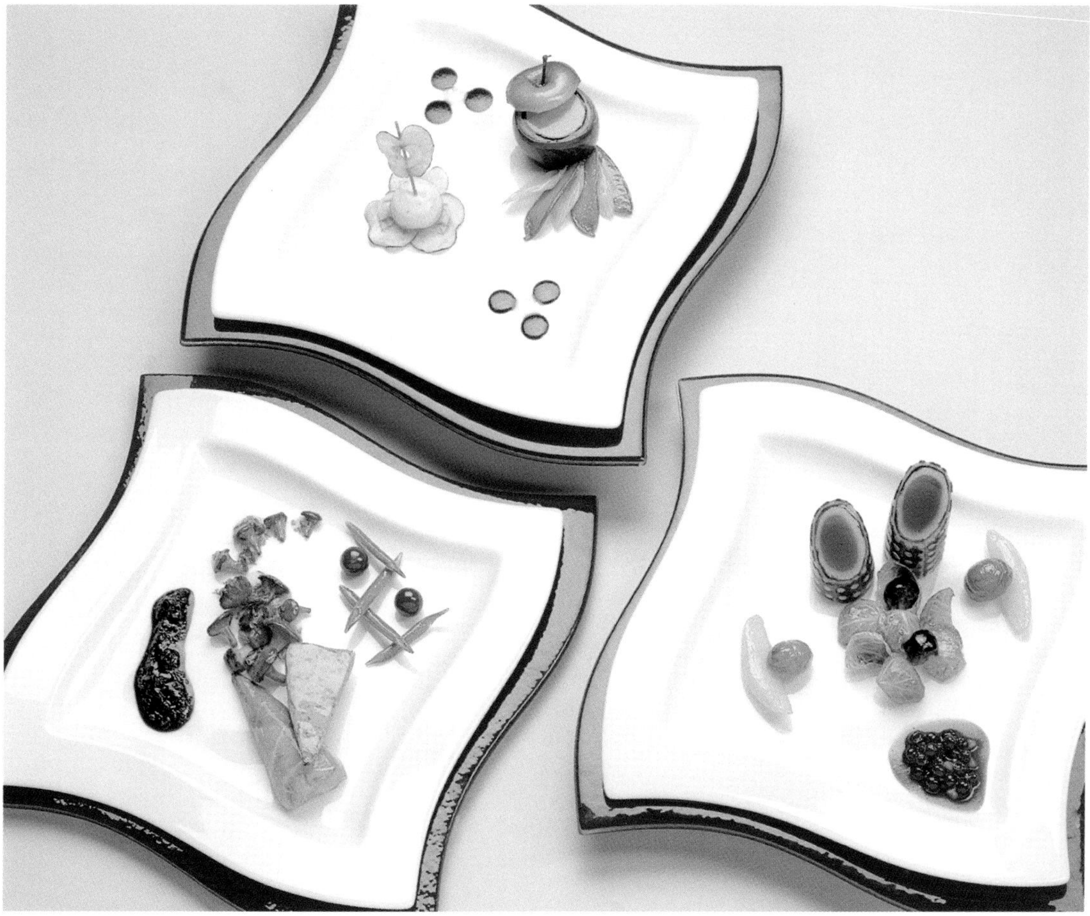

**3 Vorspeisen.** Rehfilet im Gewürzbiskuitmantel mit Maronen und Quitten; Kalbsleberparfait im Apfelring mit Mousse vom roten Apfel; Kalbsbries im Spitzkohlsäckchen auf Pfifferlingsalat mit rotem Zwiebelconfit.

**3 Starters.** Filet of venison in a herb bisquit coating with chestnuts and quinces; parfait from calf's liver in a ring of apple with mousse from red apple; sweetbread in sacks of savoy on canterelle salad with red onion confit.

**3 Entrées.** Filet de chevreuil en manteau de biscuit aux épices, marrons et coings; parfait de foie de veau en croûte aux pommes et mousse de pommes rouges; ris de veau en sachets pointus de choux sur salade de girolles et confit d'oignons rouges.

**3 Hauptgänge.** Kalbsfilet, eingewickelt in Spinat, Waldpilzfarce und Pfannkuchen, pochierter Apfel „Anna", Balsamico-Portwein-Glasur; Baba-Schweinscareé mit einer Kruste von Wildreis und Pistazien, gemischte Bohnen, Babylauch, und Fruchtkompott; kandierter Lachs mit Kruste von rotem Pfefferkorn, Zitronenzesten und Kräutern, eingelegte rote Perlzwiebeln, Gemüseauswahl.

**3 Main courses.** Veal tenderloin wrapped with spinach, wild mushroom farce and pancake, poached apple „Anna", balsamic port glaze; Baba pork rak crusted in a wild rice farce and pistachios, mixed bean, baby leeks and fruit compote; candied salmon crusted with red peppercorn, lemon zest and herbs, pickled red pearl onion, assortement of vegetables.

**3 Plats principaux.** Filet de veau emballé d'épinards, farce aux champignons sauvages et crêpe, pomme pochée Anna, glaçage au vinaigre balsamique et au porto; d'échine de porc en croûte farce de riz sauvage et pistaches, haricots mélangés, jeunes poireaux et compote de fruits; saumon confit en croûte aux graines de poivron rouge, zeste de citron et herbes, oignon grelot rouge au vinaigre, assortiment de légumes.

**Vorspeisen.** Terrine von Petersilienwurzel und Kaninchen mit geräuchertem Kaninchenrücken, Coulis vom Paprika; Galantine von Lachs und Seezunge mit Sprossen und Wasserkresse in Aspik mit mariniertem Heilbutt; Poularde in einem Bohnen-Speck-Mantel mit Lammrücken und marinierten Gemüsen mit Balsamico und Orangensauce.

**Starters.** Terrine from parsley cubes and rabbit with smoked saddle of rabbit, coulis from sweet pepper; galantine from salmon and sole with sprouts and watercress in aspic with marinated halibut; chicken in a green bean baconcoat with saddle of lamb and marinated vegetables with balsamico and orange sauce.

**Entrées.** Terrine de cubes de persil et de lapin à la selle de lapin fumée, coulis à base de poivron; galantine de saumon et de sole aux jeunes pousses et cresson de fontaine en aspic et flétan mariné; poulet en manteau de haricots verts et de bacon avec selle d'agneau et légumes marinés au vinaigre balsamique et sauce à l'orange.

**3 Vorspeisenteller.** Tafelspitzsülze; Lammfilet im Brotmantel; Fränkische Fischsuppe.

**3 Platters hors d'oeuvres.** Boiled beef jelly; lamb tenderloin in bread coating; Franconian fish soup.

**3 Assiettes d'entrées.** Pot-au-feu en gelée; filet d'agneau en manteau de pain; soupe de poissons franconienne.

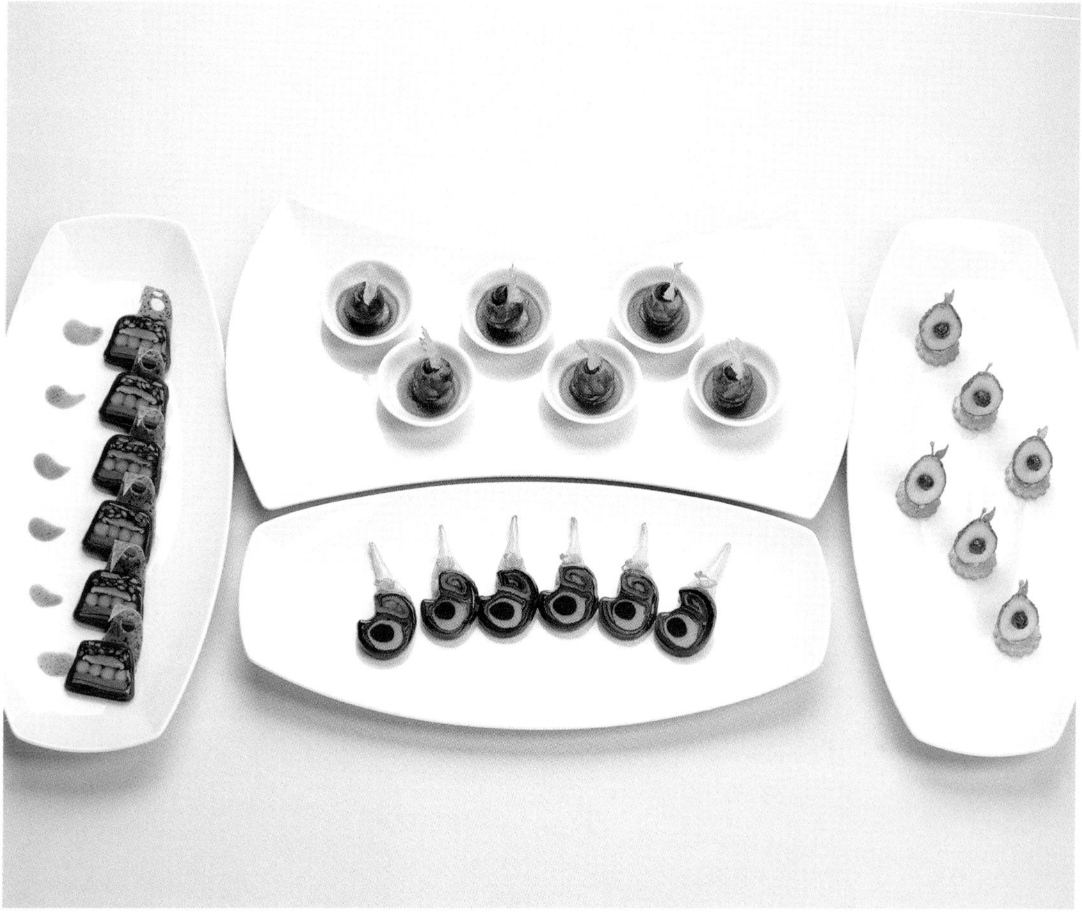

**Warme Tapas.** Gemüseterrine und Vollkorncracker mit geräuchtem Tomaten-Coulis; Portobello-Roulade mit Palmherzen an getrocknetem Tomatenmus; pochiertes Shrimp-Bonbon, Bloody-Mary-Gelee, Ziegenkäse und Roséwein-Birne mit Himbeeren.

**Hot tapas.** Vegetable terrine and whole grain cracker with smoked tomato coulis; portobello roulade with heart of palm and sundried tomato mousse; poached shrimp bon bon, bloody mary jelly; goat cheese and d'anjou pear with raspberry.

**Tapas chaudes.** Terrine de légumes et biscuit salé complet au coulis de tomates fumées; roulade de portobello au coeur de palmier et mousse de tomates séchées au soleil; bonbon de crevettes pochées, gelée au bloody mary; fromage de chèvre et poire d'Anjou aux framboises.

**3 Heiße Snacks.** Canneloni mit Hummer, Shitakepilze, gelbe Tomatensalsa und Safran; Rentierragout im Kartoffelzylinder, marinierte rote Zwiebeln und Pfifferlinge; Käsechips mit eingelegtem Elchfilet, gegrillte Elchwürstchen und Chili-Maulbeeren.

**3 Hot snacks.** Canneloni with lobster, shiitake mushrooms, yellow tomato salsa and saffron; reindeer ragout in a cylinder of potatoes, marinated red onions and chanterelle; cheese chips with elk tenderloin, grilled elk sausages und chilli cloudberry.

**3 Snacks chauds.** Cannellonis au homard, champignons shiitake, sarabande de tomates orange au safran; ragoût de renne en cylindre de pomme de terre, oignons rouges marinés et girolles; chips au fromage et conserve de filet d'élan, petites saucisses d'élan grillées et baises de ronce petit-mûrier au chili.

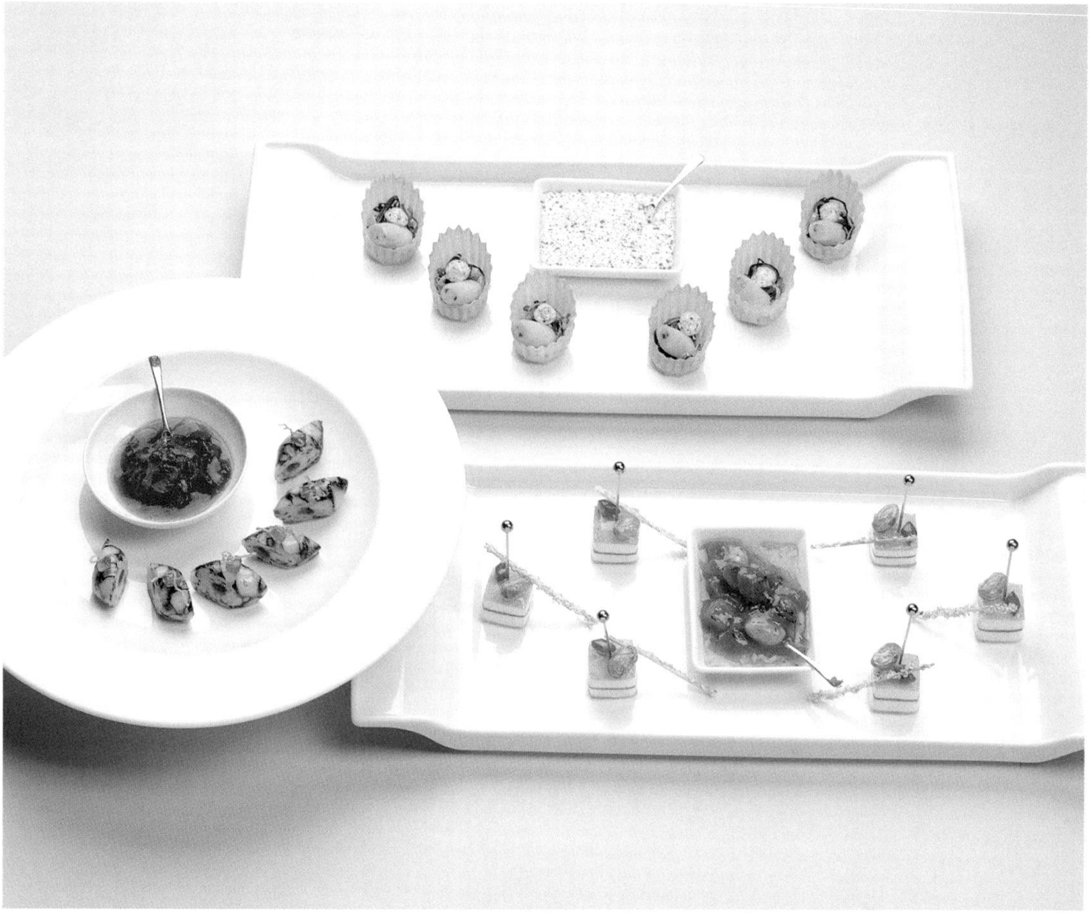

**3 Vorspeisen.** Römische Pastetchen mit Saiblingsroulade auf Julienne und Renkenkaviar-mousse; Tintenfischroulade mit Jakobsmuscheln, Spinat und Lachskaviar; Sandwich von Kartoffeln und Kürbis, Borlittobohnen und Sesamsticks.

**3 Starters.** Roman patties with char roulade on julienne and whitefish caviar mousse; tunny roulade with scallops, spinach and salmon caviar; sandwich from potato and pumpkin, borlitto beans and sesame sticks.

**3 Snacks.** Petits pâtés à la romaine et roulé d'omble sur julienne et mousse de caviar de corégone; roulade de seiche aux coquilles Saint Jacques, épinards et caviar de saumon; sandwich de pomme de terre et de citrouille, haricots borlitto et bâtonnets au sésame.

KOCHKUNST

# Restaurationsplatten und Menüs

# Restaurant Platters and Menus

# Plats de restauration et menus

**Menü.** Rochensuppe mit Safran, Teigbonbons mit Krabben und Kresse; Schweinekarree mit Gänseleber und Trüffeln, Pilze und Kohl, Granatapfelsauce; Bayerische Creme von Reis und Kokosnuss mit Schokoladenkern, exotische Früchte, Grüntee-Eis, Mangosauce.

**Menu.** Saffron ray soup, pastry candies with prawns and cress; rack of pig with goose liver and truffel, mushrooms and cabbage, pomegranate sauce; bavarois from rice and coconut with chocolate heart, exotic fruits, green tea ice cream, mango sauce.

**Menu.** Soupe de raie au safran, bonbons de pâte au crabe et au cresson; carré de porc au foie gras d'oie et aux truffes, champignons et chou, sauce à la grenade; bavarois de riz et noix de coco au coeur de chocolat, fruits exotiques, glace au thé vert, sauce à la mangue.

## *Kelly Lee*

**Menü.** Ruby-Forelle, Jakobsmuschel und Flusskrebsterrine, Scampischwänze, Fenchelsalat, Chili-Vinaigrette, Sabayon vom Forellenkaviar; Lammkotelett, Süßkartoffel- und Rosenkohl-Gratin, Gemüse, Kalbsbriesragout, Morcheln und Madeira mit Kalbsfondreduktion; Haselnuss-Heinzelmännchen mit Kaffeecreme, Schokoladenturm, Pistazieneis, Himbeersauce, Fruchtkompott, Schokoladenstäbchen.

**Menu.** Ruby trout, scallop and crayfish terrine, scampi tail, fennel salad, chilli vinaigrette, caviar sabayon; roasted rack of lamb, yam and russel potato gratin, vegetables, sweetbread ragout, morel and madeira veal reduction; hazelnut brownie with coffee cream, chocolate tower, pistachio ice cream, raspberry coulis, fruit compote, chocolate cigar.

**Menu.** Truite rubis, terrine de coquilles Saint-Jacques et d'écrevisses, queue de scampi, salade de fenouil, vinaigrette au chili, sabayon au caviar; carré d'agneau rôti, gratin d'ignames et de pommes de terre russel, légumes, ragoût de ris de veau, réduction de veau aux morilles et au madère; brownie aux noisettes et crème au café, tour de chocolat, crème glacée à la pistache, coulis de framboises, compote de fruits, cigare au chocolat.

**3 Hauptgänge.** Saure Haifischsuppe mit Porridge, Sesamchips mit asiatisch Frittiertem; geräucherte gefüllte Entenbrust mit Lebermousse, Pilzen und Trüffel, geräucherte Ballotine mit Pistazien, gegrillter Polenta-Lauch-Kuchen; karamellisierte Babykarotten und Birnen auf Blaubeereis, mit mediterraner Kruste gebackener Lachs und Dill-Chipolata, knusprige grüne Erbsen-Kartoffel-Rösti, Kalbsjus und Pecan-Nussöl, Emulsion von gezuckerten Pecan-Nüssen.

**3 Main courses.** Sour shark fin broth accompanied by taro porridge, sesame crisp with asian stir-fry; smoked stuffed duck breast with liver mousse, mushrooms and truffle, smoked ballotine with pistachio, grilled leek polenta cakes; caramelised baby carrot and pear on blue berry ice cream, mediterran crusted baked salmon and dill chipolata, crispy green pea potato roesti, veal jus and pecan nut oil, emulsion candit pecan nuts.

**3 Plats principaux.** Potage aux ailerons de requin fermentés et bouillie de taro, chips au sésame et sauté asiatique; blanc de canard fumé farci à la mousse de foie, champignons et truffe, ballotine fumée aux pistaches, gâteau de polenta aux poireaux grillé; jeunes carottes caramélisées et poire sur glace aux myrtilles, saumon de méditerranée au four en croûte et chipolata au fenouil, rösti croustillant de pommes de terre et petits pois, jus de veau et huile de noix de pécan, émulsion de noix de pécan confites.

**4 Hauptgänge.** Kalbfleisch und Pilze, eingewickelt mit Pancetta und Bohnen, Fenchel, Fondantkartoffeln und Thymianjus; geschmorter Schweinebauch mit Chinakohl, Schwarzwurzeln, Kartoffeln, Apfelgalette und roter Pfeffersauce; gefüllter Hummerschwanz und Scheren, gefüllte Kartoffeln, pfannengeschwenkter Lauch, Erbsenpüree und Dill parfümierter Likör; sautiertes Filetsteak mit braisiertem Ochsenschwanz, mit Linsen gefüllte Kartoffeln, pfannengeschwenkter Rosenkohl, Kürbispüree und Guinness-Jus.

**4 Main courses.** Veal and mushrooms wrapped in pancetta with tossed beans, fennel, fondant potatoes and thyme jus; braised belly pork with Chinese cabbage, salsify, potato, apple galette and red pepper sauce; stuffed lobster tail with claw, filled potato, pan fried leeks, pea puree and dill scented liquor; seared fillet steak with braised oxtail, lentil filled potato, pan fried brussels sprouts, pumpkin puree and guinness jus.

**4 Plats principaux.** Veau et champignons emballés en pancetta et haricots sautés, fenouil, pommes de terre fondantes et jus de thym; poitrine de porc braisée et chou chinois, salsifis, pomme de terre, galette de pommes et sauce au poivre rouge; queue de homard farcie et pinces, pomme de terre farcie, poireaux sautés, purée de pois et liqueur parfumée à l'aneth; filet de boeuf grillé et queue de boeuf braisée, pomme de terre farcie aux lentilles, pousses sautées, purée de potiron et jus à la guinness.

*Ryan C. Schroeder Jr.*

**Menü.** Lauch umwickelte Kaninchenterrine mit Kohlrabi, Erbsen und Radieschensalat mit Kartoffeln in Senfdressing, Frisée und Preiselbeersauce; gegrillte Squap-Brust und gefüllte Keule mit einem Pilzragout, Süßkartoffelpüree, karamellisierte Schalotten und Zuckerschoten; Schokoladenkuchen mit Schokoladenganache, weißes Schokoladen-Pistazien-Eis, warme gewürzte Pfirsiche und Himbeersauce.

**Menu.** Leek wrapped rabbit terrine a top with kohlrabi, pea and radish salad with mustard dressed potatoes, frisée and cranberry sauce; grilled squap breast and sausage stuffed leg with a mushroom ragout, sweet potatoe puree, caramelized shallots and sugar snap peas; flurless chocolate cake with chocolate ganache, white chocolate pistachio ice cream, warm spiced peaches and rapsberry sauce.

**Menu.** Terrine de lapin enveloppée de poireaux avec chou-rave, petits pois et de radis aux pommes de terre préparées à la moutarde, frisée et sauce aux canneberges; blanc de pigeonneau grillé et cuissot farci à la saucisse avec ragoût de champignons, purée de patates douces, échalotes caramélisées et pois gourmands au sucre; gâteau au chocolat parfait et ganache au chocolat, crème glacée à la pistache et au chocolat blanc, pêches chaudes aux épices et sauce aux framboises.

**Menü.** Broccoli-Auflauf mit Käseperlen, Tomatensauce mit Basilikum; Lammkotelette rosa gebraten mit Bohnen, Karotten und Zucchini, Kartoffeln mit Schafskäse, Rosmarinsauce; Schokoladentorte mit Birne, Preiselbeermousse, Kokoskugel mit Mandel.

**Menu.** Broccoli soufflé with cheesepearls, tomatosauce with basil; lamb chops with beans, carrots, zucchinis, potatoes with feta cheese, rosmary sauce; chocolate cake with bear, cranberry mousse coconut balls with almond.

**Menu.** Soufflé de brocoli et perles de fromage, sauce tomate au basilic; côtelette d'agneau rosée aux haricots, carottes et courgettes, pommes de terre au fromage de brebis, sauce au romarin; tarte au chocolat et poire, mousse aux airelles, boule de coco aux amandes.

**4 Hauptgänge.** Pangasius und Lachs; Komposition vom Fasan; Lammrücken im Paprikamantel; Ovo-lakto-vegetarischer Teller.

**4 Main courses.** Pangasius fish and salmon; composition of pheasant; saddle of lamb in pepper coating; ovo-lacto-vegetabil plate.

**4 Plats principaux.** Pangasius et saumon; composition de faisan; selle d'agneau en manteau de poivron; assiette ovo-lacto-végétarienne.

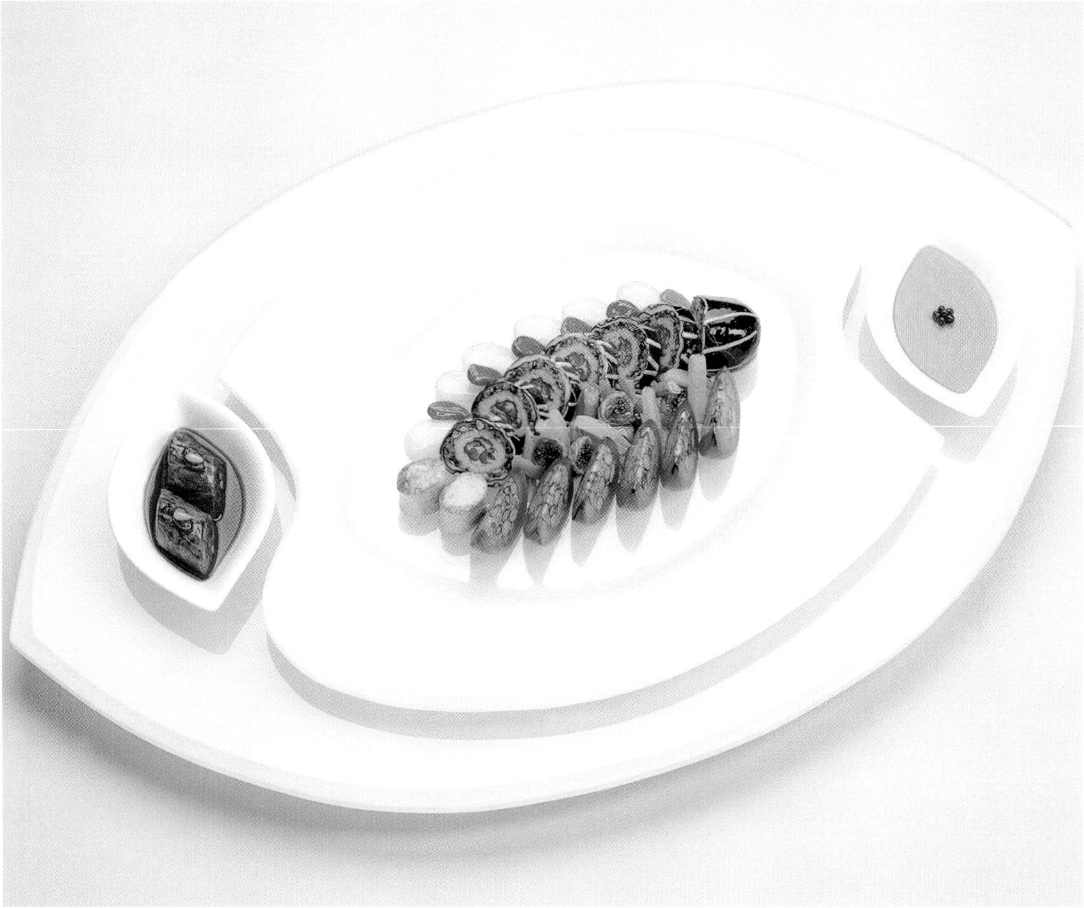

*Seo Min Suk*

**Vegetarische Platte.** Vegetarische Roulade (Wurzel von Ballonblume, wilde Champignons, chinesische Datteln, gekochter Reis); gedämpfter koreanischer Süßkürbis, gefüllt mit Bohnen und Hirse, gegrillter Tofu, Paprika, getrocknete Feigen, Radieschen und Karotten; koreanischer saurer Kohl (Kimchi), grüne Senfsauce.

**Vegetarian platter.** Vegetarische Roulade (roots of ballonflower, wild mushrooms, jujube, cooked rice; steamed korean sweet pumpkin filled with beans and millets; grilled tofu, paprika, dried figs, radishes and carrots; korean cabbage pickle (Kimchi), green mustard sauce.

**Plateau végétarien.** Roulé végétarien (racines de platycodon, champignons sauvages, jujube, riz cuit; citrouille douce coréenne à la vapeur farcie aux haricots et au millet; grillade de tofu, paprika, figues sèches, radis et carottes; choux coréen macéré (kimchi), sauce à la moutarde verte.

## Team Alberta I

**Menü.** Geschmorter Fenchel, gefüllt mit Hummer und Kamm-Muschelmousse, pochierter Hummerschwanz; sautierte Entenbrust; Wild-Blauberren und Brotpudding mit weißer Schokolade.

**Menu.** Braised fennel, stuffed with lobster and scallop mousse, poached lobster tail; pan seared duck breast; wild blueberry and white chocolate bread pudding.

**Menu.** Fenouil braisé farci à la mousse de homard et de coquilles Saint-Jacques, queue de homard pochée; poêlée de blanc de canard; pudding aux myrtilles sauvages et au chocolat blanc.

**Restaurantplatte.** Terrine von tandoori-geräuchertem Heilbutt, Kabeljau und Stabmuscheln; gebratener Thunfisch nach pazifischer Art; Selleriepüree mit Couscous, Fenchelconfit, karamellisierter Chicorée, warmer Gemüsesalat mit Safran.

**Restaurant platter.** Terrine of tandoori smoked cod, halibut and razor clams; seared tunny pacific press; celery puree with mediterranean couscous, fennel confit, caramelized chicory, warm vegetable salad with saffron.

**Plateau de restauration.** Terrine de flétan tandoori fumé, cabillaud et couteaux; thon rôti à la Pacifique; purée de céleri au couscous de méditerranée, confit de fenouil, chicorée caramélisée, salade chaude de légumes au safran.

**Festliches Menü in drei Gängen.** Feines vom Hausgeflügel; Komposition aus dem Meer; Variationen von der Altländer Zwetschge.

**Festive three-course menu.** Fine poultries; composition from the sea; variations from the Altlaender plum.

**Menu de fête à trois plats.** Délicatesse de volaille maison; composition marine; variations de quetsches altlaender.

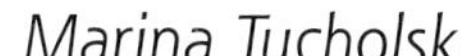

**3 Hauptgänge.** Trilogie von Fasan, Wildente und Wachtel an Portweinjus, Wirsingkohlroulade und frittierte Kartoffeln; Lammrücken im Kräutermantel, gebratenes Filet mit Zwiebel-Knoblauch-Sauce, glaciertem Kürbis und Knödel; Duett von Zander und Lachs an Krebsschwänzen, Rote-Bete-Schaum auf Gurken-Fenchel-Gemüse und Trüffelkartoffeln.

**3 Main courses.** Trilogy from pheasant, wild duck, and quail with port jus, savoy cabbage roulade and fried potatoes; saddle of lamb in a herb crust, seared tenderloin with onion garlic sauce, glazed pumkin and dumplings; duet from pike-perch and salmon with crayfish, beetroot foam on cucumber fennel and potatoes with truffels.

**3 Plats principaux.** Trilogie de faisan, canard sauvage et caille au jus de porto, roulade de chou de milan et pommes de terre frites; selle d'agneau en manteau aux herbes, rôti de filet et sauce aux oignons et à l'ail, potiron glacé et boulettes; duo de sandre et saumon sur queues d'écrevisses, mousse de betteraves rouges sur concombres, fenouil et pommes de terre aux truffes.

Cameron Tait

**Restaurantplatte für zwei Personen.** Neuschottländische Meeresfrüchte: Hummertrio von Hummerschwanz mit schwarzem Trüffel und Hummercorail gefüllt; gegrillte Hummerschere mit Jakobsmuscheln und geröstetem Gemüse; Hummereintopf in roten Zwiebeln; Heilbuttfilet mit Baby-Venusmuscheln und Waldpilzen gefüllt.

**Restaurant platter for two persons.** Nova Scotia sea fruit: trio of lobster tail stuffed with black truffle and corail; grilled claw with scallop and roasted vegetables; lobster stew in red onion; halibut fillet stuffed with baby clams and wild mushrooms.

**Plat de restauration pour deux personnes.** Fruits de mer de Nouvelle-Écosse: trio au homard de queue de homard farcie à la truffe noire et au corail de homard; pinces de homard grillées aux coquilles Saint Jacques et légumes sautés; casserole de homard en oignons rouges; filet de flétan farci aux jeunes praires et champignons sylvestres.

Cameron Tait 

**2 Hauptgänge.** Bisonlende in ahorngeräuchertem Speck, Chorizo und Kalbsbrieswurst, geschmortes Bisonkotelette mit Gemüseeintopf, Kartoffel mit Kürbispüree gefüllt, grüne Zwiebeln, Preiselbeeren; marinierte Schweinelende, gegrilltes Spanferkelkotelette, Scampi am Lemonengrasspieß, marinierter Tofu, japanischer Reis, Shitakepilze, junger Knoblauch, Chinakohl, Kimchee-Brühe und Koriander-Dip.

**2 Main courses.** Bison tenderloin wrapped in maple smoked bacon, chorizo and sweetbrad sausage, braised bison short rip with vegetable stew, potato with squash mash, green scallion, lingonberry compote; marinated pork tenderloin, grilled suckling pig chop, lemongrass skewered scampi, marinated tofu, japanese sticky rice, shiitake mushroom, baby garlic, Chinese cabbage, Kimchee broth, cilantro dipping sauce.

**2 Plats principaux.** Filet de bison en lard fumé à l'érable, chorizo et saucisse de ris de veau, côtelette de bison braisée et ragoût de légumes, pomme de terre farcie à la purée de potiron, oignons verts, compote d'airelles; filet de porc mariné, côtelette de cochon de lait grillée, langoustine en brochette de citronnelle, tofu mariné, riz gluant japonais, champignons shiitake, jeune ail, chou chinois, bouillon au kimchi et sauce à la coriandre.

**4 Hauptgänge.** Gefüllte Keule mit Tauben-und Gänsebruststücken, Polenta, Käsefondue mit Trüffel, Gemüsecaponata; Linguine mit schwarzer Tintensauce, Meeresfrüchten und Erbsen, Seezungenroulade mit grünen Bohnen, Languste und Saisongemüse; Hasen- und Kaninchenrücken mit Spinatmantel, Ravioli mit Tomaten, Speck und Salbei, Pastete aus Kartoffeln mit Möhrenmousse; Spieß mit Seeteufel und Meerbarbe, Gemüse, Crespinelli mit Meeresfrüchten und Gemüse gefüllt, Zucchini.

**4 Main courses.** Stuffed leg with pigeon and goosebreast pieces, Polenta, cheesefondue with truffels, vegetable caponata; linguine with black squid sauce, sea fruit with peas, sole roulade with green beans, spiny lobster and vegetables of the season; hare and rabbit loin mit spinach coating, ravioli with tomato, bacon with sage, pastry from potatoes with carrot mousse; skrewer from monkfish and red mullet, vegetable, crespinelli stuffed with sea fruit and vegetable, courgette.

**4 Plats principaux.** Gigot farci aux morceaux de blanc de pigeon et d'oie, polenta, fondue savoyarde aux truffes, caponata aux légumes; linguine en sauce à l'encre noire, fruits de mer et petits pois, roulé de sole et haricots verts, langouste et légumes de saison; râble de lièvre et de lapin en manteau d'épinards, raviolis aux tomates, lard et sauge, vol-au-vent de pommes de terre et mousse de carottes; brochette de lotte et de rouget, légumes, crespinelli farci aux fruits de mer et aux légumes, courgettes.

**3 Hauptgänge.** Kartoffelkloß gefüllt mit schwarzem Trüffel und Pfifferlingen, warmer Gemüsesalat und Rote-Beete-Bulgur; gegrillter Seeteufel und Crevettenterrine mit Dillsauce, Schwarzwurzeln, Fenchel und Karotten; Schneehuhnbrust mit Morcheln in der Crepinette, Preiselbeersauce, Saisongemüse und Kroketten.

**3 Main courses.** Potatoe-dumpling stuffed with black truffels und chanterelle, warm vegetable salad und beetrootbulgur; grilled monkfish und prawn-terrine with dillsauce, black salsify, fennel and carrots; snow chickenbreast with morel in crepinette, cranberry sauce, vegetable of the season und croquettes.

**3 Plats principaux.** Boulette de pommes de terre farcie à la truffe noire et aux girolles, salade chaude de légumes et boulgour de betteraves rouges; grillade de lotte et terrine de crevettes sauce à l'aneth, salsifis, fenouil et carottes; blanc de perdrix des neiges et morilles en crépinette, sauce aux airelles, légumes de saison et croquettes.

## *Masaki Tachibana*

**Menü.** Gemüsevariationen; gebratenes Lamm mit Gänseleber und Rootasauce; zwei verschiedene Fondants mit Sojamilcheis.

**Menu.** Vegetables variety; roasted lamb flavoured with goose liver and roota sauce; two kinds of fondant with soyamilk ice cream.

**Menu.** Variation aux légumes; rôti d'agneau parfumé au foie gras d'oie et au kaki sauce roota; deux fondants à la crème glace au lait de soja.

**6 Vorspeisen.** Gefüllter kleiner Kürbis; Tofuterrine; Gemüsequiche, gefüllte Morchel; gefüllter Rettich, Wurzel von Ingwer und Bambusschösslingen; Grapefruitsauce, Sojasauce mit Curry.

**6 Starter.** Stuffed small pumpkin; terrine of tofu; vegetables quiche, stuffed morel mushroom; stuffed radish; root of ginger and bamboo shoot; grapefruit sauce, soy bean sauce with curry.

**6 Entrées.** Petite citrouille farcie; terrine de tofu; quiche aux légumes, morilles farcies; radis farci; racine de gingembre et pousses de bambou; sauce au pamplemousse, sauce de soja au curry.

**Menü.** Meeresfrüchte nach japanischer Tradition; gebratenes Lammfilet mit Trüffeln; Wasabi-Tofu-Gelee und Harmonie von Zitrusfrüchten.

**Menu.** Seafood of japanese tradition; roasted lamb fillet with truffles; tofu wasabi jelly and citrus fruit harmony.

**Menu.** Fruits de mer à la tradition japonaise; rôti de filet d'agneau aux truffes; gelée de tofu au wasabi et harmonie d'agrumes.

**Gemüse drei Kulturen.** Indien: Linsen und Kürbis mit gefüllten Zwiebeln; Mittelmeer: Couscous mit gefüllten gebackenen Tomaten; Asien: Tofupudding gewickelt in Chinakohl.

**Vegetable three cultures.** India: lentils and pumpkin with stuffed onions; Mediterranean: couscous with stuffed baked tomatoes; Asia: tofu pudding coated in Chinese cabbage.

**Légumes trois cultures.** Inde: lentilles et citrouille aux oignons farcis; Méditerranée: couscous et tomates farcies au four; Asie: entremets au tofu emballé de chou chinois.

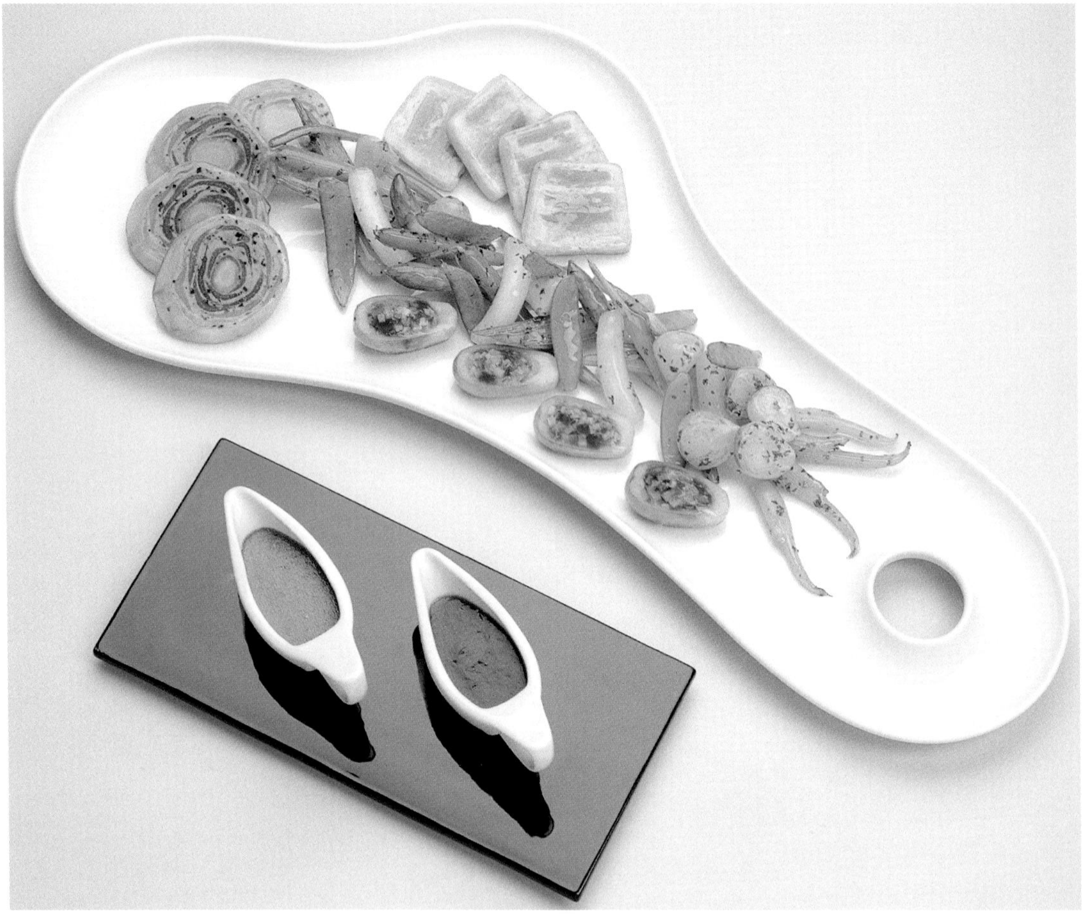

**Vegetarische Platte.** Geschmolzener Emmentaler und gebratene Artischocke mit Trüffelöl; gefüllter Brüsseler Endivien mit Kürbis, Ricotta und schwarzen Oliven; glasiertes Gemüse mit frischen Kräutern; Ratatouille, gefüllte fritierte Baby-Auberginen, milde Currysauce und Tomatenchutney.

**Vegetarian platter.** Melted Emmentaler and roasted artichoke with truffle oil; stuffed belgian endive with pumpkin, ricotta and black olives; glazed vegetables with fresh herbs; ratatouille filled fried baby eggplant; mild curry sauce and tomato chutney.

**Plateau végétarien.** Emmental fondu et artichaut rôti à l'huile de truffe; frisée belge farcie au potiron, à la ricotta et aux olives noires; légumes glacés aux herbes fraîches; jeune aubergine cuite fourrée à la ratatouille; sauce au curry doux et chutney de tomates.

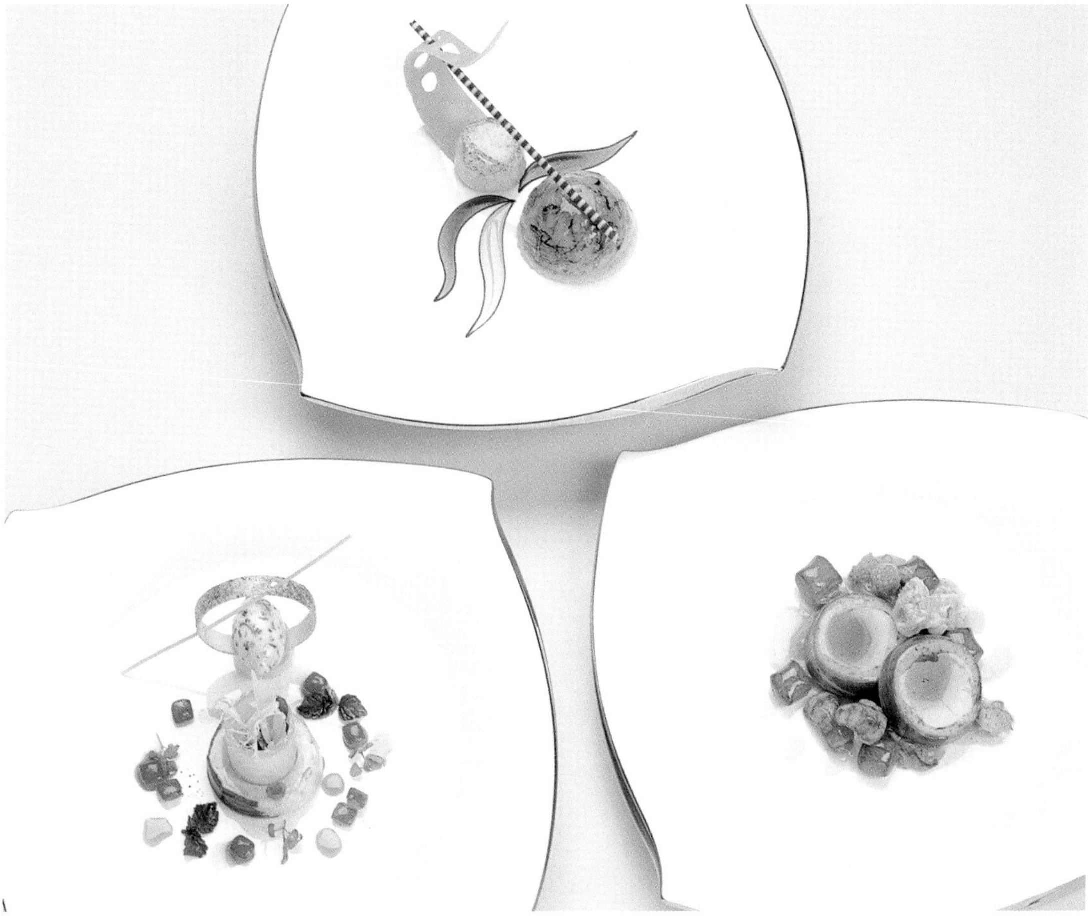

**Menü.** Kartoffelterrine mit grünen Erbsen, Blauschimmelkäse, Tomatensalat mit Kräutern, Tomatenöl und Crème fraîche; Roulade vom Barramundi und Salzwiesenlamm, Krabbenmousseline, Auster-Beignets, kleines Gemüse; geröstete Ananas, kandierte Ananas mit Ingwercreme, Kardamon- und Vanille-Grießkuchen, Ananas und Himbeersauce.

**Menu.** Potato terrine with green peas, bavarian blue cheese, tomato salad with herbs, tomato oil and crème fraîche; roulade from Barramundi and lamb from salted meadows, prawn-mousseline, oyster-beignets, small vegetable; roasted pineapple, candied pineapple with gingercream, cardamom and vanille semolina-cake, pineapple and raspberry sauce.

**Menu.** Terrine de pommes de terre aux petits pois, fromage à pâte persillée, salade de tomates aux herbes, à l'huile de tomate et à la crème fraîche; roulé de barramundi et agneau de pré salé, mousseline de crabe, beignets d'huîtres, petits légumes; ananas grillé, ananas candit et crème au gingembre, gâteaux de semoule à la cardamome et à la vanille, ananas et sauce aux framboises.

**Vegetarische Platte.** Shitakepilze und gegrillte Gemüsepavé; Fenchel mit Kräuterrisotto; Ziegenkäsesoufflé, Bananenschalotten, gefüllt mit Möhrenmousse; Rosmarin-Polenta-Kuchen; Bohneneintopf mit Wurzelgemüse; Trüffelschaum und Kräuteröl.

**Vegetarian platter.** Shiitake mushroom and grilled vegetable pavé; fennel with herb risotto, goats cheese soufflé, banana shallots filled with carrot mousse; rosemary-polenta cake, bean stew with root vegetable; truffel foam and herb oil.

**Plateau végétarien.** Champignons shiitake et pavé de légumes grillé; fenouil avec risotto aux herbes; soufflé au fromage de chèvre, échalotes banane farcies à la mousse de carottes; gâteau de polenta au romarin; casserole de haricots aux légumes-racines; mousse de truffes et huile aux herbes.

**Zwei Hauptgänge.** Filet vom Wildlachs mit Heilbutt, Törtchen vom Pilgermuschelrogen, Langostinoravioli, grüner Spargel mit Bohnenschaum; Lammschulter, Lammkotelette mit Kräuterkruste, Rosenkohl, Rübchen, Möhren und Madeirajus.

**Two main courses.** Fillet from a wild salmon with halibut, tarts from scallops roe; langostinos ravioli, green asparagus with bean foam; lamb shoulder lamb chop with herb crust brussels, beet, carrots and Madeira jus.

**Deux plats prinicpaux.** Filet de saumon sauvage au flétan, tartelette d'oeufs de coquilles Saint Jacques, ravioli de langostino, asperges vertes à la mousse de haricots; épaule d'agneau, côtelette d'agneau en croûte aux herbes, choux de Bruxelles, raves, carottes et jus au madère.

**Vegetarische Platte.** Warme Gemüseterrine; Kürbisravioli auf Karotten-Fenchel-Gemüse mit Orange und Chili; Pilztartelette mit Kräuterschaum; grüner Spargel mit Schafskäse in Nuss-Vinaigrette.

**Vegetarian platter.** Warm vegetable terrine; pumpkin ravioli on fennel carrot with orange and chilli, mushroom tartelette with herb foam; green asperagus with sheep's milk cheese in nut vinaigrette.

**Plateau végétarien.** Terrine chaude de légumes, ravioli de potiron sur carottes et fenouil à l'orange et au chili; tartelette aux champignons et ècume d'herbes; asperges vertes et fromage de brebis en vinaigrette aux noix.

**Vegetarische Restaurationsplatte „Lydia".** Tempeh-Ziger-Kreation im Karottenmantel; Gehackte Steinpilze mit Frühlingszwiebeln im Safrantofu; Gemüse, gefüllt mit Tomatenquinoa; gegrillter grüner Spargel und Marktgemüse; Sojasauce mit Peperoncini und süß-saurem Kirschkompott.

**Vegetarian platter „Lydia".** Tempeh-Ziger creation in a coating of carrots; chopped yellow boletus with spring onions in saffron tofu; vegetable stuffed with tomatoquinoa; grilled green asparagus and market vegetables; soyasauce with chillis und sweet-sour cherry compot.

**Plateau de restauration végétarien „Lydia".** Création Tempeh-Ziger en manteau de carottes; cèpes hachés et oignons de printemps dans safran tofu; légumes farcis de quinoa aux tomates; asperges vertes grille et légumes du marché; sauce soja aux peperoncini et compote de cerises aigre-douce.

**Menü.** Lauch-Morchel-Terrine mit süß-saurem Gurken- und Kürbissalat in Kürbiskernöl; Lammnierenstück und mit Nüssen gefüllte Lammhüfte an Portwein-Roquefort-Sauce, Teigwaren und Herbstgemüse; Goldmelissenparfait und Rüblipudding mit Traubensalat.

**Menu.** Leek-morelterrine with sweet and sour cucumber- and pumpkinsalad in pumpkinseed-oil; lamb kidney piece and nuts stuffed lamb rump with portwine roquefortsauce, pasta und autumn vegetable; goldbalm-parfait turnip pudding with grape salad.

**Menu.** Terrine poireaux-morilles et salade de concombre aigre-douce et citrouille en huile de graines de citrouilles; longe d'agneau et selle d'agneau farcie aux noix sur sauce au porto et roquefort, pâtes et légumes d'automne; parfait à la mélisse et entremets aux carottes avec salade aux raisins.

**4 Hauptgänge.** Geflügeltrio, grüne Curry-und Sojasauce, Basmatireisstangen, asiatisches Gemüse; Artischocken-Süßmais-Kreation, Gerstenbratling, Topinamburpüree, Grillgemüse, Tomatenschaumsauce mit Balsamico; Reh und Frischling mit Holundersauce, Kartoffelkuchen, Sauerrübengemüse mit Pommerysenf; Hecht- und Lachsforellenterrine mit Flusskrebsen, Eglifilet und warmgeräuchertes Lachsfilet, Petersilienemulsion und Sudgemüse.

**4 Main courses.** Three kinds of poultry, green curry and soya sauce, basmati rice sticks, asian vegetables; artichoke- and corncreation with tomatoes, barleyburger, topinamburpuree, grilled vegetables, tomato foam sauce with balsamico, venison and young wild pig with elderberrysauce, potato cake, swedes with Pommery mustard; pike- and seatrout-terrine with crawfish, Eglifillet und warmsmoked salmonfillet, parsley emulsion and vegetables.

**4 Plats principaux.** Trio de volailles, sauce verte au curry et au soja, pains de riz basmati, légumes asiatiques; création d'artichaut et de maïs doux, rôti d'orge, purée de topinambours, grillade de légumes, sauce de mousse de tomates au vinaigre balsamique; chevreuil et marcassin en sauce au sureau, gâteau de pommes de terre, raves marinées et moutarde au Pommery; terrine de brochet et de truite de mer aux écrevisses de rivière, filet de perche et filet de saumon fumé à chaud, émulsion de persil et décoction de légumes.

**Vegetarische Platte.** Butternuss und Bohnen „Bobotie", Roulade von grünen Bohnen mit Zuckerschotenfarce, eingelegten Pilze und vegetarischem Salat; Tomaten-Basilikum-Chutney; Pappadums mit Sprossen und Cashewkernen.

**Vegetarian platter.** Butternut and bean „Bobotie"; roll of green beans with sugar bean farce; pickled mushroom and vegetables salad; tomato and basil chutney; pappadums with sprouts and cashew.

**Plateau végétarien.** Bobotie de courge musquée et de haricots; rouleau de haricots verts et farce aux pois gourmands; salade de champignons au vinaigre et de légumes; chutney aux tomates et basilic; pappadums aux jeunes pousses et noix de cajou.

**Menü.** Gegrillter Thunfisch mit Chinakohl und Sauce von eingelegtem Ingwer und Zuckerschote mit Piment und Kapern-Salsa; Lammfilet, eingeschlagen in eine Schinken-Geflügel-Thymian-Farce, serviert mit Kartoffelgratin und Gemüsen mit Tomaten- und Oliven-Jus; Brûlée von Reis, serviert mit marinierten Früchten in Jasmin-Sirup.

**Menu.** Grilled tunny with Chinese cabbage and sauce of pickled ginger and mange tout with pimento and caper salsa; loin of lamb wrapped in ham with chicken and thyme farce served with potato gratin and vegetables with tomato and olive infused jus; brûlée of rice served with marinated fruits in jasmine syrup.

**Menu.** Grillade de thon au chou chinois et sauce au gingembre macéré, mange-tout et sarabande de piment et de câpres; filet d'agneau en couverture de jambon farce au poulet et au thym, servi avec un gratin de pommes de terre et de légumes et du jus de tomates et olives infusées; crème brûlée de riz et fruits marinés au sirop de jasmin.

**3 Hauptgänge.** Geschmorter Bauch und Schweinefüße, mit Safran gefärbte Kraftbrühe mit einer Terrine von Auberginen und Kartoffeln; Lachs, gebraten und pochiert, gebratene Langostine und Ravioli mit Schaum von Bisque und Vanille; gefüllter Ochsenschwanz in Spinathülle, sautiertes Kalbsbries, Pastinakenpüree, Süßkartoffeln und Zucchini.

**3 Main courses.** Baised belly and trotter, safron infused consommé served with a terrine of eggplant and potato; roasted salmon and poached; roasted langostine and ravioli with foam of bisque and vanilla; wrapped in spinachmousse with filled oxtail and sutéed sweetbreads, parsnips puree, sweet potato and courgettes.

**3 Plats principaux.** Poitrine et pieds braisés, consommé de safran infusé servi avec une terrine d'aubergines et de pommes de terre; rôti de saumon poché; langoustine rôtie et raviolis à l'écume de bisque et vanille; enveloppés de mousse d'épinards, queue de boeuf farcie et sauté de ris de veau, purée de panais, patates douces et courgettes.

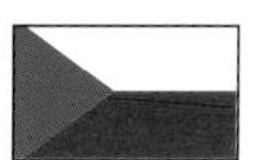

**Menü.** Hummersalat mit Kürbis-Chutney und Spitzwegerich-Vinaigrette; Charolais-Lendenschnitte, pochiert in Oliventapenade mit Auberginen und gegrillten Gemüsen, Rosmaringnocchis, Jus, Rosmarinmousse; knusprige Tütchen mit Portomousse und Sorbet vom Granny Smith, Apfelgelee, Chips und Karamell.

**Menu.** Salad from lobster with pumpkin chutney and ribwort vinaigrette; Charolais sirloin poached in olive tapenade with eggplant and grilled vegetables, rosemary gnocchi, jus, rosemary mousse; crispy cornet with porto mousse and sorbet from Granny Smith, apple jelly, chips and caramel.

**Menu.** Salade de homard au chutney de citrouille et vinaigrette au plantain; aloyau de charolais poché dans la tapenade aux aubergines et grillade de légumes, gnocchis au romarin, jus, mousse de romarin; cornet croquant à la mousse de porto et au sorbet de granny smith, gelée à la pomme, chips et caramel.

**3 Hauptgänge.** Heilbutt, pochiert im Frühlingsfond, Ravioli, gefüllt mit Knoblauch-Mousse, Gemüse, Meeresfrüchte; Lammfilet in Balsamico und getrockenete Tomatenstücke mit Bärlauchkruste, Crepinet mit Mini-Zucchini, Schulter mit weißen Zwiebeln, Polenta, Zwiebelconfit, Jus, Kräutermousse; Kalbsfilet in einem Mantel von schwarzen Trüffeln mit Kartoffeln und Lauch, Kartoffelküchlein, grüne Erbsen mit glaciertem Kalbsbries, Jus mit Trüffelöl und Madeiramousse.

**3 Main courses.** Halibut poached in spring fond, raviols stuffed with roille mousse, vegetables, sea fruit; lamb loin in balsamico and dried tomatoes fillet with bear garlic crust, crepinet with mini zucchini, confited shoulder with white onion, polenta, onion confit, jus, herbal mousse; veal sirloin in coat from black truffles on potato leek, potato cake, green peas with glazed sweetbread, jus with truffle oil and madeira mousse.

**3 Plats principaux.** Flétan poché dans fonds à la printanière, ravioles farcies à la mousse de rouille, légumes, fruits de mer; filet d'agneau en vinaigre balsamique et filet de tomates séchées en croûte à l'ail sauvage, crépinette et mini-courgette, épaule confite à l'oignon blanc, polenta, confit d'oignons, jus, mousse aux herbes; fillet de veau en manteau de truffes noires sur pommes de terre et poireaux, gâteau de pommes de terre, petits pois et ris de veau glacé, jus à l'huile de truffe et mousse au madère.

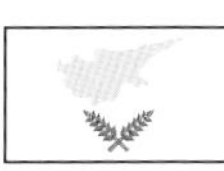

**Vegetarische Platte.** Terrine von Waldpilzen und Reis; Sellerie mit weißer und roter Kidney-Bohnen-Füllung; gefüllte Glockenpaprika mit „Louvana" und Kohl; traditoneller Haloumi-Käse eingehüllt mit gedämpften Mangoldblättern.

**Vegetarian platter.** Wild mushrooms and rice terrine; celery with white and red kidney bean stuffing; stuffed bell peppers with „Louvana" and cabbage; traditional haloumi cheese wrapped with steamed chared leaves.

**Plateau végétarien.** Terrine de champignons sauvages et de riz; céleri et farce des haricots blancs et rouges; poivrons farcis à la „louvana" et au chou; fromage traditionnel haloumi enveloppé de feuilles brûlées à la vapeur.

**Menü in drei Gängen.** Duett vom Heilbutt und Tintenfisch auf sautiertem jungen Spinat, Gemüseragout und Zitronengrasfond; Ballotine von der Poularde und Poulardenbrust in Pistazienmantel, Früchte und Gemüse-Allerlei, gefüllte Teigwaren; Rosinensauce und geröstete Mandeln; weiße Schokolade- und Baileys-Torte, serviert mit Beeren und Jasmintee-Eis.

**Three course menu.** Duet of halibut and calamari in young spinach, vegetable ragout and lemon gras fond; free range chicken ballotine and pistachio coated breast, fruit and vegetable mix, filled pasta, raisin sauce and roasted almonds; white chocolate and baileys gateau served with berries and jasmine tee ice cream.

**Menu à trois plats.** Duo de flétan et de calmar sur jeunes épinards sautés, ragoût de légumes et fond à la citronnelle; ballotine de poulet fermier et blanc en couverture de pistaches, fruits et légumes mélangés, pâtes fourrées, sauce aux raisins et amandes grillées; gâteau au chocolat blanc et Baileys servi avec des baies et glace au thé de jasmin.

**Vegetarisch Platte.** Große Bohnen-Timbale auf Tortilla und Couscous-Kobebah mit Pflaumen und Aprikosen, gewürzt mit Mango- und Anis-Blütenblattsauce, serviert mit Zucchini und Spinatlasagne auf Tomatensauce, Saisongemüse; Terrine von Kartoffelflan mit Käse und Gemüse sowie verschiedenen Sprossen; Walnuss- und Paprika-Mousse.

**Vegetarian platter.** Broad beans timbale on tortilla and couscous Kobebah with prunes and apricot, flavoured with mango and anis petal sauce, served with zucchini and spinach lasagna on tomato coulis, seasonal vegetables; terrine of potatoes flan with cheese and vegetable on sprouts; walnut and red pepper mousse.

**Plateau végétarien.** Timbale de fèves sur tortilla et kobeba de couscous aux prunes et abricots parfumé à la mangue sauce aux pétales d'anis étoilé, servie avec des courgettes et lasagne d'épinards sur coulis de tomates, légumes de saison; terrine de flan de pommes de terre au fromage et légumes sur pousses assorties; mousse aux noix et poivron rouge.

**Menü.** Geflügelterrine mit Pilzen und mariniertem Geflügel in der Currykruste, Kumquatsgelee und Balsamicodressing; gebratenes Lammfilet mit Ricottakäse und Pinienkernen, gewürzt mit Safran, serviert mit Lammjus und Kartoffeln; dunkles Schokoladenmousse und Kiwi, Crème brûlée auf Pistazien-Chip, Erdbeer-Ganache, Kiwisauce.

**Menu.** Chicken terrine with mushrooms and marinated chicken with curry crust, Kumquat jelly and balsamic dressing; roasted lamb loin with ricotta cheese and pine scods flavoured with saffron, served with lamb jus and potatoes; dark chocolate mousse and kiwi, crème brûleé on pistachio chip, strawberry-ganache, kiwi sauce.

**Menu.** Terrine de poulet aux champignons et poulet mariné en croûte de curry, gelée au kumquat assaisonnée au vinaigre balsamique; rôti de filet d'agneau à la ricotta et pignes de pin parfumé au safran et servi avec jus d'agneau et pommes de terre; mousse au chocolat noir et crème brûlée au kiwi sur chips à la pistache, ganache aux fraises, sauce au kiwi.

**4 Hauptgänge.** Gebackene Hähnchenkeule, gefüllt mit Ginseng-Erbsen-Püree; gedämpfter Rochenflügel gefüllt mit Curryfrüchten; verschiedene asiatische Klöße in scharfer Chili- Gemüsesuppe mit Hummer; gebackenes Kalbbries, mit Mornaysauce nappiert, und Kalbszunge mit Morchelsauce.

**4 Main courses.** Baked chicken leg stuffed with ginseng peas puree; steamed skate wing stuffed with fruits curry; varied asia dumpling in hot chili vegetable soup with lobster; baked veal, sweet bread wrapped with sauce mornay and veal tongue with morel gravy sauce.

**4 Plats principaux.** Cuisse de poulet au four farcie à la purée de pois au ginseng; aile de vaie à la vapeur et curry de fruits fourrés; diverses boulettes asiatiques en soupe de légumes et chili fort au homard; ris de veau au four en couverture de sauce mornay et langue de veau en sauce au jus de viande et aux morilles.

**Vegetarische Platte.** Gefüllte Zucchini mit Gemüse; Kürbisterrine mit Tofu und Spinat; Gemüsepastete mit Wachteleiern und Feta; Brokkoli im Curryteig; Teigkörbchen mit marinierten Waldpilzen; Tomaten-Orangen-Sauce; Sauce von grüner Paprika.

**Vegetarian platter.** Vegetable stuffed courgettes; pumpkin terrine with tofu and spinach; vegetable pie with quail eggs and feta cheese; broccoli in curry dough; pastry baskets with marinated mushrooms, tomato orange sauce, sauce from green peppers.

**Plateau végétarien.** Courgette farcie aux légumes; terrine de potiron au tofu et épinards; pâté de légumes aux oeufs de caille et fêta; brocoli en pâte au curry; petits paniers de pâte et champignons sylvestres marinés; sauce tomate aux oranges; sauce de poivron vert.

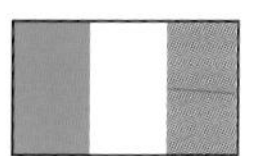

**Menü.** Terrine von Kaninchen und Taube mit Gartenkräutersalat, Kompott von Beeren, Parmaschinken und Parmesan; Canelloni mit Lachs und Hummer, Gemischtes von Bohnen und Muscheltieren, Erbsenpüree mit Kalbsfond; Himbeer- und Pistazientartelettes, Schokoladen-Mousse, Cointreaueis und Orangenkompott.

**Menu.** Terrine of rabbit and pigeon with garden herb salad, berry compote, parmesan and parma ham; canelloni of salmon and lobster, melange of beans and cockles, pea puree and veal reduction; raspberry and pistachio tarte, chocolate mousse, cointreau ice cream and orange compote.

**Menu.** Terrine de lapin et pigeon et salade aux herbes du jardin, compote de baies, parmesan et jambon de Parme; canelloni de saumon et homard, mélange de haricots et de coques, purée de pois et réduction de veau; tarte aux framboises et aux pistaches, mousse au chocolat, crème glacée au cointreau et compote d'oranges.

**3 Teller.** Taubenschenkel, gefüllt mit sonnengereiften Tomaten und Spinat, Entenbrust mit Pilzen, Kartoffeln und Kürbisgnocchis, serviert auf geschmolzenem Branzi-Käse; Thunfischsteak mit Tintenfisch, gefüllt mit Eiern und Broccoli und serviert mit mediterranen Muschelnudeln und Thunfisch-Botargo; gesottene Innereien mit Gemüse und Olivenöl verfeinert, Schweinehaxe mit Linsen und Canelloni von Eiernudeln und Ricotta.

**3 Main dishes.** Pigeons leg stuffed with sun-dried tomato and spinach, duck breast with mushrooms, potatoes and pumpkin gnocchi served on fondue of Branzi cheese; tuna steak with calamary filled with eggs and broccoli and served with mediterranean shell pasta and tunny botargo; boiled tripe with vegetables flavoured with olive oil, pig shinbone with lentils and canelloni of egg pasta and ricotta.

**3 Assiettes.** Cuisse de pigeon farcie aux tomates séchées au soleil et épinards, blanc de canard aux champignons, pommes de terre et gnocchis de citrouille sur fondue de fromage de Branzi; steak de thon et calmar farci aux oeufs et brocoli, servi avec des pâtes aux coquillages de méditerranée et une boutargue de thon; tripes bouillies aux légumes parfumés à l'huile d'olive, jarret de porc aux lentilles et canelloni de pâtes aux oeufs à la ricotta.

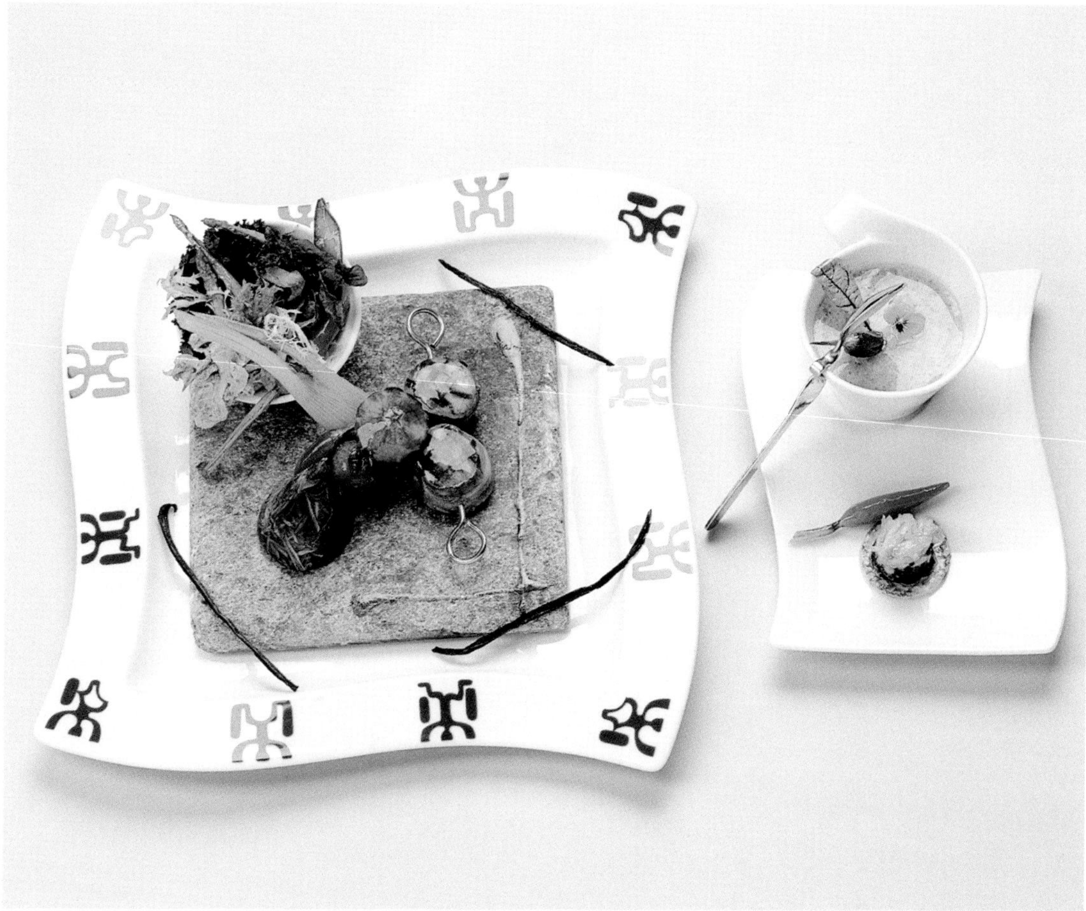

**1 Hauptgericht.** Eingelegte Trüffel und Kartoffeln in Fleischbrühe, auf der Haut gebratener Wolfsbarsch; Mikado Saint Jacques, „Pisa"-Pyramide aus Rohkost; Samtsuppe aus Kresse und Rocha-Birnen, Praline aus Lisanto-Schinken, einseitig gebratene Stopfleber; Blinis aus Kastanienmehl mit gekochten Mandeln und Kaviar.

**1 Main cours.** Small glass of truffle confit and potatoes in meat broth, cutlet of sea bass, skin-roasted; scallops Mikado, „Pisa" pyramid of raw vegetables; cress and rocha pear velouté, bonbons of Lisanto ham, slice of foie gras grilled on one side; chestnut blinis sautéed with almonds and caviar.

**1 Plat principal.** Petit bocal de confit de truffes et pommes de terre au jus de viande, pavé de bar de ligne sur peau; mikado de St-Jaques, pyramide de crudités facon Pise; velouté de cresson et poire rocha, bonbons de jambon Lisanto, pavé de foie gras grillé à l'unilatérale; blinis de châtaignes poêlée d'amandes et caviar du pauvre.

**Menü.** „Roastbeef" vom Thunfisch und Fischterrine mit Blattsalatblume und Wasabisauce; Hirschrücken mit Pilzen, Kartoffel-Sellerie-Püree in Karottenhülle, Reh glasiert mit Preiselbeeren; Krokant mit Zitronenmousse, frische Johannisbeersauce.

**Menu.** „Roastbeef" from tuna and fish terrine with lettuce flower and Wasabi sauce; deer back with mushrooms, potato-celery puree in carrote mist, venison glacé with cranberries; croquant twist with lemon mousse, sauce from fresh currant.

**Menu.** „Rosbif" de thon et terrine de poissons à la fleur de laitue et sauce au Wasabi; longe de cerf aux champignons, purée pommes de terre-céleri en brume de carottes, gibier glacé aux canneberges; tortillon croquant et mousse au citron, sauce aux groseilles fraîches.

**3 Hauptgänge.** Gefüllter Kaninchenrücken mit Rahmmais, Gänseleber und Kräuterkruste, Selleriegalette, Karotten- und Merlot-Reduktion; Rib Eye vom Colorado-Lamm und Spare Ribs, gerösteter Knoblauch und Kräuterkruste, Anna-Kartoffeln, Morcheln und Spargel; gebratener Schweinerücken, Ragout von Süßkartoffeln, Sojabohnen und Baby-Lauch, grüne Apfel-Charlotte mit Calvados-Reduktion.

**3 Main courses.** Stuffed saddle of rabbit creamed maize, foie gras and herb custard, celery galette, carrot and merlot reduction; rib eye of colorado lamb and its spare rib, roasted garlic and herb crust, Anna potatoes, morels and asperagus; roasted pork tenderloin, ragout of sweet potato, soy beans and baby leeks, green apple Charlotte, calvados reduction.

**3 Plats principaux.** Selle de lapin farcie maïs concassé à la crème, foie gras et croustade aux herbes, galette de céleri, réduction de carottes et de merlot; faux-filet d'agneau colorado et son travers, croûte rôtie aux herbes et à l'ail, pommes de terre Anna, morilles et asperges; rôti de filet de porc, ragoût de patates douces, soja et jeunes poireaux, charlotte aux pommes vertes, réduction au calvados.

**Menü.** Ochsenschwanzconsommé mit Dill, geräucherter Aal, Kürbiskompott; Zanderfilet vom Grill mit Krebsschwänzen und überbackenem Blumenkohl, Brennesseln und Krebsmousse; Schichtgebäck aus Vollmilchschokolade mit Birnen und Heidelbeeren.

**Menu.** Oxtail consommé with dill, smoked eel, pumpkin compote; pike-perch fillet on the grill and crayfish tails with roasted cauliflower, nettles and crayfish mousse; milk chocolate sandwich cake and pears with cranberries.

**Menu.** Consommé de queue de boeuf à l'aneth, anguille fumée, compote de potiron; filet de sandre sur le gril et queues d'écrevisses au chou-fleur grillé, orties et mousse d'écrevisses; biscuits sandwich au chocolat au lait et poires aux airelles.

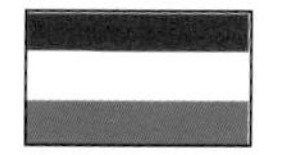

**Vegetarische Platte für 4 Personen.** Marinierter, gegrillter Tofu mit Petersilie und grünem Spargel, Reis, Rote Bete und gebratener Quark, Wachtelei im Maisteig, gedünsteter Fenchel, Hirsekuchen mit Kürbiskernen, Haselnuss-Sauce.

**Vegetarian platter for 4 persons.** Marinated grilled tofu with parsly and green asparagus, rice, beetroot and roasted cheese curds; quail egg in corn pastry, steamed fennel, millet cake with pumpkin seeds hazelnut sauce.

**Plateau végétarien pour 4 personnes.** Tofu mariné et grillé au persil et aux asperges vertes, riz, betterave rouge et fromage blanc rôti; oeuf de caille en pâte de maïs; fenouil à l'étuvée, gâteau de millet aux graines de citrouille; sauce aux noisettes.

**2 Hauptgänge.** Zanderwürstchen und Eglifilets mit schwarzem Couscous und Bio-Gemüse an Peppadewsauce; Gallowayrind- und Kalb-Kombination im Auberginenkleid, Pesto-gnocchi mit Bohnenvariation.

**2 Main courses.** Pike-perch sausage and perchfillet with black couscous and bio vegetables, peepadewsauce, Galloway beef and veal combination in eggplant coating, pesto-gnocchi with variation of beans.

**2 Plats principaux.** Petites saucisses de sandre et filet de perche au couscous noir et légumes bio en sauce peepadew; duo de boeuf galloway et de veau en robe d'aubergines, gnocchis au pesto et variation de haricots.

**Vegetarische Platte.** Marinierter Lauch mit Shitakepilze und geröstetem Paprika, Gemüse der Saison, Ingwer- und Auberginen-Makirolle, gelbe Paprika-Emulsion, Erbsen und Fenchel, Fenchelsuppe mit Tomatentropfen, Zucchini mit schwarzen Bohnen und Tofumousse.

**Vegetarian platter.** Marinated leek with shiitake mushrooms and roasted peppers, vegetables of the season, ginger and eggplant maki roll, yellow peppers emulsion, peas and fennel, fennel soup with tomatodrop, zucchini with black bean and tofu mousse.

**Plateau végétarien.** Poireau mariné aux champignons shiitake et poivron grillé, légumes de saison, rouleau maki au gingembre et aux aubergines, émulsion de poivron jaune, soupe de pois et de fenouil avec une goutte de tomate, courgettes au soja noir et mousse de tofu.

**2 Hauptgänge.** Lachs, Meeresschnecken und Hummer, Sprossensalat mit Maisschaum; doppelte Brust von der Taube, Ballotine von der Keule, Keulenfleisch in Polenta, Taubenjus und Petersilienschaum.

**2 Main courses.** Salmon, sea snails and lobster, salad of sprouts, corn foam; double breast of pigeon, ballotine of leg with polenta, pigeon jus and parsley foam.

**2 Plats principaux.** Saumon, limace de mer et homard, salades de jeunes pousses à l'écume de maïs; double blanc de pigeon, ballotine de cuisse et polenta braisée à la cuisse de pigeon, jus et écume de persil.

**2 Hauptgänge.** Pot-au-feu von Languste, Muscheln und Fisch mit Gemüse und Salzgebäck; Kaninchenrücken mit Bohnengemüse, gefülltes Herz und Nierchen mit Böhnchen, Kürbis und Fenchel.

**2 Main courses.** Pot-au-feu from spiny lobster, mussels and fish with vegetables and salted biscuits; saddle of rabbit with beans, stuffed heart and kidney with beans, pumpkin and fennel.

**2 Plats principaux.** Pot-au-feu de langouste, coquillages et poisson aux légumes et petit gâteau salé; râble de lapin aux haricots, coeurs et rognons farcis aux flageolets, potiron et fenouil.

## *Team Hessen-Marburg*

**Fischmenü.** Feines Fischsüppchen; Hechtroulade nach Marburger Art; süße Verführung.

**Fishmenu.** Fine fishsoup; pike roulade Marburg style, sweet seduction.

**Menu de poisson.** Soupe fine de poissons; roulé de brochet à la marbourgeoise; tentation sucrée.

**Vegetarische Platte.** Galantine von Polenta auf Paprikasockel; Roulade von zweierlei Reis; Parmesancanelloni, gefüllt mit Kartoffel-Erbsen-Mousse, Gemüsetarte; gegrillte Zucchini, Bohnen, rote Zwiebeln, Pilze und Garganelli; Rotwein-Schalotten-Butter; weiße Gemüsesauce.

**Vegetarian platter.** Galantine from polenta on pepper base; roulade from two kind of rice; parmesan canelloni filled with potato and pea mousse, vegetable tart; grilled zucchini, beans, red onions, mushrooms and garganelli; red wine shallot butter; white vegetable sauce.

**Plateau végétarien.** Galantine de polenta sur base de poivron; roulade aux deux sortes de riz; canelloni au parmesan fourré de mousse de pommes de terre et petits pois, tarte aux légumes; grillade de courgettes, haricots, oignons rouges, champignons et garganelli; beurre d'échalotes au vin rouge; sauce aux légumes blancs.

**Vegetarische Platte.** Karotten, Quinoa und Kichererbsen im gerollten Lauchblatt, Bohnen- und Krautsalat; gebackene Zwiebel mit Pfifferlingen, Couscous und weiße Bohnenschaumsauce.

**Vegetarian platter.** Carrots, quinoa und chick peas rolled in a leek leave, bean and cabbage salad; deep fried onions with canterelle, couscous und bean foam sauce.

**Plateau végétarien.** Carottes, quinoa et pois chiches roulés en feuille de poireau, salade de haricots et d'herbes; oignon au four aux girolles, couscous et sauce mousseuse de haricots blancs.

**3 Hauptgänge.** Gefüllte Seezungenroulade mit Kartoffelchips, warmer Gurken-Hummer-Salat und Hummervinaigrette; Duo vom Milchkalb mit einer Delice von Gänseleber und Kalbsbrust, Madeirasauce, Kartoffelpüree, Perlzwiebel und Kakaobohnen; braisiertes Rehrückenfilet mit Wikijus, Kartoffelbrei mit Bayonne-Schinken und Petersilie im Fladenbrot, Preiselbeerchutney.

**3 Main courses.** Filled sole roulade with potato chips, warm cucumber-lobster salad und lobster vinaigrette; duo from veal  with a delice of gooseliver and breast of veal, Madeira sauce, mashed potato, pearl onion and cacao beans; braised fillet of venison and Wikijus, mashed potato with Bayonne ham and parsley in a flad bread, chutney of cranberries.

**3 Plats principaux.** Roulé de sole farci et chips de pommes de terre, salade tiède de homard et concombre à la vinaigrette de homard; duo de veau de lait au délice de foie gras d'oie et poitrine de veau, sauce au madère, purée de pommes de terre, petits oignons et grains de cacao; longe de chevreuil braisée au wikijus, pulpe de pommes de terre au jambon de Bayonne et persil en galette de pain, chutney d'airelles.

**Menü.** Seeteufel-Mango-Salat mit Cashewkernen, Seeteufelmedaillon im Mangoldblatt mit Tandoori, Süßkartoffelstrudel, Korianderemulsion; gefüllte Kalbsfiletroulade auf Briesragout mit Champagner, Tortiglioni mit Mascarpone und provenzalischen Kräutern gefüllt, mediterranes Gemüse und Balsamico; Schokoladenschnitte mit Minzaroma, Pfirsichparfait, Pfirsichkompott mit Pfeffer.

**Menu.** Monkfish-mangosalad with cashewnuts, monkfish-medaillons in a chard leaf with Tandoori, strudel from yam, corianderemulsion; stuffed veal loin on sweetbread ragout with champagner, tortiglioni stuffed with mascarpone and provincial herbs, mediterranean vegetables and balsamico; chocolateslice with mint aroma, peachparfait, peach-compote with pepper.

**Menu.** Salade de lotte et de mangue aux noix de cajou, médaillon de lotte en feuille de bette et tandoori, chausson aux patates douces, émulsion de coriandre; roulé de filet de veau farci sur ragoût de ris de veau au champagne, tortiglioni farcis à la mascarpone et aux herbes provençales, légumes méditerranéens et vinaigre balsamique; découpes de chocolat arôme menthe, parfait aux pêches, compote de pêches au poivre.

**Vegetarische Platte.** Kartoffeln-Paprika-Terrine; Kürbis, gefüllt mit Bokkolipüree; in Wein gekochte Zwiebeln mit Couscous; Somosa mit Rosmarin-Topinambur, Kümmel-Karotten-Sauce; Spargel mit Maissabayon überbacken.

**Vegetarian platter.** Terrine of potatoes and peppers; pumpkin stuffed with broccoli puree; cooked onions in wine with couscous; Somosa with rosmary-topinambur, cumin and carrot sauce; asparagus gratinated with corn sabayon.

**Plateau végétarien.** Terrine de carotte et de poivron; citrouille farci à la purée de brocolis; oignons cuits au vin et couscous; samoussa au romarin et topinambour, sauce au cumin et aux carottes; asperges gratiné au sabayon au maïs.

**3 Hauptgänge.** Clarenbridge-Brühe von Schalentieren „Galway Bay"; pochierter Hummer, Muscheln, Venusmuschel und Meeresfrüchteroulade; leichter Kräuter- und Gemüselikör; schottisches Hochland-Schwarzkopflamm, gebratene Lammlende, mit Rosmarin glaciertes Kaninchen, Anna-Kartoffeln, Gemüse- und Trüffel-Canelloni; „New Forest" Reh, „Herzog Norman", Wurzelgewürz- und Trockenfrüchtewickel, Birne und Zimtkartoffel, Portweinjus.

**3 Main courses.** Clarenbridge shellfish nage „Galway Bay", poached lobster, mussels, clams and seafood roulade, light herb and vegetable liquor; scottish highland black faced lamb, roasted lamb loin, rosemary rabbit glaze, Anna potatoes, vegetables and truffle mushroom canelloni; New Forest royal venison „Norman Duke", root spice and dried fruit wrapper, pear and cinnamon potato, port jus.

**3 Plats principaux.** Nage de crustacés de Clarenbridge „baie de Galway", homard poché, roulé de moules, palourdes et fruits de mer, petites herbes et liqueur de légumes; mouton à face noire des Highlands d'Écosse, rôti de filet d'agneau, lapin glacé au romarin, pommes de terre Anna, légumes et canelloni aux truffes; chevreuil de New Forest „Norman Duke", épices-racines et couverture de fruits secs, poire et pomme de terre à la cannelle, jus au porto.

**Vegetarische Platte.** Strudel, gefüllt mit Tofu, Paprika, Pilzen und Mangold; gebratene Nudeln mit Käse gefüllt, Käsesuppe mit Wachtelei; getrüffelte Torte mit Käse und Tomaten.

**Vegetarian platter.** Strudel filled with tofu, peppers, mushrooms and chard; fried noodles stuffed with cheese, cheese soup with quail egg; truffled cake with cheese and tomato.

**Plateau végétarien.** Chausson fourré au tofu, poivron, champignons et bettes; nouilles sautées farcies au fromage, potage au fromage et oeuf de caille; gâteau truffé au fromage et tomates.

**3 Hauptgänge.** Hummerschwanz gefüllt mit Würstchen und Lachsforelle und gedämpfter Dorade; Amalfisardellen mit al dente gegartem Schenkel; Entenbrust mit Polenta, kleine Körbchen mit Gemüsen und Kalbsfilet mit grünen Pistazien.

**3 Main courses.** Lobster tail stuffed with toad tail rolle and salmon trout and steamed white seabream; Amalfi anchovies with al dente cooked leg; duck breast with polenta, little basket with vegetables and veal fillet with green pistachios vera.

**3 Plats principaux.** Queue de homard farcie et rouleau de saucisse au four, truite saumonée, dorade blanche à la vapeur; anchois d'Amalfi et denté cuit sous l'os; blanc de canard au petit panier de polenta et légumes, filet de veau aux pistaches vertes.

**Vegetarische Platte.** Gebackener Tofu mit Gemüse; gefüllter Paprika mit Polenta; Käse-Canelloni mit würzigem Ragout.

**Vegetarian platter.** Baked tofu with vegetables; stuffed peppers with polenta; cheese-canelloni with a spicy ragout.

**Plateau végétarien.** Tofu au four et légumes; poivron farci à la polenta; canelloni au fromage et ragoût relevé.

*Team Manitoba*

**Menü.** Meeresfrüchte; Enten-Ballotine mit Foie gras; Beerenmousse in Schokolade.

**Menu.** Sea fruit, duck ballotine with fois gras; mousse from berries in a chocolat.

**Menu.** Fruits de mer; ballotine de canard au foie gras; mousse de baies chocolate.

**Vegetarische Platte.** Paprika mit Tofu und Linsen, Estragonsauce, Baby-Fenchel mit Casatella-Käse und kandierten Früchten, warmes Orangengelee, Gemüse, Sandelholz-sauce.

**Vegetarian platter.** Pepper with tofu and lentils, tarragon sauce, small fennel with casatella cheese and candied fruit, warm orange jelly, vegetables, sandalwood sauce.

**Plateau végétarien.** Poivron au tofu et lentilles, sauce à l'estragon, jeune fenouil à la casatella et fruits confits, gelée tiède d'oranges, légumes, sauce au bois de santal.

**2 Hauptgänge.** Rehrücken unter der Zimtbrotkruste; gefüllte Stubenkükenbrust.

**2 Main courses.** Saddle of venison under a cinnamon crust; stuffed spring chicken breast.

**2 Plats principaux.** Longe de chevreuil sous croûte de pain à la cannelle; blanc de coquelet farci.

**Vegetarische Platte.** Im Kartoffelmantel gebratene Mangoldrolle mit Kolkwitzer Ziegenfrischkäse; Möhren-Linsen-Torte; marinierter gegrillter Tofu; Quinoa im Fenchelblatt; zwei Saucen.

**Vegetarian platter.** Potato coating chard roll with Kolkwitz goat cheese; carrot and lentil tart; grilled tofu; quinoa in a fennel leave; two sauces.

**Plateau végétarien.** Rouleau de bette en manteau de pommes de terre et fromage de chèvre frais de Kolkwitz; tarte aux carottes et aux lentilles; tofu mariné et grillé; quinoa en feuille de fenouil; deux sauces.

**Menü.** Gegrilltes vom Jacobsmuschelkern mit Lauch auf Safrangelee und Wasabi; Hasenrückenfilet in der Perlhuhnbrust, Apfel-Zwiebel-Gemüse, Pastinakenmus, Portweinjus, Semmelrolle; Sanddorncreme in der Birne mit Hagebutten-Basilikum-Kompott.

**Menu.** Grilled scallops with leek on saffron jelly and wasabi; hare loin in a breast of guinea fowl; apple-onionconfit, parsnip mousse, port jus, breadroll; bavarois from sallow thorn in a pear with rosehip-basil compote.

**Menu.** Grillade de noix de coquilles Saint Jacques et poireau sur gelée au safran et wasabi; râble de lièvre en blanc de pintade, pommes et oignons, purée de panais, jus au porto, petit pain en rouleau; crème d'argousier en poire et compote d'églantine et de basilic.

**Menü.** Makrele mit Nüssen und Basilikum, Ochsenschwanz in Safransauce, Sprossen und Keimlinge; Duo von gebratenem Fasan und Wildente mit Bio-Polenta, dunkle Portweinsauce, Nudelteigtasche mit Buchweizen und Mascarpone, sautiertes Gemüse; Quittenparfait mit Grenadine und Kastanienmousse auf Baumkuchen.

**Menu.** Mackerel with nuts and basil, oxtail in saffronsauce, soy beans and bamboo shots; duo from pheasant and wild duck with bio polenta, dark port sauce, pastabag with buckwheat and mascarpone, sauted vegetables; quinces parfait with grenadine and chestnut mousse on pyramid cake.

**Menu.** Maquereau aux noix et au basilic, queue de boeuf en sauce au safran, pousses et germes; duo de faisan rôti et de canard sauvage à la polenta bio, sauce sombre au porto, poches de pâte à nouilles au sarrasin et à la mascarpone, légumes sautés; parfait de coings à la grenadine et mousse de châtaignes sur pièce montée.

**Vegetarische Platte.** Kartoffel-Couscous-Terrine; Pilzlasagne; Gemüsevariation; Kerbel-Ingwer-Fond.

**Vegetarian platter.** Potato-couscous-terrine; mushroom lasagne; variations of vegetables; chervil-ginger fond.

**Plateau végétarien.** Terrine de pommes de terre et de couscous; lasagnes au champignons; variation de légumes; fond au cerfeuil et au gingembre.

**3 Hauptgänge, 1 Dessert.** Lachsforelle in der Polenta-Pfeffer-Kruste; Chiemseer Suppenteller; Brust und Keule von der Wachtel; Bayerische Creme in Schokolade mit Schokostäbchen.

**3 Main courses, 1 dessert.** Salmon trout in a polenta-peppercrust; soupdish „Chiemsee"; breast and leg of quail; creme bavarois in chocolate and chocolate sticks.

**3 Plats principaux, 1 dessert.** Truite saumonée en croûte de polenta au poivre; assiette de soupe du Chiemsee; blanc et cuisse de caille; crème bavarois en chocolat et petits bâtons de chocolat.

**Vegetarische Platte ovo-lakto-vegetabil.** Würzige Sojabohnen, Chorizo im Kornteig mit mexikanischer Chirimoya-Chilisauce; pochierte Zwiebel mit südamerikanischer Nußkruste; scharfer Kaktussalat; geräucherte Tofu- und schwarze Bohnenwurst; Pfannengemüse „Texanische Art"; Getreidekleieteig mit gerösteten Strauchtomaten; rote mexikanische Paprika, gefüllt mit Waldpilzen und blauer Maiskruste, serviert mit frischen Sojabohnen und Kürbiskernsalat.

**Vegetarian platter ovo-lacto-vegetabil.** Spicy soy beans, chorizo in a grain dough, chimoys chilli sauce; poached onion with south american nut crust; spicy cactus salad; smoked tofu and black bean sausage; „Skillet fajito" Texican vegetables; grain dough with bush tomatoes; red mexican peppers filled with mushrooms and blue maize crust served with fresh soy beans and pepita sauce.

**Plateau végétarien ovo-lacto-vegetabil.** Graines de soja aux épices et chorizo en pâte de maïs, sauce mexicaine à la chirimoya et au chili; oignon poché et croûte aux noix d'Amérique du Sud; salade piquante au cactus; saucisse de tofu fumé et soja noir; poêlée de légumes „à la texane"; seitan de céréales aux tomates branche grillées; poivron rouge mexicain farci aux champignons sylvestres et croûte bleue au maïs servi avec une salade fraîche de graines de soja et de citrouille.

**Menü.** Krabbencocktail mit Tomaten und Gurken, Krabbenterrine mit Oliven-Pistazien-Kompott, Krabbensuppe mit Krabbeneinlage und grünen Zwiebeln; geräuchertes Perlhuhn mit getrockneten Früchten, Walnüssen und Brotfüllung, goldene Beete, Rotkraut, Portweinsauce mit Johannisbeeren; in Glühwein pochierte Birnen mit Früchte-Essenz, gewürzter Nusskuchen mit Pistazien und Preiselbeeren in Zuckerkruste.

**Menu.** Prown cocktail with tomato and cucumber, prawn terrine with olive pistachio compote, prawn soup with crab meat and green onions; smoked breast of guinea fowl, stuffed with dry fruit, walnut and bread, golden beet, red cabbage, port wine and currant sauce; spiced wine and fruit essence poached pears, spicy nut cake with pistachio and cranberry in a sugarcrust.

**Menu.** Cocktail de crabe aux tomates et concombres, terrine de crabe à la compote d'olives et de pistaches, bisque de crabe avec garniture de crabe et oignons verts; blanc de pintade fumée aux fruits secs, farce aux noix et au pain, carottes, chou rouge, sauce au porto et groseilles; poires pochées à l'essence de fruits et au vin épicé, gâteau aux noix et aux épices avec pistaches et airelles en croûte de sucre.

Team AJCA Kansai

**Menü.** Japanischer „Kuruma Krabben Cocktail"; gefüllte junge Taube, Torte mit Teegeschmack.

**Menu.** Japanese prawn cocktail „Kuruma"; stuffed young pigeon; cake flavoured with tea.

**Menu.** Cocktail de crevettes roses japonaises „kuruma"; pigeonneau farci; gâteau parfumé au thé.

**Menü.** Hummermousse mit Feigenconfit, gebeizter Lachs mit Hüttenkäse auf Kürbis-Bohnen-Salat, Blütenpollenvinaigrette; Lammrücken und Terrine aus Siedfleisch mit Tamarillen, Serviettenknödel mit Kichererbsen, Blattspinat, Rübchen und Blumenkohl; Trilogie von Schokoladenschaum mit Orangensorbet, Orangenfilet, Blutorangensauce.

**Menu.** Lobster mousse with fig confit, marinated salmon with cottage cheese on pumpkin-bean salad, pollen vinaigrette; saddle of lamb and terrine of boiled meat with tamarillos, serviette dumpling with chick peas, spinach, swede and cauliflower; trilogy from chocolate foam with orange sorbet, orangefillets, blood orange sauce.

**Menu.** Mousse de homard au confit de figues, saumon mariné et faisselle sur salade de citrouille et de haricots, vinaigrette au pollen de fleurs; selle d'agneau et terrine de viande à bouillir aux tamarillos, boulettes en serviette aux pois chiches, épinards en feuilles, petite rave et chou-fleur; trilogie de mousse au chocolat avec sorbet à l'orange, filet d'orange, sauce aux oranges sanguines.

**Vegetarische Platte.** Jasoyakreation mit Tomaten, Pilzen und Haferflocken; Endivien mit Kräutern; Stangensellerie mit violetten Kartoffeln, Petersilie und Chili, Tofuroulade, Brokkoli, Zuchini, Paprika, Kartoffelkugeln, Safran-Nuss-Vinaigrette.

**Vegetarian platter.** Yasoyacreation with tomatos, mushrooms and oatflakes; endive with herbs, celery with violet potatoes, parsley and chilli, tofu roulade, broccoli, zucchini, peppers, potatoballs, saffron-vinaigrette.

**Plateau végétarien.** Création jasoya aux tomates, champignons et flocons d'avoine; frisée aux herbes; céleri-branche aux pommes de terre violettes, persil et chili, roulade de tofu, brocolis, courgette, poivron, boules de pommes de terre, vinaigrette aux noix et au safran.

## *Culinary Team Alberta I*

**Vegetarische Platte.** Gefülltes chinesisches Gemüse mit Süsskartoffel und Hüttenkäse; Wildreis und Wirsingroulade; gefüllter Baby-Lauch mit Quinoa.

**Vegetarian platter.** Bay bok choy stuffed with sweet potato and cottage cheese; wild rice and savoy cabbage roll; quinoa stuffed baby leek.

**Plateau végétarien.** Laurier et bok choy farci aux patates douces et au fromage blanc; riz sauvage et rouleau de chou de Milan; jeune poireau farci au quinoa.

**Vegetarische Platte.** Kürbisterrine, Spinat und Wehane-Reis mit Wachtelei; schwarze Bohnen und Tofufüllung an geräucherten Tomaten, Gurken- und Paprika-Chutney; Mangoldstrudel, Aprikosen, geröstete Cashewnüsse und Ziegenkäse; vietnamesische Reisröllchen, Bambus, Minze, Hijiki und Buchweizen mit Erdnüssen und Koriander-Soja-Sauce; gedämpfter Baby-Chinakohl gefüllt mit Pilzen, Gerste, rotes Shisopüree.

**Vegetarian platter.** Terrine of squash, spinach and wehane rice, with quail egg, black bean and tofu filling, smoked tomato, cucumber and pepper chutney; strudel of chard, apricot, toasted cashew and coat cheese; vietnamese rice rolls, bambo, mint, hijiki and buckwheat, with peanut and coriander soya dipping sauce; steamed baby Chinese cabbage stuffed with mushrooms, barley and red Shiso puree.

**Plateau végétarien.** Terrine de courge, épinards et riz wehane aux oeufs de caille, soja noir et farce de tofu et tomates fumées, chutney de concombre et de poivron; chausson aux bettes, abricot, noix de cajou grillées et fromage de chèvre; rouleaux au riz vietnamiens, nouilles soba au bambou, à la menthe, au hijiki et au sarrasin à tremper dans une sauce de soja aux cacahuètes et à la coriandre; jeune chou chinois à la vapeur farci aux champignons, purée d'orge et de shiso rouge.

**Mittagsmenü.** Erlenholz geräucherte Brook-Forelle, Mesclun und sautierter Apfelsalat mit Käsekruste und Limonen-Mohn-Vinaigrette; geschmorter Ochsenschwanz gefüllt mit Pastinaken, Mais, Oliven und Linsen auf rosa Pfefferkornsauce mit verschiedenen gegrillten Gemüsen; Ahorn-Kokosnuss-Karamell-Creme und Blaubeerstreusel-Gewürzkuchen, Pistaziensorbet und rote Johannisbeerziegel.

**Luncheon menu.** Alder smoked brook trout, mesclun and seared apple salad with cheese crust and lemon poppy seed vinaigrette; braised oxtail, stuffed with parsnip, corn, olive and lentil on a pink peppercorn sauce with assorted roasted vegetables; maple coconut créme caramel and blueberry streusel spice cake, pistachio sorbet and red currant tuiles.

**Menu de déjeuner.** Truite de rivière fumée à l'aulne, mesclun et salade de pommes grillées en croûte au fromage et vinaigrette au citron et graines de pavot; queue de boeuf braisée farcie aux panais, maïs, olives et lentilles sur sauce aux grains de poivre rose et légumes rôtis assortis; crème caramel à l'érable et à la noix de coco et gâteau épicé aux miettes de myrtilles, sorbet à la pistache et tuiles aux groseilles.

**3 Teller.** Gegrillter Togarashi, pikanter Schwertfisch; Taube aus dem Frazer-Tal; pochierter Atlantik-Hummer.

**3 Dishes.** Grilled Togarashi spiced swordfish; Frazer valley pigeon; poached Atlantik lobster.

**3 Assiettes.** Espadon aux épices togarashi grillé; pigeonneau de Frazer Valley; homard de l'Atlantique poché.

**4 Hauptgänge.** Lammeintopf mit grünen Bohnen, Topinambur, gerösteten Mandeln und skandinavischem Senf; gegrillter Lachs mit Selleriemousse, Maispüree, Austern und Kressevinaigrette; Hirschkotelette mit Blutwurst, Kartoffel-Apfel-Terrine, Linsenragout „Le Puy", Vinaigrette; getrüffelte Maispoularde, Püree aus weißen Bohnen, im Ofen gegarte Bete, Dill und Trüffelschaum.

**4 Main courses.** Lamb hotpot with French beans, Jerusalem artichokes, toasted almonds and Scania mustard; grilled salmon with celery fondant, creamed sweet corn, oysters and cress vinaigrette; venison cutlet with black pudding, potato and apple terrine, ragout of le Puy lentils, vinegar sauce; truffled corn-fed chicken with bean puree, oven-roasted beetroot, dill and truffle mousseline.

**4 Plats principaux.** Pot-au-feu à l'agneau aux haricots verts, topinambours, amandes grillées et moutarde de Scanie; saumon grillé au fondant de céleri, crème de maïs, huîtres et vinaigrette de cresson; côtelette de cerf au boudin noir, terrine de pommes de terre et de pommes, ragoût de lentilles du Puy, sauce au vinaigre; poulet au maïs truffé à la purée de haricots blancs, betteraves cuites au four, aneth et mousseline aux truffes.

Nestlé FoodServices
Landesverband der Köche Baden-Württemberg
im Verband der Köche Deutschlands e.V.

Patisserie

Patisserie

Pâtisserie

## *Meistervereinigung Gastronom Stuttgart*

**Vier Desserts.** Schokoladenwelle mit Meloneneis und Amaretto-Grieß-Schnitte; Weinschaumterrine mit geeistem Himbeersandwich; frittierte Cassies-Reisteig-Blätter mit Zitronengrasmousse, Kokosnussparfait und exotischer Früchtespieß; Variationen von der Williamsbirne auf Birnenespuma und Zimteis.

**Four desserts.** Chocolate wave with melon ice cream and amaretto semolina slice; wine froth terrine with frozen raspberry sandwich; deep fried leafs of cassis ricepaste with lemon gras mousse, coconut parfait and exotic fruit skewer; variation of pear william on espuma and cinnamon ice cream.

**Quatre desserts.** Onde de chocolat à la crème glacée au melon et tranche de semoule à l'amaretto; terrine d'écume de vin et sandwich aux framboises glacées; feuilles de galette de riz au cassis frites et mousse à la citronnelle, parfait à la noix de coco et brochette de fruits exotiques; variation de poires sur espuma de willliams et crème glacée à la cannelle.

**Dessert.** Glühweincreme und Gelee mit Sauerrahm-Halbgefrorenem auf Basler Leckerli, Weißweinäpfel und Dörraprikosensauce.

**Dessert.** Bavarois spiced red wine and jelly with sour cream parfait on „Basler Leckerli", white wine appels and dried apricot sauce.

**Dessert.** Crème au vin chaud et gelée avec glace fondue à la crème aigre sur „Basler Leckerli", pommes au vin blanc et sauce aux abricots secs.

**Zwei von vier Desserts.** Gefülltes Kuvertüredessert; Mille feuille von Kastanie und Whisky.

**Two desserts from four.** Filled chocolate dessert; millefeuille from chestnut and whisky.

**Deux desserts parmi quatre.** Dessert au chocolat de ménage fourré; mille-feuilles aux châtaignes et au whisky.

**Drei Torten.** Haselnuss-Pralinen-Mousse-Kuchen, knusprige Vollkorn-Puffs in Gianduja-sauce umgeben mit Haselnuss-Pralinen-Mousse auf Haselnussbiskuit mit Schokoladen-glasur; Pistazien-Blutorangen-Torte, Blutorangenmousse mit eingelegtem Pistazienbiskuit und frischer Zitronen-Quark-Füllung; schwarze Johannisbeerlikör-Mango-Torte, weißes Schokoladenmousse mit kandierten Orangen, umgeben mit Schichten von Johannisbeer-likörbiskuit und Mangomousse.

**Three cakes.** Hazelnut-praline mousse cake, crispy whole-weat puffs in gianduja ganache surrounded by hazelnut-praline mousse, hazelnut sponge cake layers finished with chocolate ganache; pistachio blood orange cake, blood orange mousse layered with pistachio sponge cake with fresh lemon curd filling; cassis-mango cake, white chocolate mousse with candited orange surrounded by layers of cassis sponge cake and mango mousse.

**Trois gâteaux.** Gâteau à la mousse aux noisettes et pralines, feuilleté croquant au blé complet et ganache au gianduja entouré de mousse aux noisettes et pralines, biscuit de Savoie aux noisettes glacé, ganache au chocolat; gâteau aux pistaches et oranges sanguines, mousse aux oranges sanguines et biscuit de Savoie aux pistaches confites garni de crème au citron frais; gâteau au cassis et à la mangue, mousse au chocolat blanc et orange confite entourée de biscuit de Savoie au cassis fourré à la mousse de mangues.

**Desserts.** Schokoladentasse; Kaffeegelee; kandierte Orangenpastete; warme Hefeteigkrapfen mit Orangenessenz, Savarin mit Früchten, Cremevariationen mit Kaffee, Melone und Früchten.

**Desserts.** Chocolate cup; coffee jelly; candied orange paste; warm leavened dough crullers with orange essence, savarin with fruits, variations of cream with coffee, pumpkin, melon and fruits.

**Desserts.** Tasse de chocolat; gelée au café; pâte d'oranges; beignets chauds au levain et essence d'orange, Savarin avec de fruits, variations de crème avec café, citrouille, melon et de fruits.

**4 Desserts.** Amaraula-Mousse mit Kumquatkompott und Schokolade-„Salami"-Stapel; Panacotta mit weißer Schokolade und Kaffee auf gepressten Feigen; Parfait von Kirschen und Mohn mit Kirschsauce, mit Marzipantorte umhüllt und Ananas; Bayerische Johannisbeercreme mit Pfirsich-„Momper"-Parfait, serviert mit Johannisbeer und „Momper"-Kompott.

**4 Desserts.** Amarula mousse with kumquat compote and chocolate „Salami" stack; Pannacotta of white chocolate and coffee on pressed figs; parfait of cherries and poppyseed with cherry coulis with marzipan tart encased in pineapple; redcurrant bavarois with peach „Momper" parfait, served with redcurrant and „Momper" compote.

**4 desserts.** Mousse d'amarula avec compote de kumquat et assemblage de chocolat „salami"; pannacotta au chocolat blanc et café sur figues pressées; parfait aux cerises et graines de pavot au coulis de cerises et tarte au massepain enrobé d'ananas; bavarois aux groseilles et parfait aux pêches „momper", servi avec une compote de groseilles et „momper".

**Desserts.** Baileys Krokant- und Schokoladen-Mousse, Limonen- und Vanille-Käsekuchen; Himbeersorbet, Orangensalat; Pistazien- und Grand-Manier-Parfait auf roten Beeren; in Gewürztraminer pochierte Birnen, Waldbeerensauce; Mango- und Vanilleterrine, Bitterschokoladekuchen, Bananeneis, Limonensauce mit Mango.

**Desserts.** Baileys croquant and chocolate mousse, lime and vanilla cheesecake, rasberry sorbet, orange salad; pistachio and grand manier parfait of red berries, poached pear with „Gewürztraminer", forest fruit coulis; mango and vanilla terrine, bitter chocolate tart, banana ice cream, lime sauce with mango reduction.

**Desserts.** Croquant au Baileys et mousse au chocolat, cheese-cake au citron vert et à la vanille, sorbet à la framboise, salade d'oranges; parfait de baies rouges à la pistache et au Grand Marnier, poire pochée au „Gewürztraminer", coulis de fruits des bois; terrine de mangue et de vanille, tarte au chocolat amer, crème glacée à la banane, sauce au citron vert et mangue.

**Drei von vier Desserts.** Zitrus- und Joghurtcreme mit Mangovariation, Apfel-Tatin mit Guave- und Brombeermousselin und gewürzter Brombeersauce; Ananasmousse mit Haselnusströffel, Sesamkruste und Ananas-Sonnenblumenkern-Frühlingsrolle, Haselnuss-Vanille-Sauce; Earl-Grey-Tee-Zitronengelee-Terrine, Karkadesorbet.

**Three of four desserts.** Citrus and yoghurt cream with mango medley; apple tatin with guava and blackberry mousselin and spiced blackberry sauce; pineapple mousse with hazelnut trifle, sesam crust and pineapple-sunflower seed spring roll, hazelnut-vanilla sauce; Earl Gray-lemon jelly terrine, karkade sorbet.

**Trois parmi quatre desserts.** Crème aux agrumes et yaourt et mélange de mangues; tarte tatin aux pommes à la mousseline de goyave et mûre et sauce de mûres aux épices; mousse d'ananas et diplomate aux noisettes, croûte de sésame et rouleau de printemps à l'ananas et aux graines de tournesol; sauce noisettes-vanille; terrine de gelée à l'earl grey et au citron, sorbet au karkadé.

**Vier Desserts.** Mousse aus Milchschokolade mit Vanilleparfait, Majari-Ganache; Mousse von arktischen Himbeeren, Mandelkuchen, Rosmarincreme; Terrine von karamellisierten Äpfeln und weißer Schokolade, Bayerische Creme von Granny-Smith-Äpfeln, in Rotwein gedünsteter Apfel; gelierte Consommé aus Seedornbeeren und Moosbeerentapioka.

**Four desserts.** Mousse from milk chocolate with vanille parfait, Majari Ganache; mousse from arctic raspberry almond cake, rosmary cream sauce; terrine from caramelised apples and white chocolate, bavarois from Granny Smith apples, in red wine steamed apple; jellied consommé from sallow thorn berries with cranberry tapioca.

**Quatre desserts.** Mousse au chocolat au lait et parfait à la vanille, ganache majari; mousse aux framboises arctiques, gâteau aux amandes, crème au romarin; terrine de pommes caramélisées et de chocolat blanc, bavarois aux pommes granny smith, pommes étuvées au vin rouge; consommé en gelée de baies d'argousier et tapioca de canneberges.

**3 Kleine Torten.** Kaffee-Schokoladencremetorte; Erdbeer-Sahnetorte; Brombeer-Joghurttorte.

**3 Little cakes.** Coffee-chocolate-creme-cake; strawberry-cream cake; blackberry-yoghurt-cake.

**3 Petits gâteaux.** Gâteau à la crème café-chocolat; tarte á la crème aux fraises; gâteau au yaourt et aux mûres.

**3 Kleine Torten für sechs bis acht Personen.**

**3 Little cakes for six to eight persons.**

**3 Petits gâteaux pour six à huit personnes.**

**Vier Desserts.** „Ein Traum aus Passionsfrucht" mit Meringen; weißes Schokoladenmousse mit Mosaik aus karamellisierten Ananas; Calvados-Parfait mit Pistazienmousse; weiße Schokoladentartelette mit Himbeeren.

**Four desserts.** Passions fruit dream with italian meringue; white chocolate mousse served with mosaik of caramelised pineapple; parfait with calvados and pistachio mousse; white chocolate tartlets with raspberry.

**Quatre desserts.** Rêve de fruit de la passion et meringue italienne; mousse au chocolat blanc et mosaïque d'ananas caramélisé; parfait au calvados et mousse de pistaches; tartelettes au chocolat blanc et framboises.

**Vier Desserts.** Zitrus-Ricottamousse mit Blaubeer-Polentakuchen, Apfelparfait und Saskatoonkompott; Rieslingflammeri mit Himbeerlikörgelee, Schokoladen-, Erdbeer- und Vanille-Sorbet, Passionsfrucht und Erdbeersauce; Erdbeer-Zitronen-Mohntorte mit geschmackvoller Eiskrokette, Rote-Johannisbeer-Tarte, Himbeer- und Zitronensauce; Schwarzkirsch-Parfait mit warmem Brownie-Kuchen, Tarte mit Trockenfrüchten und Aprikosen-Orangen-Reduktion.

**Four desserts.** Citrus ricotta mousse with blueberry polenta cake, apple parfait and saskatoon berry compote; riesling blanc mange with raspberry cordial gelee, chocolate, strawberry and vanilla sorbets, passion fruit and strawberry sauce; strawberry lemon poppy seed tart with flavoured ice croquette, red currant tart, raspberry and lemon sauce; black cherry parfait with warm brownie cake, dried fruit tart and apricot orange reduction.

**Quatre desserts.** Mousse aux agrumes et ricotta et gâteau de polenta aux myrtilles, parfait aux pommes et compote de baies de Saskatoon; blanc manger au riesling et gelée au cordial de framboises, sorbets au chocolat, à la fraise et à la vanille, sauce aux fruits de la passion et aux fraises; tarte aux fraises et au citron et graines de pavot et croquette de glace aromatisée, tarte aux groseilles, sauce aux framboises et au citron; parfait aux cerises noires et brownie chaud, tarte aux fruits secs et réduction d'abricot et d'orange.

**Zwei Desserts.** Liaison von Erdbeer und Rhabarber; Schokoladencanelloni mit Feigenpraline und weißem Walnusseis.

**Two desserts.** Liasion from strawberry and rhubarb, chocolate canelloni with fig praline and white walnut ice cream.

**Deux desserts.** Liaison de fraises et de rhubarbe; canelloni de chocolat aux pralines à la figue et glace blanche aux noix.

**Kinderdessert.** Überraschungsdessert; Charlie Rivel Dessert; pharaonische Impressionen.

**Children dessert.** Surprise dessert; Charlie Rivel dessert; Pharaohnic impressions.

**Dessert enfant.** Dessert surprise; dessert Charlie Rivel; impressions pharaoniques.

**Petits fours.** Mascarponen-Rolle umhüllt mit Orangengelee, Toillebisquit; Vanillekekse mit Himbeercreme, Zimtmakrone und Mandelnougatine; Marzipan mit Mandelcreme, Pistaziensplitter; Rüblikuchen mit Safrancreme, getrocknete Orangenzesten; Joghurt und Honigfondant, Schattenmorellengelee.

**Petits fours.** Mascarpone roll wrapped in orange jelly, toille biscuit; bourbon biscuits with raspberry cream, cinnamon macaroon and almond nougatine; marzipan with almond cream, pistachio shaving; mini root cake with saffron cream, dried orange zest; yogurt and honey fondant, morello cherry jelly.

**Petits fours.** Roulé de mascarpone en gelée à l'orange, tuile; biscuits Bourbon et crème aux framboises, macaron à la cannelle et nougatine aux amandes; boule de massepain et crème d'amandes, copeaux de pistaches; mini gâteau et crème au safran, zeste d'orange séchée; fondant au yaourt et au miel, gelée aux griottes.

**Petits fours mit Schaustück „Geist im Wind".** Schokoladen-Erdnussbutter-Crêpe; Kaffee- und Passionsfrucht-Marshmallow; Orangen-Schokoladen-Martini; Himbeerfruchtpastete; Zitronen-Apfelgratin.

**Petits fours with showpiece „Spirit in the wind"**. Chocolate peanut butter crêpe; coffee and passions marshmallow; orange chocolate martini; raspberry pâté de fruits; lemon and apple gratin.

**Petits fours et pièce de démonstration „Esprit des bois".** Crèpe au chocolat et au beurre de cacahuètes; marshmallow au café et au fruit de la passion; martini à l'orange et au chocolat; pâte de framboises; gratin de citron et de pommes.

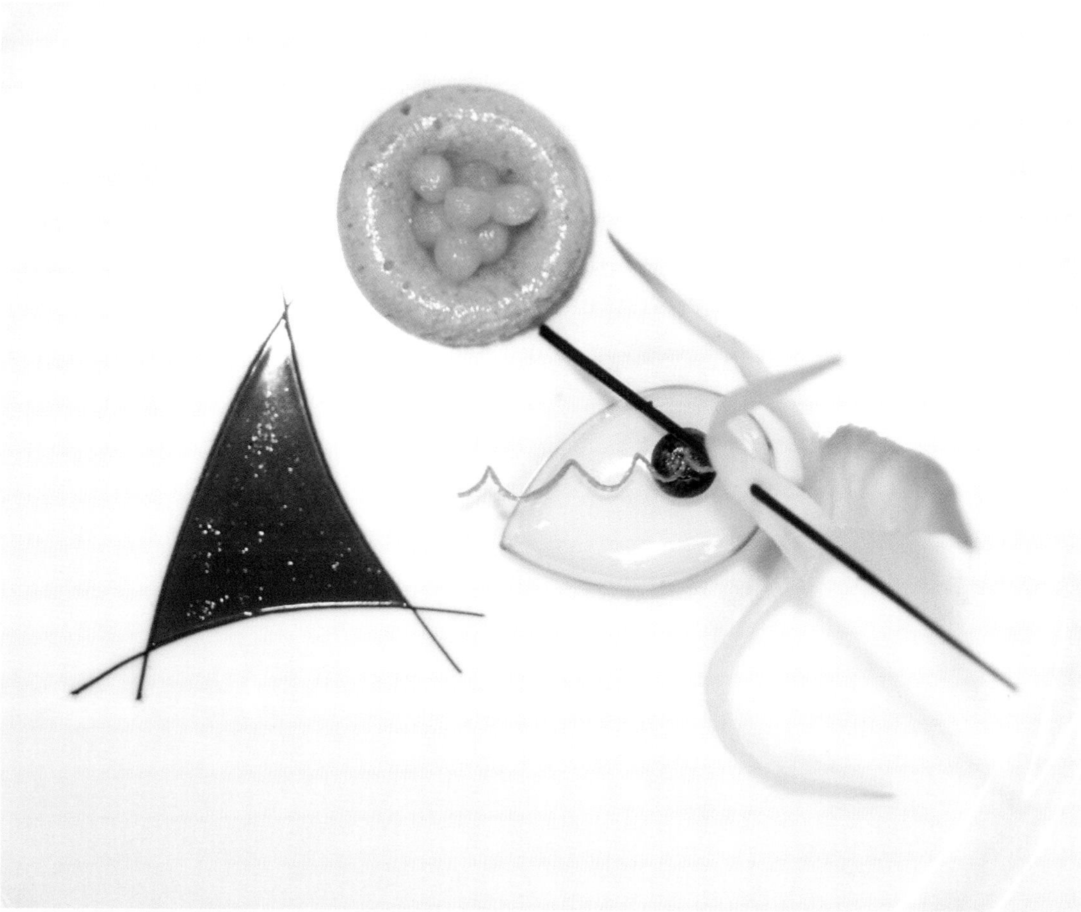

**Desserts.** Weißes Schokoladen-Himbeermousse; kleines Mangosavarin, Rote-Früchte-Sauce, Vanillehippe und Schokoladenstäbchen.

**Desserts.** White chocolate and raspberry mousse; small mango savarin, red fruit coulis, vanilla tuille, chocolate cigar.

**Desserts.** Mousse au chocolat blanc et aux framboises; petit savarin à la mangue, coulis de fruits rouges, tuile à la vanille, bâton au chocolat.

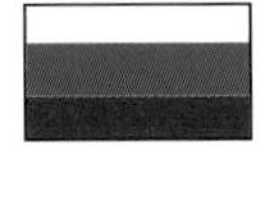

**5 exclusive Dessert.** Pfannkuchen mit Quark-Mohn-Creme, weißer Schokolade, Zedernnüssen, Honig-Mohn-Sauce, Karamellzucker; „Pik Dame": Nussbiskuit, Kaffeecreme, Pistazienpaste, Praline, Waffelstreusel, Schokolade- und Erdbeersauce, Himbeerpüree; „Die Jahreszeiten": Weichkäse mit Amaretto-Likör, schwarze Schokolade, Sahne, Ananas-Chips, frische Beeren; „Schmetterling": Melonen- und Mangopüree, pflanzliche Sahne, frisches Obst, Karamell, Zitrussauce, Brandteig.

**5 Exclusive desserts.** Pancakes with curd and poppy cream, white chocolate, cedar nuts, honey and poppy sauce, caramel; „Queen of spades": Dacquois biscuit, coffee cream, pistachio paste, praline, wafer crumbs, chocolate and strawberry sauces, raspberry puree; „Seasons": soft cheese, amaretto liqueur, black chocolate, cream, pinapple chips, fresh berries; „Butterfly": melon puree, mango puree, vegetable cream, fresh fruits, caramel, citrus juice, toulip daugh.

**5 Desserts exclusifs.** Crêpes, crème au fromage blanc et au pavot, chocolat blanc, noix de cèdre, sauce au miel et au pavot, caramel; „Dame de pique": biscuit dacquoise aux noix, crème au café, pâte à la pistache, praline, gaufres émiettées, sauces au chocolat et aux fraises, purée de framboises; „Saisons": fromage à pâte molle, liqueur d'amaretto, chocolat noir, crème, chips à l'ananas, baies fraîches; „Papillon": purée de melon et de mangue, crème végétale, fruits frais, caramel, sauce aux agrumes, pâte à choux.

**5 Petits fours.** Himbeergelee; schwedische Krapfen mit Zitronencreme; Kirschganache; Mandel-Gianduja; Likörpraline von Walderdbeeren.

**5 Petits fours.** Raspberry jelly; swedish doughnut with lemon cream; cherry ganache; almond gianduja; liqueur praline from woodstrawberry.

**5 Petits fours.** Gelée à la framboise; beignets suédois à la crème au citron; ganache aux cerises; amandes gianduja; praline à la liqueur de fraise des bois.

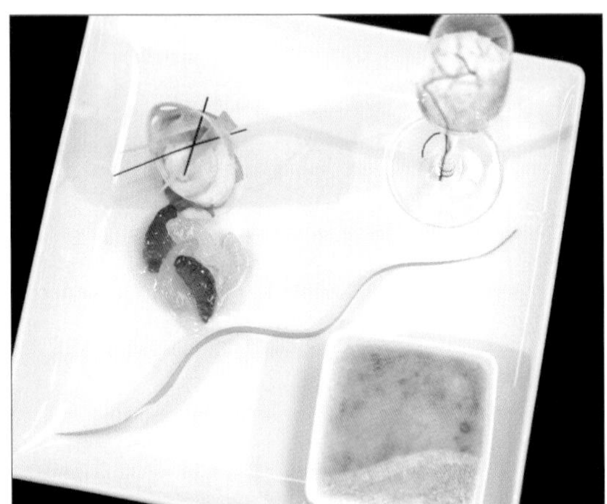

**4 Exclusive Desserts.** Mandarinencreme im Schokoladentütchen, marinierte Zitrusfrüchte und Orangengratin, Grapefruitgranita; Fotzelschnitte mit Zwetschgen, Dörrbirnen-Quark-Parfait und luftige Vanillecreme; Duett von Schokolade und Apfel mit Greyerzer Rahm, Waadtländer Schaumweinspeise mit Beeren; Fasnachtschüechli mit Johannisbeermousse, Kakaoglace und Pfirsichkompott.

**4 Exclusive desserts.** Tangerin bavarois in chocolate bags, marinated citrus fruit and orange gratin, grapefruit granita; dried pear curd parfait and dairy vanilla bavarois; duett from chocolate and apple with Greyerzer cream, Waadtländer sabayon with berries; red current mousse, cacao glace and peach compote.

**4 Desserts exclusifs.** Crème de mandarines en sachets de chocolat, agrumes marinés et gratin d'oranges, granité de pamplemousse; pain perdu aux quetsches, parfait aux poires sèches et au fromage blanc et crème légère à la vanille; duo de chocolat et pomme à la crème de Gruyère, entremets au vin mousseux du Vaud et aux baies; gâteaux de carnaval fasnachtschüechli et mousse de groseilles, glace au cacao et compote de pêches.

**5 Petits fours.** Ozeantraum: Blauer Curaçao und Anis; Basilikum-Erdbeeren; Zitronen-Thymian und Orange; Ingwer-Erdnuss-Nougat; Passionsfruchtgelee und Zitronengras-Ganache.

**5 Petits fours.** Dream of the ocean: Blue curaçao and anise; basil strawberry; lemon thyme and orange; ginger peanut nougat; passion fruit jelly and lemon grass ganache.

**5 Petits fours.** Rêve d'océan: blue curaçao et anis; fraises aux basilic; thym au citron et orange; nougat au gingembre et aux cacahuètes; gelée au fruit de la passion et ganache à la citronnelle.

**Zuckerschaustück.**

**Sugar showpiece.**

**Objet exposé de sucre.**

**5 Friandises.** Rum-Koriander Zuckerkruste; Trüffel „Pfirsich Melba"; Jacondebiskuit mit Vanille-Honig-Essig-Ganache; Mandelkrokant mit Tonkamarzipan; Apfelsafran-Petits-fours.

**5 Friandises.** Rum coriander sugar crust; truffel „peach melba", Jaconde biscuit with vanilla-honey-vinigar ganache; almond brittle with Tonka marzipan; apple-saffron.

**5 Friandises.** Croûte de sucre au rhum et à la coriandre; truffe „pêche melba"; biscuit de Jaconde et ganache vanille-miel-vinaigre; pralines aux amandes et massepain tonka; petit four aux pommes et au safran.

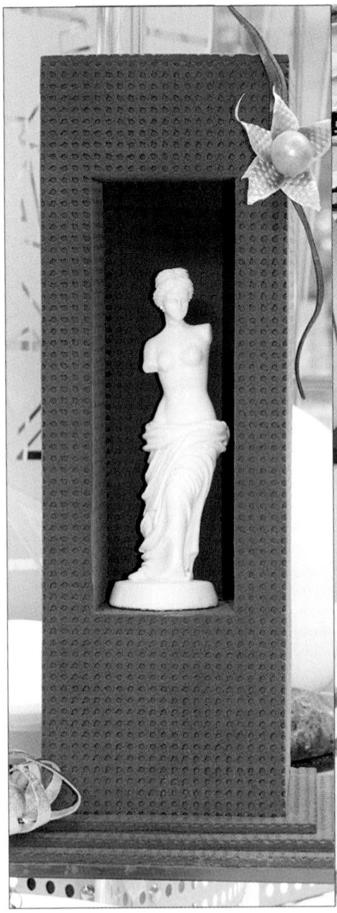

**Fünf Desserts.** Nougat Montélimar mit Kirsch-Ganache; Mandelbisquit; Kokoksmilch-Schokoladen-Praline; Pfefferminzcreme; Vanillemakrone und Zitronenspeise.

**Five desserts.** Nougat Montémilar with cherry ganache; almond biscuit; coconut milk choco praline; peppermint cream; vanilla macaroon and lemon curd.

**Cinq desserts.** Nougat de Montélimar et ganache aux cerises; biscuit aux amandes; praline de lait de coco et chocolat; pavé de crème à la menthe; macaron à la vanille et crème au citron.

**5 Petits fours.** Japonaisböden mit Honighippen, gefüllt mit Johannisbeermousse; Schnittpraline an Pistazienmürbeteig-Dreieck; Marzipan-Ganache-Roulade auf Hippenbogen; Nougat-Halbbogen mit Champagnertrüffel; Mandelmasse mit kandierten Früchten auf zweifarbigem Schokoladenring.

**5 Petits fours.** Japanese sponge with honey hippen pastry with red current mousse; cut praline on shortbread pistachio pastry triangle; marzipan ganache roulade on pastry bow, nougat half bows with champagne truffel; almond  base with candied fruits on a two coloured chocolate ring.

**5 Petits fours.** Fond japonais aux croissants secs au miel fourrés de mousse de groseilles; praline en coupe sur triangle de pâte brisée aux pistaches; roulade de massepain et de ganache sur arc de croissants secs; demi-cercle de nougat et truffes au champagne; pâte aux amandes et fruits confits sur anneau de chocolat bicolore.

**5 Käse-Petits-fours.** Asiago mit Himbeergelee, Kartoffel-Cannolo mit Ziegenkäse und gedörrtem Lauch; Schafskäse mit Balsamico-Meringue, Zwiebelmarmelade mit gepfeffertem Schokoladenflügel; Caciovallo-und Castelmagno-Käse, serviert mit gefüllter Nudel mit Rabiolakäse, Lavendel und Schokolade; Vezzena mit getrockneten Tomaten, Reisteig mit Gorgonzolamousse und Kirschen; Senffeigen mit Schafskäse, Kürbis-Pistazien-Marmelade mit Chianti-Karamell.

**5 Cheese petits fours.** Asiago with raspberry jelly, potato cannollo with goat cheese and dried leek; sheep's milk cheese with balsamic vinegar meringue, onions jam with a peppered white chocolate wing; Caciovallo and Castelmagno cheese with a fried cream puff pasta, with Rabiola cheese and lavander flute and chocolate; Vezzena with dried tomato, phillo pasta with Gorgonzola mousse and cherry; figs into mustard with sheep's milk cheese, pumpkin and pistachios jam served with Chianti caramel.

**5 Petits fours au fromage.** Asiago et gelée à la framboise, cannollo de pommes de terre au fromage de chèvre et poireau séché; fromage de brebis et meringue au balsamique, confiture d'oignons et aile de chocolat blanc poivrée; caciocavallo et castelmagno en pâte feuilletée à la crème, rabiola, flûte à la lavande et chocolat; fromage de Vezzena et tomates séchées, pâte filo à la mousse de gorgonzola et cerises; figues à la moutarde et fromage de brebis, confiture de potirons et de pistaches au caramel de chianti.

**Drei Torten.** Rhabarber-Erdbeer-Torte mit Rhabarberglasur, Birnenmousse und Vanille-Birnen-Kompott auf Pistazien mit Schokoladencreme; Schokoladen-Maulbeeren-Torte mit Kronsbeeren-Pannacotta und Marmelade auf einer braunen Basis mit Kaffeetrüffel; Frischkäse- und weiße Schokoladenmousse-Torte mit Blaubeerkompott, mit Anis gewürzter Nougat und Himbeerkonfitüre auf Ingwerboden.

**Three cakes.** Rhubarb and strawberry tart glazed with rhubarb treacle, pear mousse and pear vanilla compote on a double pistachio with a smooth chocolate cream; chocolate and cloudberry tart with lingonberry pannacotta and marmelade on a brownie base spread with coffee truffle; cream cheese and white chocolate mousse tart filled with blueberry compote, a crispy plate of anise-spiced nougat and raspberry jam on a soft ginger bread.

**Trois tartes.** Tarte à la rhubarbe et aux framboises glacée à la mélasse de rhubarbe, mousse de poires et à la compote de poires à la vanille sur une double base à la pistache et crème au chocolat onctueuse; tarte au chocolat et ronce petit-mûrier fourrée de pannacotta aux airelles et de marmelade, truffe au café; tarte au fromage frais et à la mousse au chocolat blanc fourrée de compote de myrtilles, plaque croquante de nougat à l'anis et aux épices et confiture de framboises sur une base tendre de pain au gingembre.

Team Milko

**Petits fours.** Pflaumen-Nuss-Creme und Sesam mit Kirschsauce; leichtes Schokoladenmousse und Orangenmarmelade auf Schokoladenbasis, Maulbeerencreme und Likör-Karamell auf einem dunklen Schokoladentrüffel; Bayerische Vanille-Wein-Creme auf Mandelbasis mit weissen Trüffeln und schwarzem Johannisberrgelee; Apfel- und Holundermousse auf Apfelsauce.

**Petits fours.** Cream of plum on a base of nuts and sesam seeds with cherry sauce; light chocolate mousse and orange curd on a chocolate base; cloudberry cream and liquorice caramel on a dark short with chocolate truffle; vanilla and ice wine bavaroise on a almond base with white truffle and blackcurrant jelly; apple and elderberry mousse on a dacquass base with apple sauce.

**Petits fours.** Crème de prunes sur base de noix et graines de sésame, sauce aux cerises; mousse légère au chocolat et crème à l'orange sur base au chocolat; crème de ronce petit-mûrier et caramel au réglisse sur alcool sombre et truffe au chocolat; bavaroise à la vanille et au vin de glace sur base d'amandes à la truffe blanche et à la gelée au cassis; mousse aux pommes et baies de sureau sur base de dacquoise à la sauce aux pommes.

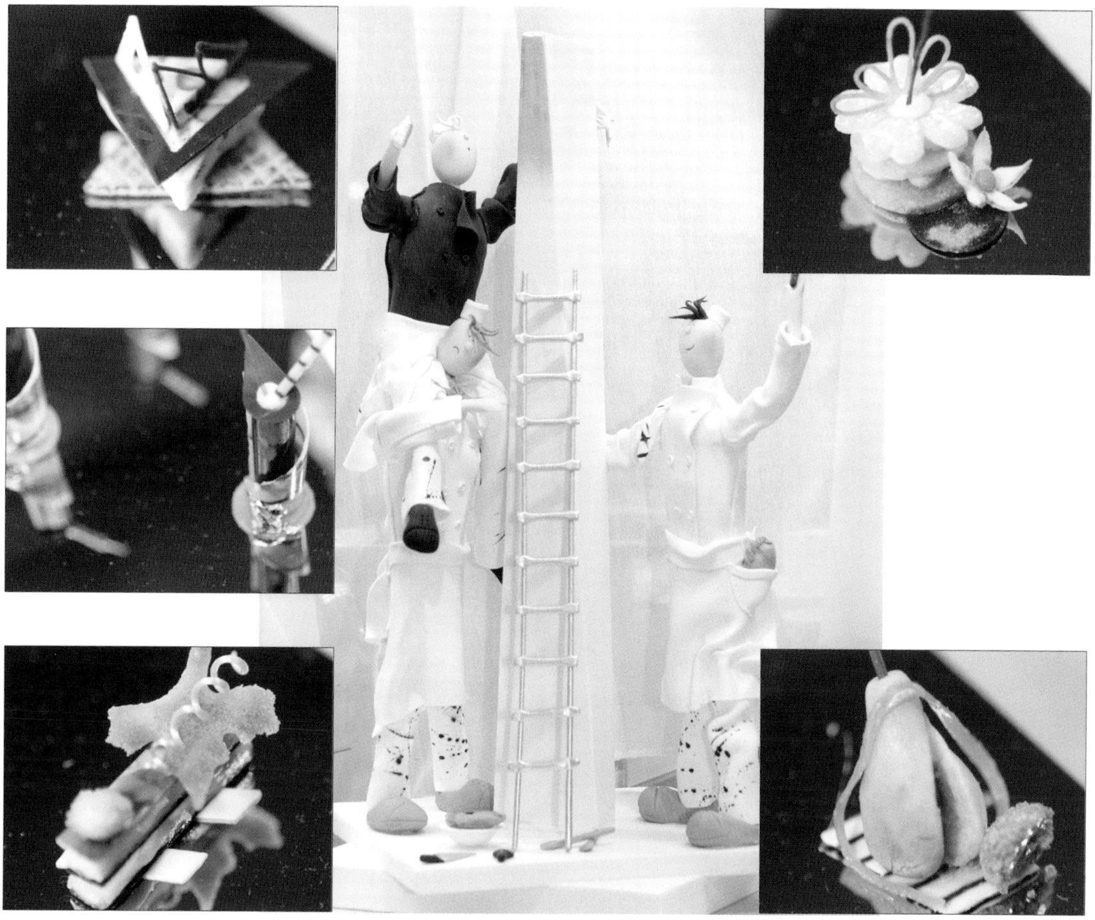

**Petits fours.** Pfirsichtrüffel mit Gelee; Ausdruck von Schokoladen- mit Pistaziencreme; Lavendel-Nougat; Haselnusskeks mit Orangenblüten; Williams Birnen mit Mandeln.

**Petits fours.** Peach truffle with archers jelly; chocolate expression with pistachio cream; lavender nougat; hazelnut sable with orange blossom; almond and pear William fruit.

**Petits fours.** Truffe à la pêche et gelée archers; expression de chocolat et crème à la pistache; nougat à la lavande; sablé aux noisettes et fleur d'orange; amandes et poire William.

**Pralinen.** Blutorangenpraline mit Muskat und Baiser; Nougat Montélimar mit Pistazien; Cassisganache mit Sanddorngelee; Haselnuss-Likör-Creme mit Himbeergeist und Criollo-Kakao; Mandelgianduja mit Amaretti.

**Pralines.** Blood orange praline with nutmeg and meringues; nougat Montélimar with pistachio; cassisganache with sallow thorn jelly; hazelnut liqueur cream with raspberry brandy and criollo cacao; almond gianduja with Amaretti.

**Chocolats.** Chocolat à l'orange sanguine, au muscat et à la meringue; nougat de Montélimar aux pistaches; ganache au cassis et gelée à l'argousier; crème de liqueur aux noisettes, eau-de-vie de framboises et cacao au criollo; gianduja aux amandes et amaretti.

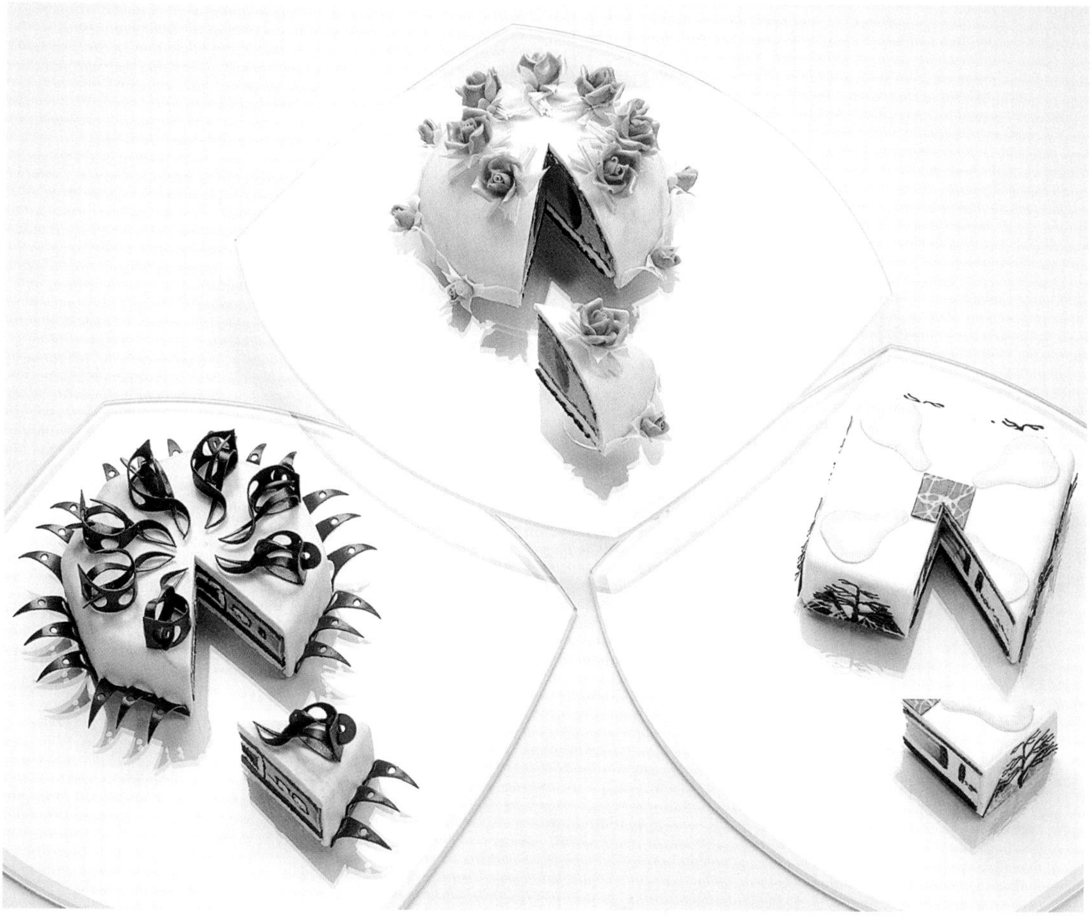

**3 Kleine Torten.** Nusstorte; Birnentorte; Pfirsichtorte.

**3 Little cakes.** Nut cake, pear cake, peach cake.

**3 Petits gâteaux.** Gâteau aux noix; gâteau aux poires; gâteau aux pêches.

**4 Desserts.** Trio von Schokolade; Kürbis- und Mascarponemousse; Birnenmousse mit Grießkuchen; Schokoladen-Kumquat-Bombe.

**4 Desserts.** Trio of chocolate; pumpkin and mascarpone mousse; pear mousse with semolina cake; chocolate and Kumquat bomb.

**4 Desserts.** Trio de chocolat; mousse à la citrouille et à la mascarpone; mousse de poires et gâteau de semoule; bombe au chocolat et Kumquat.

**4 Desserts.** Gewürz-Schokoladen-Kuchen, zwei Weingelees; Bayerische Zimtcreme, Pistazienmousse mit Aprikosen; Kürbispudding mit violetten Tomaten und grüner Eiscreme; Mousse von Sojamilch mit Cappuccinosauce.

**4 Desserts.** Spicy chocolate cream, two kinds of grape jelly; cinnamon bavarois, pistachio mousse, apricot; pumpkin pudding with purple potato and green ice cream; mousse of soyamilk with sauce cappucino.

**4 Desserts.** Crème au chocolat épicée, deux sortes de gelée au raisins; bavarois à la cannelle, mousse de pistaches, abricot; poudding à la citrouille, pomme de terre violette et crème glacée vert; mousse de lait de soja, sauce cappuccino.

**Drei festliche Desserts.** „Süßes Venedig": Pannacotta mit Himbeeren, knusprigen Keksen, Kiwi und Aprikosensauce; „Schönheiten im Herbst": Amphore gefüllt mit Nussmousse, Pralinensauce, Apfelquiche mit Zimt; „Warmer Schauer": Mond von Schokolade mit Ganachekern, Passionsfruchtperlen, englische Anissauce mit Fenchelgeschmack.

**Three festive desserts.** "Sweet venice": pannacotta with raspberries, briccole and oar in crisp biscuit, kiwi and apricot sauce; "Delight in Autumn": amphora stuffed with nut mousse, pralina sauce, apple quiche with fund of cinnamon; "Warm shiver": moon of chocolate cake with ganache heart, passions fruit pearl, english anis sauce and fennel flavour.

**Trois desserts de fête.** «Douce Venise»: crème fouettée cuite et palet aux framboises, briccole et rame en biscuit croquant, sauce au kiwi et à l'abricot; «Délice d'automne»: vase amphore empli de mousse aux noix, sauce praline, quiche aux pommes sur fond de cannelle; «Frisson chaud»: lune de gâteau au chocolat au coeur de ganache, perle de fruit de la passion, sauce anglaise à l'anis parfumée au fenouil.

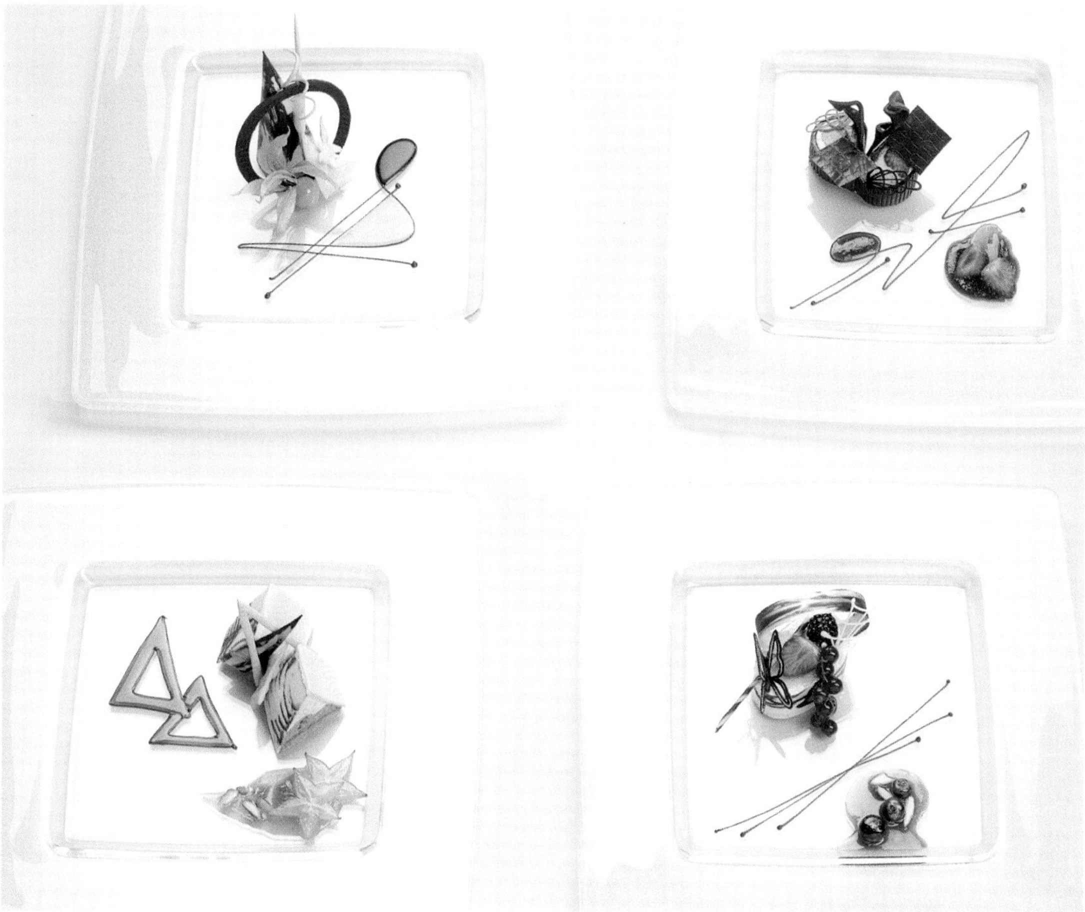

**4 Desserts.** Feine Fruchtcremefüllung; Fruchthörnchen mit Schokoladengeschmack; feine Kokosnusscremefüllung mit Früchten; Fruchtcremedessert mit Karamell.

**4 Desserts.** Fine creamly filling; fruit scone with chocolate taste; fine creamly cocoa filling with fruits; fruit-creamly dessert with caramel.

**4 Desserts.** Fine farce crémeuse; cible de fruits target ragoût chocolat; fine farce crémeuse de cacao aux fruits; dessert crémeux aux fruits et caramel.

**Drei von fünf Desserts.** Passionsfrucht und Blutorangentartelette, serviert mit Mangoeis, pfannengeschwenkte Orangenstücke mit Kardamom, Mandarinen- und Karamellparfait mit Tapioka, Kokosnussmousse und Wildbeerensauce; Schokoladenbrownies mit Frucht-Pannacotta; Grünteesorbet und Safransauce mit Blaubeeren.

**Three of five desserts.** Passions fruit and blood orange tart served with mango ice cream, pan seared orange segments with cardamom; mandarin and caramel parfait with tapioka, coconut mousse and wild berry sauce; chocolate brownies with fruit pannacotta, green tea sorbet and saffron sauce with blueberries.

**Trois desserts parmi cinq.** Tarte au fruit de la passion et orange sanguine servie avec une crème glacée à la mangue, segments d'orange à la poêle et cardamome; parfait à la mandarine et au caramel mousse au tapioca et à la noix de coco et sauce aux baies sauvages; brownies au chocolat et pannacotta aux fruits, sorbet au thé vert et sauce au safran et myrtilles.

**Desserts.** Rhabarber-Erdbeer-Frühlingsrolle mit Ingwersauce, Rhabarbereis, Früchtekebab in Champagnergelee; Schokoladen-Karamell-Creme, Kirscheis, Schokoladenmousse, Haselnuss-Sabayon, Kirschaspik, Zitronensauce; Eis von Vanilleparfait und Beerensorbet, weiße Schokolade, Fruchtsalat, Karamellsauce; Waffeltüte mit Aprikosen, Zitronen und Müslibasis, Safran-Orangen-Honig, Zitronenmakrone.

**Desserts.** Rhubarb and strawberry spring rolls with ginger sauce, rhubarb ice cream with a fruit kebab in champagne jelly; chocolate creme caramelle, cherry ice cream, dark mousse au chocolat, hazelnut sabayon, cherry aspik, lemon sauce; ice cream of vanilla parfait and berries sorbet, white chocolate, fruit salad, caramel sauce; cone with apricots, lemon and musli base, safron-orange honey, lemon macaron.

**Desserts.** Rouleaux de printemps à la rhubarbe et aux fraises, sauce au gingembre et crème glacée à la rhubarbe servi avec un kebab de fruits en gelée au champagne; crème caramel au chocolat avec crème glacée à la cerise et mousse au chocolat noir servie avec un sabayon aux noisettes, un aspic de cerises et une sauce au citron; nouvelle crème glacée noble de parfait à la vanille et sorbet aux baies servie avec du chocolat blanc, une salade de fruits d'hiver et une sauce caramel; cône de yaourt aux abricots, base de muesli et de citron au granité de citrouille, miel au safran et à l'orange, servi avec un macaron au citron.

**5 Petits fours.** Aprikosen- und Himbeergeleewürfel auf Schachbrettplätzchen; Ahornsirupcreme in Milchschokolade; Pistazienhalva mit kandierten Früchten auf Schokoladenplätzchen; Mandelkuchen mit Waldbeerencreme auf Schokoladen-Zitronen-Marzipan-Boden; Schokoladenganache mit Kumquat auf Schokoladenpralinenblume.

**5 Petits fours.** Apricot and raspberry jelly cube on a checkerboard cookie; maple syrup cream teardrop with marzipan leaf; pistachio halva with candied fruits on a chocolate cookie base; almond cake in a chocolate forrest berry on a lemon and chocolate marzipan base; ganache with Kumquat on a praline flower.

**5 Petits fours.** Cube de gelée à l'abricot et à la framboise sur gâteau échiquier; larme de crème au sirop d'érable en chocolat au lait sur feuille de massepain; halva aux pistaches et fruits confits sur base de biscuit au chocolat; gâteau aux amandes et crème au chocolat et fruits des bois sur base de massepain au citron et auch chocolat; ganache au chocolat et Kumquat sur fleur de praline au chocolat.

**5 Petits fours.** Kekse von japanischem Tee; Brillant-Zuckerkuchen; Karamellnougat; Sahnekuchen von Maracuja; Mille feuille von Schokolade.

**5 Petits fours.** Biscuit of japanese green tea; brilliant sugar cake; caramel nougat; cream cake of passion fruit; millefeuille of chocolates.

**5 Petits fours.** Biscuit au thé vert japonais; gâteau brillant au sucre; nougat au caramel; gâteau à la crème au fruit de la passion; mille-feuille de chocolats.

*Team AJCA Kansai*

**Drei Torten.** Kastanientorte mit Sesam; Torte von roten Früchten; Torte von Pistazien und Kokosnuss.

**Three cakes.** chestnut and sesam cake; cake of red fruits; coconut and pistachio cake.

**Trois gâteaux.** Gâteau aux châtaignes et au sésame; gâteau aux fruits rouges; gâteau à la noix de coco et à la pistache.

**5 Petits fours.** Cappuccinomousse mit Karamellgelee auf Schokoladenboden; kleiner Windbeutel auf Nougat mit Pralinencreme; kandierter Passionsfruchttrüffel; Blaubeer-Pannacotta auf Sabléboden mit Schokoladen-Karamell-Flan; Milchschokoladenmousse mit Himbeerkonfitüre.

**5 Petits fours.** Cappucino mousse with caramel jelly on chocolate cookie; small chou bun on nougat with chocolate cream; candied passion-fruit truffle; blueberry pannacotta on sablé with chocolate caramel tart; milk chocolate mousse and raspberry marmelade.

**5 Petits fours.** Mousse au cappuccino et gelée au caramel sur fond de chocolat; petit chou de nougat à la crème pralinée; truffe de fruit de la passion confit; pannacotta aux myrtilles sur fond sablé et flan au chocolat et au caramel; mousse au chocolat au lait et marmelade de framboises.

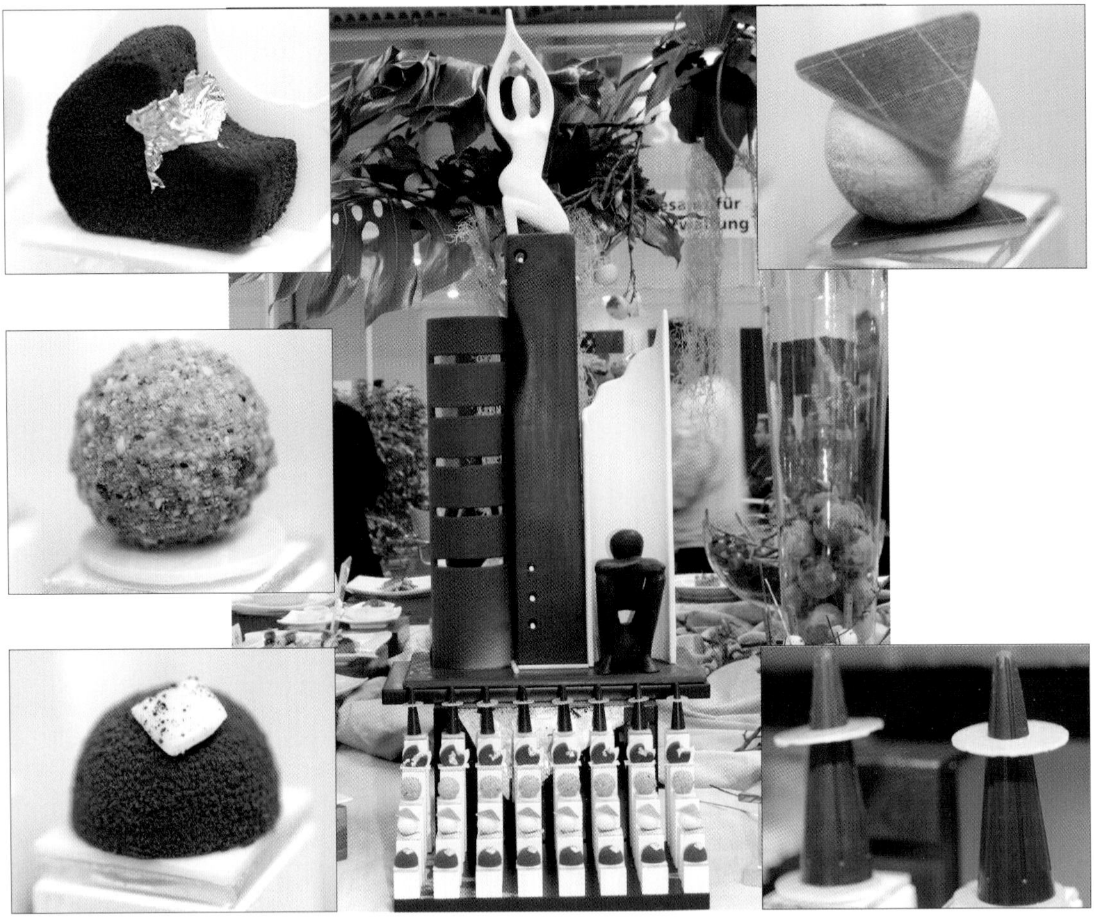

**Schokolade.** „Herz des Smaragdes“: Ganache in Pistazie; „vier Gewürze“: Ganache mit Gewürzen; „Caracalla“: Ganache mit Cognac; „Magadi“: Ganache mit Kokosnuss; Ganache mit Kaffee.

**Chocolates.** "Heart of emerald": ganache with pistachio; "four spices": ganache with spices; "Caracalla": ganache with cognac; "Magadi": ganache with coconut; ganache with coffee.

**Chocolats.** «Coeur émeraude»: ganache à la pistache; «quatre-épices»: ganache aux épices; «caracalla»: ganache au cognac; «magadi»: ganache à la noix de coco; ganache au café.

**4 Desserts.** Grießsouffle auf Waldbeerlikör, Thymianeis, Pfirsichragout, Essigsauce; Orangentörtchen mit grünem Pfeffer mit Buttermilchparfait, Kirschsauce, Fruchtkrokant; Apfelmousse in der Marzipan-Zuckerkruste mit Teesorbet, gebackene Brennesseln, Apfelsauce, Sabayonne; Birnen-Lavendel-Creme in der Schokoladenwelle, Quittensauce, Rundkornreis mit Rosenwasser.

**4 Desserts.** Semolina soufflé on wild berry liqueur, thyme ice cream, peach ragout, vinigar sauce; orange tarts with green pepper and buttermilk parfait, cherry sauce, fruit briddle; apple mousse in a marzipan sugar crust with tea sorbet, fried stinging nettels, appel sauce, Sabayonne; pear and lavender cream in a chocolate wave, quinces sauce, rice with rosewater.

**4 Desserts.** Gâteau de semoule sur liqueur de baies sylvestres, glace au thym, ragoût de pêches, sauce au vinaigre; tartelette aux oranges et poivre vert, parfait au petit-lait, sauce aux cerises, praline aux fruits; mousse aux pommes en croûte de massepain et sucre au sorbet de thé, orties au four, sauce aux pommes, Sabayonne; sauce de poire et lavande avec une vague de chocolat, sauce au coing, riz avec l'eau de rose.

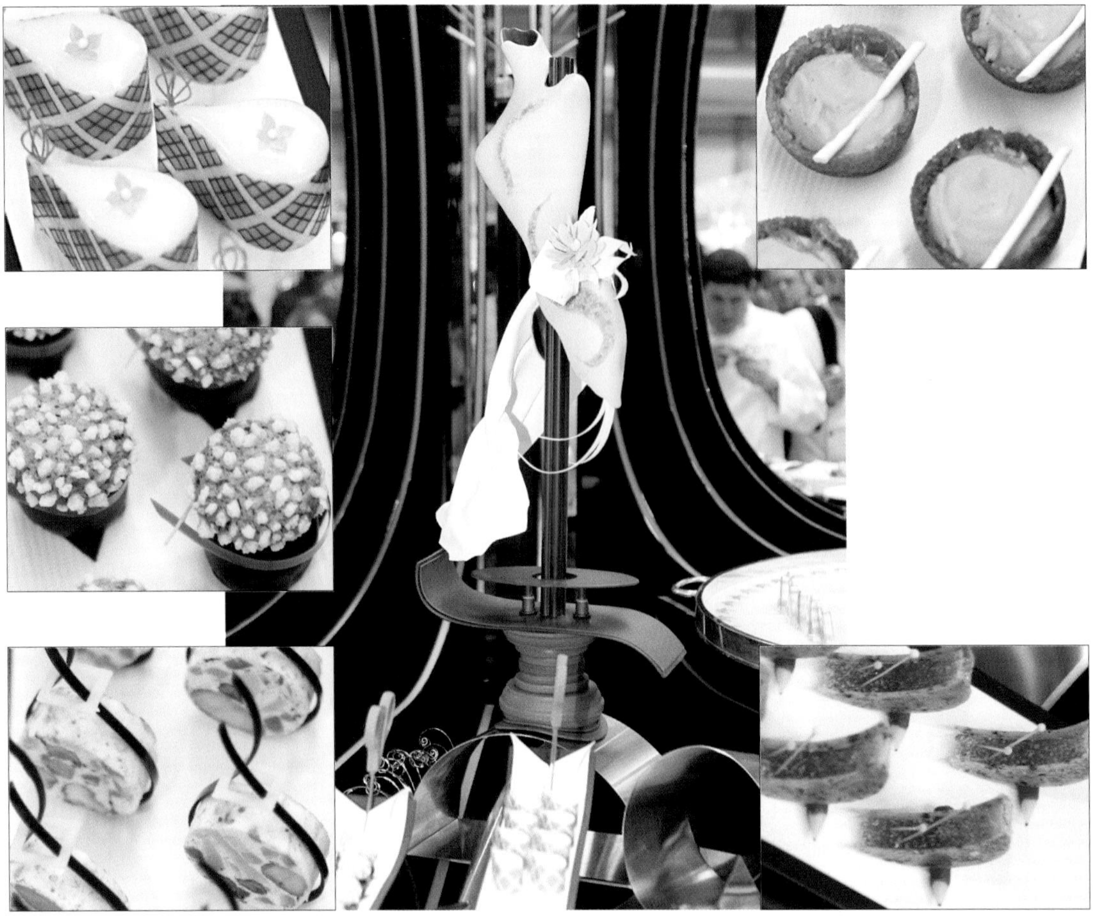

**5 Petits fours.** Pistazien-Mandelnougat-Schnitte; Zitronenlagen mit Fondant-Schokoladen-Auflage; Makronentasse mit Mangocreme und Guavenspirale; Amarettogebäck mit Cappuccinofüllung, Schokoladen- und Espressoeis; Aprikosengelee, Haselnusskrokant.

**5 Petits fours.** Pistachio almond nougat slice; lemon layers topped with fondant in a chocolate wrap; macaroon cup with mango cream and guava twist; amaretto cookie, cappuccino filling, chocolate espresso ice cream; apricot jelly, hazelnut croquant.

**5 Petits fours.** Tranche de nougat à la pistache et aux amandes; fourrés au citron en couverture de chocolat sous fondant; tasse de macaron crème à la mangue et tortillon de goyave; cookie à l'amaretto fourré cappuccino, glace au chocolat espresso; gelée à l'abricot, croquant aux noisettes.

**5 Petits fours.** Apfel-Calvados-Mousse in Schokoladenrolle; Möhren-Genoise mit Lagen von grüner Tee-Butter-Creme und Rumsirup; Milchschokolade und Passionsfrucht auf Mürbekeks; Pistazien-Makronen-Sandwich mit Kirschmousseline; Zitronen-Orangen-Creme, umhüllt mit weißer Schokolade.

**5 Petits fours.** Appelcalvados mousse in a chocolate roll; carrot genoise with layers of green tea butter cream and rum syrup; milk chocolate and passion-fruit on sable; pistachios macaroon sandwich with cherry mousseline; lemon orange cream wrapped in white chocolate.

**5 Petits fours.** Mousse aux pommes et au calvados en rouleau de chocolat; génoise de carottes fourrée de crème au beurre et au thé vert et de sirop de rhum; chocolat au lait et fruits de la passion sur biscuits mousseline; sandwich aux pistaches et aux macarons à la mousseline de cerises; crème au citron et à l'orange en voile de chocolat blanc.

**5 Petits fours.** Kiwiganache; süße Überraschung; Ingwerpyramide; Haselnuss-Pralinen-Creme; Zimtganache.

**5 Petits fours.** Kiwi ganache; sweet surprise; ginger pyramids; hazelnut praline cream; cinnamon ganache.

**5 Petits fours.** Ganache au kiwi; surprise sucré; pyramides au gingembre; crème pralinée aux noisettes, ganache au cannelle.

**4 Desserts.** In Rum eingelegte Früchte und Apfel-Polenta-Bombe; in Himbeeren pochierte Birnen und Vanille-Pannacotta; tropischer Becher; weißes und dunkles Schokoladenmousse.

**4 Dessert.** Rum cured fruit and apple polenta bombe; raspberry poached pear and vanilla pannacotta; tropical coupe; white and dark chocolate mousse.

**4 Desserts.** Fruits séchés au rhum et bombe de polenta aux pommes; poire pochée à la framboise et pannacotta à la vanille; coupe tropicale; duo de mousses au chocolat blanc et noir.

**Schaustück.** „Klassische Phantasie": traditioneller Früchtekuchen gefüllt mit Karottenmousse serviert mit Weinbrand-Sabayon.

**Show piece.** "Classical fantasy": traditional fruit cake filled with carrot mousse served with brandy sabayon.

**Pièce d'exposition.** «Fantaisie classique»: gâteau aux fruits traditionnel fourré à la mousse de carottes et servi avec un sabayon au cognac.

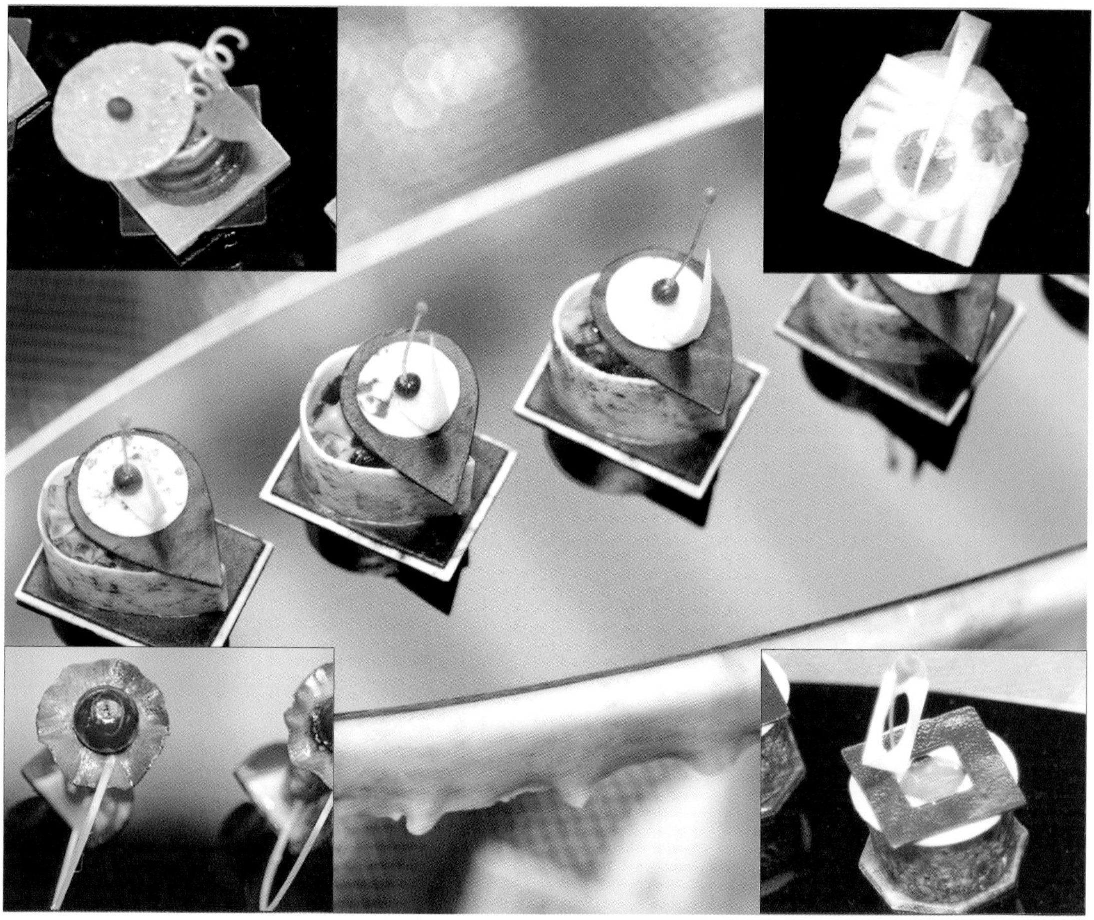

**5 Petits fours.** Weiße Schokolade und Kokosnuss-Butter-Toffee mit Baileyscreme; Waffeltüte gefüllt mit Beerenkompott; gerösteter Sesam und Juggery Toffee-Creme-Pralinen; Schokoladentropfen gefüllt mit weißem Gelee und Mangojoghurt; gebackene Buchweizentülle, gefüllt mit Milchschokoladenmousse.

**5 Petits fours.** White chocolate and coconut toffee with baileys cream; wafer corn filled with berry compote; roasted sesam and juggery toffee cream praline; chocolate tear drop filled with jelly and mango joghurt; baked buck wheat tulle filled with milk chocolate mousse.

**5 Petits fours.** Caramel au chocolat blanc et à la noix de coco et crème au baileys; cornet de gaufre à la compote de fruits rouges; sésame grillé et praline à la crème de caramel au beurre et sucre juggery; larme de chocolat à la gelée et yaourt à la mangue; tuile de sarrasin au four emplie de mousse au chocolat au lait.

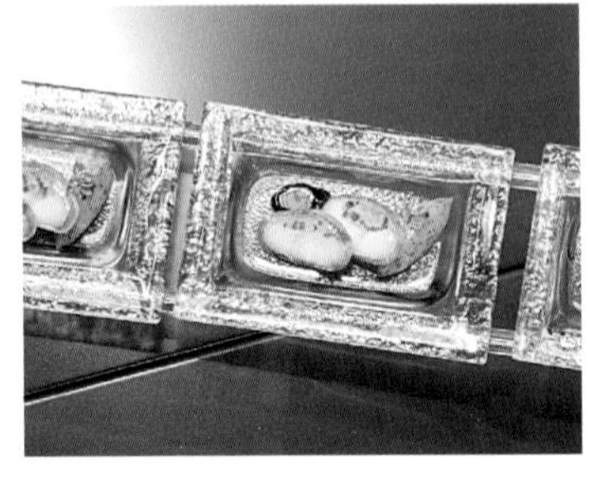

# Schaustücke, Tafelaufsätze und Dekorationsstücke

# Showpieces, Table Decorations and Decorative Items

# Pièces d'exposition, surtouts de table et pièces de décoration

**Fettarbeit.** „Besinnung".

**Works in fat.** "Reflections".

**Travail en graisse.** «Connaisance».

**Kürbis-Schnitzerei.**

**Pumpkin artistry.**

**Sculpture de potiron.**

Chaminda Gamade

**Schaustücke Früchte- und Gemüsearbeit.** „Sag es mit Blumen".

**Showpiece fruits and vegetables.** "Say it with flowers".

**Pièce d'exposition fruits et légumes.** «Dites-le avec des fleurs».

**Arbeit in Salzteig.**

**Work in salt dough.**

**Travail en pâte salée.**

*Team Compass Group, Richard Surman*

**Fettarbeit.** „Frechdachs".

**Works in fat.** "The Cheeky Chap".

**Travail en graisse.** «L'effronté».

**Geknetete Teigarbeit.** Marilyn, Damen auf dem Balkon, Akt.

**Dough pastry work.** Marilyn, madams on the balcony, nude.

**Pâte modelée.** Marilyn, madames sur le balcon, nue.

**Kochschule.** Gulaschbaum aus Salzteig; im Baum sind die Zutaten eines Gulaschgerichts.

**Cooking school.** Goulash tree from salt pastry; in the tree are the same ingredients as in the goulash dish.

**École de cuisine.** Arbre de goulasch en pâte salée; l'arbre comporte les ingrédients du goulasch.

**Schnitzerei aus Gemüse und Obst.**

**Carving from vegetables und fruits.**

**Sculpture de fruits et légumes.**

Schnitzerei aus Kokosnuss, Melone und Gemüse.

Carving from coconut, melon and vegetables.

Sculpture noix de coco, melon et légumes.

**Schaustück Früchte und Gemüsearbeit.** „Wilde Blumen".

**Showpiece fruits and vegetables.** "Wild flowers".

**Pièce d'exposition fruits et légumes.** «Fleurs sauvages».

**Fettarbeit.** „Waldharmonie in der Gasteiner Alpenregion".

**Works in fat.** "Forest harmony in the region of the Gasteiner Alps".

**Travail en graisse.** «Harmonie sylvestre dans la région alpestre de Gastein».

Käseschnitzerei.

Cheese carving.

Sculpture du fromage.

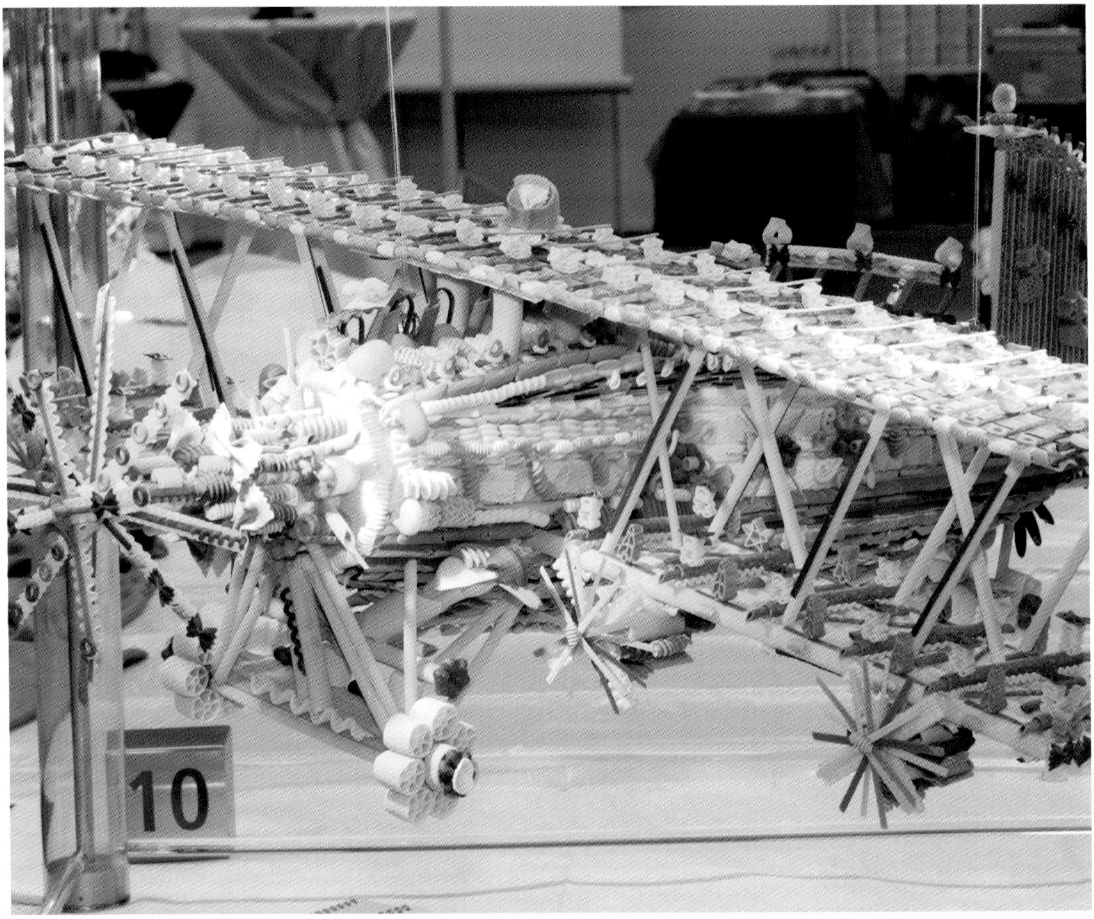

Claudio de Stefano

**Salzteig und Nudeln.**

**Salt dough and noodles.**

**Pâte salée et nouilles.**

Attila Breitenbach

**Kürbis- und Gemüse-Schnitzerei.**

**Pumpkin and vegetable carving.**

**Sculpture de potiron et légumes.**

Thomas Ulherr

**Bemalte Salzteigarbeit.** „Arabische Dau".

**Painted salt dough showpiece.** "Arabicau dhow".

**Travail en pâte salée colorée.** «Felouque».

*Thomas Ulherr*

**Bemalte Salzteigarbeit.** „Krabben".

**Painted salt dough showpiece.** "Prawns".

**Travail en pâte salée colorée.** «Crabes».

**Salzteigarbeit.** „Gemüse und Kürbis".

**Salt dough showpiece.** "Vegetables and pumpkin".

**Travail en pâte salée.** «Légumes et potiron».

**Salzteigarbeit.** „Kunst der Liebe".

**Salt dough showpiece.** "Art of Love".

**Travail en pâte salée.** «L'art d'aimer».

**Geknetete Teigarbeit.** „Infantin Margarita, Wien 1659, von Diego Velazquez".

**Pastry work.** "Infanta Margarita Wien, 1659, by Diego Velazquez".

**Travail en pâte.** «Infante Margarita Wien, 1659, de Diego Velazquez».

**Hochzeitstorte.** „Aphrodite und goldener Apfel".

**Wedding cake.** "Aphrodite and the golden appel".

**Gâteau de mariage.** «Aphrodite et la pomme d'or».

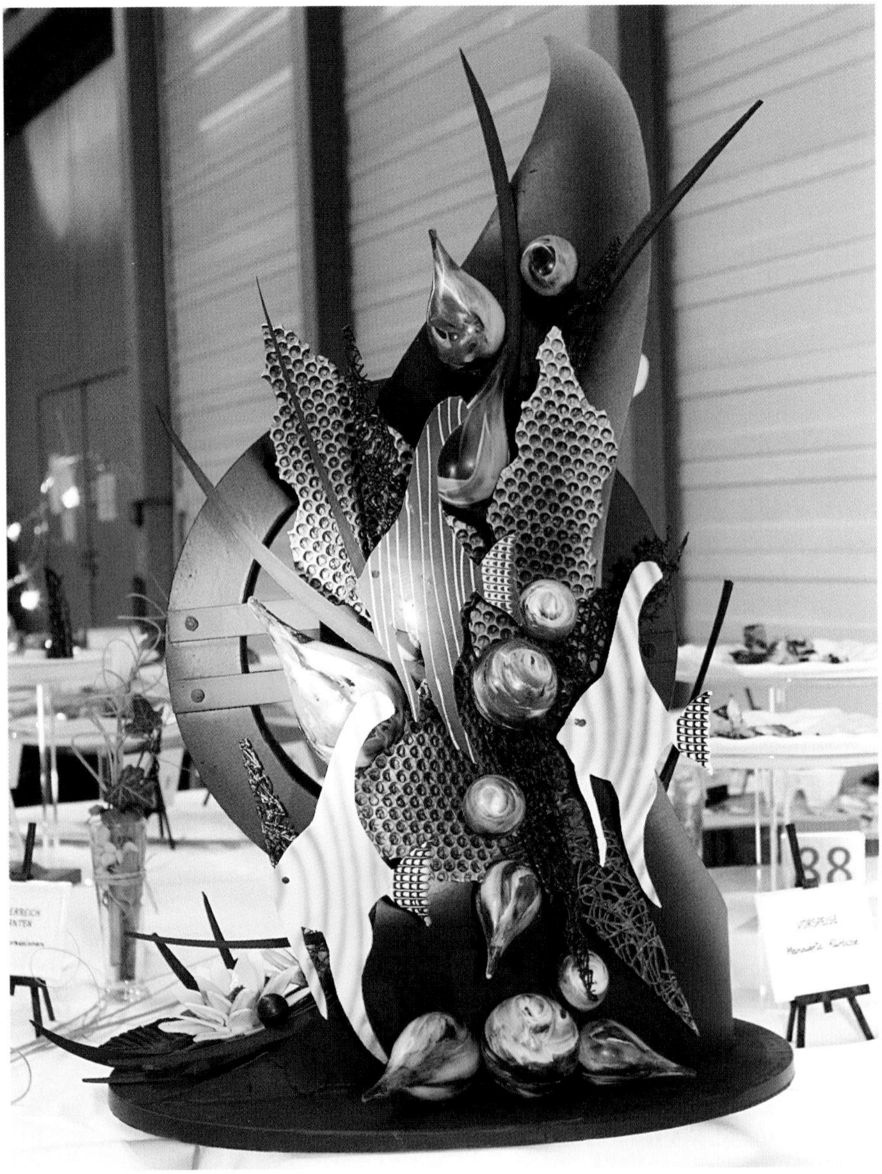

**Schaustück.** „Wasserreich Kärnten".

**Showpiece.** "Water pond Kaernten".

**Pièce d'exposition.** «La Carinthie aux mille cours d'eau».

**Schaustück.** „Elfenland".

**Showpiece.** "Land of the elves".

**Pièce d'exposition.** «Pays de l'elfe».

Laszlo Balogh

**Tragant.** „Buch".

**Tragant.** "Book".

**Astragale.** «Livre».

*Laszlo Balogh* 

**Tragant.** „Bild aus Ägypten".

**Tragant.** "Picture from Egypt".

**Astragale.** «Image d'Egypte».

**Patisserie-Schaustück.**

**Pastry showpiece.**

**Pièce d'exposition pâtisserie.**

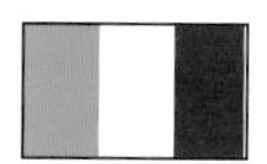

**Zuckerschaustück.** „Marilyn in Hollywood".

**Sugar showpiece.** "Marilyn in Hollywood".

**Pièce d'exposition en sucre.** «Marilyn à Hollywood».

**Tragant.** „Spanische Galleone".

**Tragant.** "Spanish galleon".

**Astragale.** «Galion espagnol».

**Salzteigarbeit.** „Wissen ist Macht".

**Salt dough showpiece.** "The wealth of knowledge".

**Travail en pâte salée.** «La richesse de la connaissance».

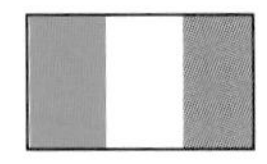

*Balasingam Delvendra Kumar*

**Zuckerfiligranarbeit.** „Traditionelle Hochzeitstorte".

**Sugar showpiece.** "Traditional wedding cake".

**Travail filigran en sucre.** «Gâteau de mariage traditionnel».

**Schaustück.** „Geheimnisvoller Wald".

**Showpiece.** "Mistery forest".

**Pièce d'exposition.** «La forêt mystérieuse».

*Orsolya Vasloczki*

**Zuckerarbeit.** „Meerjungfrau".

**Sugar showpiece.** "Meermaid".

**Pièce d'exposition en sucre.** «Sirène».

IKA SPECIAL

# Sponsoren der IKA

**Rund 40 starke Partner aus der Zulieferer- und Herstellerindustrie unterstützen den Verband der Köche Deutschlands bei der Ausstattung der IKA-Wettbewerbsküchen und -restaurants 2004**

**Adrettes Outfit: ALSCO Berufs-kleidungs-Service**

ALSCO (Köln) kleidet wie im Jahr 2000 das Servicepersonal im Restaurant der Nationen ein. Auch die Dienstkleidung von Köchen und Jurymitgliedern kommt vom weltweit größten Anbieter im Leasing von Berufskleidung. Rund 1000 Kleidungsstücke werden zur Verfügung gestellt.

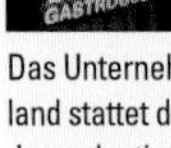

**Induktionstaugliche Töpfe & Pfannen: AMT Gastroguss**

Das Unternehmen aus dem Sauerland stattet die National- und die Jugendnationalmannschaft sowie das Regionalteam Nordwest mit induktionstauglichen Töpfen und Pfannen aus Aluminium-Handguss aus. Übrigens: Die Produkte gibt es auch im VKD-Online-Shop.

**Partner für warme Platten und Teller: Bartscher**

Das Familienunternehmen aus Salzkotten stellt Wärmeschränke aus seiner breiten Palette an Geräten und Zubehör für Großküchen. Diese sorgen in den Wettbewerbsrestaurants der Militär-Nationalteams dafür, dass alle Speisen auf vorgewärmten Tellern angerichtet werden.

**Sortiment für die Hygiene & Desinfektion: Dr. BECHER**

Das Sponsoring der Profis für Reinigungs- und Pflegeprodukte aus Seelze beinhaltet ein umfassendes Sortiment an Reinigungs- und Desinfektionsmitteln für alle Wettbewerbsküchen. Darüber hinaus versorgt das Unternehmen die Wettkampfstätten mit Hygieneplänen.

**Zum Wohl: Bitburger & Co. im Restaurantausschank**

Die deutsche Fassbiermarke Nr. 1 ist auch bei der IKA im Ausschank. Neben einer finanziellen Zuwendung sponsert die Bitburger Brauerei die Eröffnungs- und Abschlussveranstaltung. Auch Produkte der Gruppe wie Köstritzer Schwarzbier kann man in den Restaurants genießen.

**Spezialist für Präsentation und Servieren: Blanco**

Die professionelle Präsentation und die effiziente Verteilung von Speisen sind Sache von BLANCO. Zum Equipment, mit dem das Unternehmen aus dem badischen Oberderdingen alle IKA-Küchen bestückt, gehören unter anderem Präsentations- und Ausgabesysteme.

**Kompetenz für Gartechnik: BOHNER Produktions GmbH**

BOHNER aus Bad Waldsee rüstet bei der IKA die acht Wettbewerbsküchen im Restaurant der Nationen aus. Das hochmoderne Equipment: Je zwei Induktionsherde (mit je zwei Kochstellen), eine Hochleistungs-Grillplatte und ein Induktions-Wok bilden dabei eine Kocheinheit.

**Partner der Jugendnationalmannschaften: CITTI GV-Partner**

Das Großhandelsunternehmen setzt auf den Nachwuchs: Als Sponsor unterstützt CITTI den Wettbewerb der Jugendnationalmannschaften. Neben der Lieferung von Lebensmitteln gehören Betriebsmanagement, Küchenplanung und Weiterbildung zu den Geschäftsfeldern der Kieler.

**Accessoires für den perfekt gedeckten Tisch: Duni**

Wenn in den Erfurter Wettbewerbsrestaurants die Köstlichkeiten aus den Wettbewerbsküchen serviert werden, sorgt Duni mit Sitz in Bramsche dafür, dass auch das Drumherum stimmt. Das Unternehmen stellt unter anderem Tischdeckenrollen, Servietten und Kerzen.

**Bestückt den Ausgabe-Bereich: Electrolux Professional**

Der weltweit größte Hersteller von Großküchentechnik unterstützt den GV- und den Streitkräfte-Wettbewerb mit Technik seiner Marken Electrolux, Zanussi und Dito: Active-Self-Geräte für die Ausgabe, Induktionstischgeräte, Bratplatten, air-o-systems®, Kühlschränke, Mixer.

**Eiswürfelbereiter und Mikrowellen: Enodis**

Der anglo-amerikanische Konzern vereint mehr als 50 Marken unter seinem Dach. Mit Scotsman-Eiswürfelbereitern und Merrychef-Hochleistungs-Mikrowellentechnik für die Bereiche Küche, Bar und Pâtisserie ist Enodis auf der IKA in Erfurt präsent.

**Wichtigster Warenlieferant der IKA: FEGRO/SELGROS**

Viele Mannschaften haben bereits ihre Bestelllisten durchgegeben: FEGRO/SELGROS, eines der führenden Cash & Carry-Unternehmen mit 39 Standorten bundesweit und großer Niederlassung in Erfurt (GVZ), liefert den Hauptteil der Rohwaren & Lebensmittel für die Kocholympiade.

**Bindeglied zwischen VKD & Industrie: Franz Großküchentechnik**

Was wäre eine Olympiade ohne perfekte Stadien, in diesem Fall Küchen? Franz Großküchentechnik aus Donaueschingen beriet das Orga-Team des VKD bei der Konzeption der Küchen, visualisierte diese dreidimensional und fasste die Installationsvorgaben der Industrie zusammen.

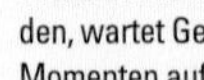

**Erfrischend: Gerolsteiner Brunnen GmbH & Co. KG**

Wenn's heiß hergeht an den Herden, wartet Gerolsteiner mit kühlen Momenten auf. Der Marktführer für Mineralwasser aus der Vulkaneifel geht erstmals bei der Olympiade der Köche an den Start. Er versorgt die Teilnehmer mit Mineralwasser und anderen Erfrischungsgetränken.

**Profis für Geschmack: Hela Gewürzwerk Hermann Laue**

Die Profis für den Geschmack aus Ahrensburg bei Hamburg statten die Gläsernen Küchen mit jeweils 15 individuell bestückten Gewürzzentren aus. Sie bestehen aus speziellen Regalsystemen mit praktischer Klemmtechnik für Dosengebinde ohne Deckel.

**Spezialist für Küchenlogistik: HUPFER® Metallwerke**

Der Förderer des Verbandes der Köche Deutschlands ist zum ersten Mal auf einer IKA im Sponsorenkreis vertreten und unterstützt die Ausstattung der Wettbewerbsrestaurants der Nationen und der Gemeinschaftsverpflegung mit Geräten im Listenwert von ca. 48 000 Euro.

**Kühltechnik für Pâtissiers: IRINOX Deutschland**

IRINOX sponsert den Wettbewerb der Pâtissiers und sorgt somit dafür, dass die Arbeiten aus Zucker und Schokolade nichts von ihren optischen und kulinarischen Reizen einbüßen. Das Unternehmen stellt Lagerschränke mit Kühl- und Klimatechnik sowie Schockfroster bereit.

**Gerätepower für die Olympioniken: Kenwood**

Kenwood bringt mit seiner Titanium Major KM005 die mit 1200 Watt leistungsstärkste Küchenmaschine der Welt in die Wettbewerbsküchen. An vier Motoranschlüssen können über 20 Zubehörteile angedockt werden, auch der Food-Prozessor A 980, der sogar perfekte Juliennes zaubert.

**Mixer, Cutter, Eismaschinen: KRONEN Küchengeräte**

Die Zusammenarbeit mit dem VKD (Online-Shop) erhält ein weiteres Standbein. So steuern die Fachleute von KRONEN aus dem badischen Willstätt-Eckartsweier erstmals Geräte zur IKA bei. 15 Mixer, Cutter und Eismaschinen stellen sie den deutschen Teams zur Verfügung.

**Kapazitäten für die Tiefkühllagerung: Langnese-Iglo**

Der Marktführer für Eis und Tiefkühlkost mit Sitz in Hamburg (Unilever Konzern) stellt für die IKA/Olympiade der Köche zwölf hochwertige Tiefkühltruhen zur Verfügung, in denen die Produkte während der Wettbewerbstage fachgerecht und sicher eingelagert werden können.

**Partner der Jugend: MKN Maschinenfabrik Kurt Neubauer**

Großküchenprofi MKN aus Wolfenbüttel stellt die thermischen Großkochgeräte sowie die Combi-Dämpfer HansDampf und HansDampf junior für die Köchejugend. Dadurch können sämtliche Juniorenteams auf qualitativ hochwertiger Premium-Kochtechnik „Made in Germany" arbeiten.

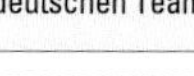

**Praktische Helfer für akkurates Wiegen: Leifheit**

Exaktes, manchmal grammgenaues Arbeiten ist Voraussetzung für das perfekte Gelingen kulinarisch anspruchsvoller Gerichte. Leifheit mit Sitz in Nassau/Lahn stellt für die Olympiade der Köche insgesamt 20 elektronische Zuwiegewaagen der Traditionsmarke Soehnle bereit.

**Kaffeegenuss in Perfektion: Melitta SystemService**

Fünf Melitta Vollautomaten (zwei Melitta c5 EF, drei Melitta cup) und Filterkaffeemaschinen M 170 bereiten in Erfurt Kaffee & Kaffeespezialitäten zu. Zum Package des Systemanbieters aus Minden gehören auch Kaffee, Zubehörprodukte und die Glas- /Porzellanserie *M Collection.*

**Hightech für die Natios und Pâtissiers: RATIONAL**

Feuertaufe für die neuen SelfCooking Center von RATIONAL bei der IKA in Erfurt: Das Unternehmen aus Landsberg am Lech rüstet alle acht Küchen im Restaurant der Nationen mit jeweils drei SCC 61 aus. Das Unternehmen stellt zudem Geräte für den Pâtisserie-Wettbewerb.

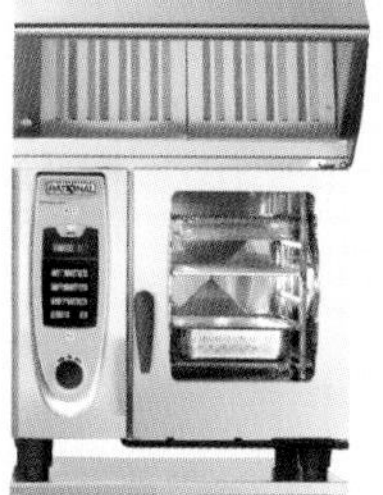

**Aber bitte mit Sahne: Mussana Sahne-Automaten**

Köche und Pâtissiers können mit bakteriologisch einwandfreier, standfester Schlagsahne aus Mussana Sahne-Automaten arbeiten. Die Hans Kratt Maschinenfabrik stellt mehr als ein halbes Dutzend der komplett aus Edelstahl gefertigten Geräte zur Verfügung.

**Oase der Ruhe und Entspannung: Nestlé FoodServices**

Auch Olympioniken brauchen Entspannung. In der Nestlé-Lounge in der Haupthalle können sie bei leichter Musik und sanfter Beleuchtung vom frühen Morgen bis zum Messeschluss Pausen bei Kaffee & Kuchen, Erfrischungsgetränken, Suppen & Snacks in Nestlé-Qualität einlegen.

**Erfrischung auf Fruchtbasis: Niehoffs Vaihinger**

Niehoffs Vaihinger, die Kompetenzmarke im nationalen Fruchtsaftmarkt, ist nicht nur Stammgast in den besten Häusern, sondern auch Sponsor der IKA/Olympiade der Köche. Unter dem Label des Regenbogen-Tukan kommen in Erfurt ausgesuchte Früchte ins Glas.

**Zur Eröffnungsfeier: REWE-Großverbraucher-Service**

Mit dem Einmarsch der Nationen wird die Köche-Olympiade traditionell eröffnet. REWE-Großverbraucher-Service (Mainz) ist Sponsor der Auftaktveranstaltung am 16. Oktober im Messezentrum Erfurt und sorgt für ein reichhaltiges Thüringer Büfett & unterhaltsame Highlights.

**Partner der Militärmannschaften: Rilling Großküchen**

Die Experten von Rilling sorgen bei der IKA dafür, dass den Aktiven der Militärwettbewerbe genügend Platz zur Verfügung steht. Das Unternehmen aus Nehren ist auf hochwertige Einrichtungen und Systeme für Gastronomie, Cafeteria & Gemeinschaftsverpflegung spezialisiert.

**Nützliche Helfer für die Wettbewerbsküchen: Rösle**

Ob Schneebesen, Schöpfkellen, Schäler oder Schüsseln: Rösle, seit vielen Jahren zuverlässiger Partner des VKD, versorgt bei der Olympiade der Köche die Wettkämpfer mit seinen Küchenwerkzeugen. Alle Produkte des Unternehmens aus Marktoberdorf sind aus Edelstahl.

**Spritziger Beitrag: Rotkäppchen-Mumm Sektkellereien**

Die Freyburger Sektkellerei lässt die Korken knallen: Deutschlands größter Sekthersteller lädt alle Teilnehmer der IKA-Eröffnungsfeier zu einem Glas Rotkäppchen trocken ein. Der prickelnde Genuss ist an zwei Ausschank-Ständen direkt im Saal zu bekommen.

**Innovationsschub von Salvis Food Service Equipment**

Die Schweizer Experten für thermische Kochapparate und Großkücheneinrichtungen stellen ihre neueste Salamander-Generation zur Verfügung, den Gastro-Innovationspreis prämierten Vitesse. Alle acht gläsernen Nationenküchen werden damit ausgerüstet.

**Hält Köstliches heiß: Scholl Apparatebau GmbH & Co. KG**

Bei der Olympiade der Köche rüstet Scholl Apparatebau aus Bad Marienberg im Westerwald die Küchen mit insgesamt 14 Wärmebrücken aus, in denen bis zu vier Teller gleichzeitig heiß gehalten werden können. Scholl betätigt sich erstmals als Sponsor des Köchereignisses.

**Partner der Pâtissiers: sweet ART International**

Robert Oppeneder trainiert nicht nur die deutsche Nationalmannschaft der Pâtissiers. Sein Unternehmen sweet ART (München) stellt dem Team darüber hinaus Gerätschaften und Material zur Verfügung; in Erfurt komplettiert es zudem die Ausrüstung der Wettbewerbsküchen.

**Behältnisse für perfekte Spülergebnisse: Transopast**

Spülkörbe und Behältnisse mit offenem Zugang zu heiklen Spülzonen sind die Expertise von Transoplast. Das Unternehmen aus Emmerich ist erstmals IKA-Sponsor und stellt, zugeschnitten auf den Bedarf der jeweiligen Wettbewerbsküchen, zahlreiche Behältnisse zur Verfügung.

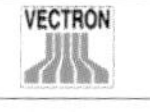

**Hard- und Software zur Abrechnung: Vectron**

Das Unternehmen aus Münster gehört zur „Top Ten" der europäischen Kassenhersteller. Bei der IKA stellt Vectron die Kassensoft- und -hardware für den Menüticketverkauf und die Abrechnung in den Restaurants der Nationen, der Jugend, der Streitkräfte und der Gemeinschaftsverpflegung.

**21 000 Einzelteile für die Tafelkultur: Villeroy & Boch:**

Villeroy & Boch stattet alle IKA-Restaurants mit Geschirr, Gläsern und Besteck aus dem Hotel & Restaurant-Sortiment aus. Alles in allem 21 000 Geschirr-, Besteck- und Glasteile für perfekte Tafelkultur: das Hotelporzellan Easy, die Besteckserie Notting Hill und die Glasserien Schumann's Bar und Wine.

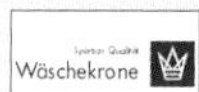

**Tischkleidung für die Plattenschau: Wäschekrone**

Laichinger Wäsche ist ein Qualitätsbegriff. Die Textil-Spezialisten von Wäschekrone tragen ihr Scherflein zum Gelingen der IKA bei. Das Traditionsunternehmen von der Schwäbischen Alb versieht die Tafeln der Plattenschauen in den Hallen 2 und 3 mit Tischkleidung in Bordeauxrot.

**Spültechnik der Profis: Winterhalter Gastronom GmbH**

Und wer macht den Abwasch? Dafür sorgt bei der IKA 2004 wieder Spülspezialist Winterhalter aus Meckenbeuren. Er sorgt in den Küchen der Restaurants der Nationen, der Jugend und der Streitkräfte für strahlende Gläser, glänzendes Geschirr und saubere Gerätschaften.

## Schlusswort

Liebe Kolleginnen und Kollegen, bereits zum dritten Mal wurde ich vom Verband der Köche Deutschland beauftragt, eine Dokumentation zur IKA zusammenzustellen.

Diese IKA war die größte Internationale-Kochkunst-Ausstellung aller Zeiten und wieder einmal ein Muss für jeden Fachmann. Auch das Interesse der Medien war mit fast 300 akkreditierten Journalisten von Presse, Rundfunk und Fernsehen so hoch wie nie zuvor.

Der Einmarsch der Nationen bot ein imposantes Bild voller Emotionen. Nach den bewegenden Worten unseres Präsidenten, die er zusammen mit seinem Bruder an die teilnehmenden Nationen richtete, wurde die Halle dunkel, und eine Laserschau mit Begleitmusik begann. Die Menschen in der Halle waren begeistert. Anschließend wurde erstmalig ein olympisches Feuer entzündet. Der Präsident bedankte sich insbesondere bei allen Sponsoren für die Unterstützung bei der Durchführung dieser größten Kochausstellung der Welt.

Die Jugendlichen des Erfurter Berufbildungswerkes, die auch an den anderen Tagen mit viel Elan und Begeisterung im Einsatz waren, servierten am Abend Gerichte und Getränke eines Buffets für die anwesenden Teilnehmer und Gäste.

Es tat gut, an diesem ersten Abend nochmals zu entspannen. An den folgenden Messetagen haben die Köche aus aller Welt unter den Augen der Juroren um die begehrten Medaillen gekämpft und gezeigt, welche neuen Ideen sie mitgebracht haben. Nicht nur Formen und Farben ihrer Arbeiten beeindruckten, sondern auch neue Darbietungsformen mit den passenden Themen. Oft fehlten nur wenige Punkte zum nächsthöheren Rang.

Bei der Auswahl der zu fotografierenden Exponate habe ich versucht, das gesamte Spektrum zu erfassen und auch diesmal eine Gesamtschau der IKA wiederzugeben. Besonders im Bereich der Kategorie A hat sich viel verändert. Wurden bei den letzten IKAs noch große "Festliche Platten" gezeigt, so wurden die Exponate jetzt auf mehrere Platten verteilt. Von den Nationalmannschaften traten manche erstmalig an. Mit viel Engagement haben diese Nationen gezeigt, dass sie bereit sind, im Wettbewerb der Besten mitzumischen. Von den Regionalmannschaften wurde im kalten Bereich die gleiche Leistung wie im Nationenwettbewerb verlangt. Auch hier zeigte sich Qualität und besonderes Engagement.

Zu dieser IKA kamen auch viele Einzelaussteller mit hohen Erwartungen, die nicht immer von der Jury erfüllt wurden. Die Militärteams, die diesmal in einem Zelt kochten, haben bei der Herstellung der Mittagsmenüs hart gearbeitet, und zahlreiche Helfer haben hierbei für einen reibungslosen Ablauf gesorgt. Im Restaurant der Großverpfleger wurde den Gästen ein "Gesundheits-Menü" serviert. Bei den Patissiers wurden Torten und warme Desserts hergestellt. Die Jugendmannschaften kochten ein Menü in der Schauküche. Vor der immer voll besetzten Schaubühne musste ein Mitglied der Mannschaft eine besondere Aufgabe erfüllen.

Die Jurygruppen benoteten ein gewaltiges Programm. Es wurden fast 1800 Medaillen-Auszeichnungen vergeben.

Um zu den Besten zu gehören, wurde viel von den Ausstellern verlangt. Aber auch in der heutigen Zeit gibt es Idealisten, die für Ihren Beruf viel Enthusiasmus aufbringen und auch in ihrer Freizeit dazu beitragen, das Selbstverständnis der Kochkunst zu fördern.

Am 20. Oktober fand der erste "International Chefs Day" statt. Der ehemalige Weltbundpräsident, Kollege Bill Gallagher, forderte alle Chefs auf, an diesem Tag etwas für die Kinder der Welt zu tun. In Zukunft sollen die Köche der Welt alljährlich an diesem Tag zu Gunsten der Kinder eine Veranstaltung organisieren.

Am letzten Tag der IKA fand die große Siegerehrung mit allen teilnehmenden Nationen statt. Hierbei wurden die besten Mannschaften in jeder Kategorie als Olympiasieger geehrt. Der Präsident des Verbandes der Köche Deutschland sprach das Schlusswort dieser IKA und wünschte allen ein gesundes Wiedersehen im Jahr 2008.

Hansjoachim Mackes

## Final Remarks

Dear colleagues,

It is the third time that I am engaged by the German Association of Cooks to arrange the documentation on the IKA.

This IKA was the greatest international culinary art exhibition ever seen and once again a must for every expert. The interest of the media with its 300 journalists was as high as never before.

The opening ceremony with the marching in of the participants was an impressing event and full of emotions. After the opening speeches of our president and his brother Ferdinand to the participating nations the hall became dark and a laser show accompanied by music started.

All the people had been emphasized. After the laser show for the first time ever a olympic fire was lit. President Reinhold Metz expressed his thanks for sponsoring and supporting this culinary event.

The youths of the Erfurt Training Center served drinks and meals from a buffet for all participants and guests.

It was a nice and relaxing evening. On the following days chefs from all over the world fought for the popular medals and showed what kind of new ideas they had brought to be judged by the international jury. Not only the colours and layouts of their works were impressive but also their new forms of presentation. Often only a few points were missing for the next higher rank.

While photographing for this edition I have tried to seize the whole of the works in order to give a general survey. Particular in category A I have seen important developments that occured since the last IKA in 2000. Now large "festive platters" were parted into several dishes. Some national teams entered for the first time. These teams have shown a great engagement and they offered evidence to be able to participate in this competition as well as the regional teams did.

Also individual exhibitors came with high expectations to this IKA. Nevertheless some expectations could not have been fullfilled by the jury. But all of these participants may try again. Again the army teams cooked in a tent. The production of the menus for lunch were provided from several team members and went off very smoothly. A "healthy menu" was served to the guests in the restaurant of community cooking. Cakes, tarts and warm desserts were produced at the Patissiers. The youth teams cooked a menu in the show kitchen. One member of the team had to accomplish a special task in front of the spectators in a well visited showroom.

The jury groups graded an enormous program. Almost 1800 medal awards were handed out. It takes a lot of knowhow to join the highest level.

Even today there are a lot of idealistic cooks and they invest a lot of enthusiasm - last not least in their leisure times - to improve the conditions of their profession.

For the first time ever a celebration of the "International Chefs Day" was held in Erfurt on October 20th. Former W.A.C.S. world president and ambassador Bill Gallagher demanded all the chefs to support and help the children of the world. Every year on October 20th the cooks of the world will organize an event in favour of the children.

On the last day of the IKA the award presentation ceremony was held with all participating nations. In every category the best teams were declared to be olympic champions. At the end of the final ceremony President Metz looked forward to meet everyone in 2008.

Hansjoachim Mackes

# Conclusion

Chers collègues,

cette année pour la troisième fois, j'ai été chargé par l'Association des cuisiniers allemands (Verband der Köche Deutschland) de donner la forme d'un livre à la documentation sur l'IKA.

Cette IKA a été la plus grande exposition d'art culinaire de tous les temps et, une fois encore, un passage obligé pour tous les professionnels de la cuisine. L'intérêt des médias lui aussi n'aura jamais été si grand avec près de 300 journalistes accrédités.

Le défilé des nations fut une image imposante riche en émotions. Après les mots touchants de notre président, adressés avec son frère aux nations participantes, les lumières se sont éteintes et un spectacle d'animation laser en musique a commencé. Tous étaient enthousiasmés. Pour finir, une flamme olympique a été allumée symboliquement pour la première fois devant la foire. Le président a remercié tous les sponsors pour le soutien qu'ils ont apporté à l'organisation de cette exposition culinaire olympique, la plus grande du monde.

Les jeunes du centre de formation professionnelle d'Erfurt, dont on a vu l'enthousiasme et la belle humeur en action les autres jours du salon, ont servi le soir repas et boissons d'un buffet aux participants et hôtes présents.

La détente a été bienvenue ce soir. En effet, les journées suivantes ont vu les cuisiniers du monde entier s'affronter sous les yeux des jurés pour les médailles et montrer les idées nouvelles qu'ils avaient apportées. Les formes et les couleurs se sont affirmées positives, à l'instar de nouvelles formes de présentation aux thèmes adaptés. Il n'a souvent manqué que quelques points pour le classement supérieur.

Pour le choix des objets exposés à photographier, j'ai essayé de saisir l'ensemble et, cette fois encore, de donner un aperçu général de cette IKA. La catégorie A notamment a connu de nombreux changements – si, lors de la dernière IKA encore, de grands "plateaux de fête" avaient été présentés, les différents éléments étaient cette fois répartis sur plusieurs plats. Les équipes nationales étaient nombreuses à participer pour la première fois, mais c'est avec beaucoup d'engagement que ces nations ont montré qu'elles étaient prêtes à se mêler aux autres. Les équipes régionales se sont vues demander les mêmes prestations de plats froids que les nations. Là aussi, qualité et engagement étaient au rendez-vous.

Beaucoup d'exposants individuels eux aussi sont venus à cette IKA avec de grandes espérances pas toujours comblées par le jury. Les équipes militaires, qui cette fois cuisinaient sous une tente, ont travaillé dur à produire les menus de déjeuner, avec le soutien de multiples aides sans lesquels tout n'aurait pas été sans anicroches. Les équipes de ravitaillement collectif ont quant à elles servi un menu sain dans leur restaurant, tandis que les pâtissiers créaient gâteaux et desserts chauds et que les équipes de jeunes élaboraient un menu dans la cuisine de démonstration, chaque membre de l'équipe ayant une tâche spécifique à accomplir devant la tribune toujours pleine.

Les groupes de jury ont eu eux aussi tout un programme de notation à accomplir: ce sont presque 1800 médailles qui ont été décernées.

Les exigences auxquelles étaient soumis les exposants étaient élevées pour faire partie des meilleurs. On a cependant constaté qu'il existait encore des idéalistes pleins d'enthousiasme pour leur métier qui en font plus pendant leur temps libre pour améliorer l´art culinaire.

Le 20 octobre a eu lieu le premier "Jour des chefs". L'ancien président mondial, notre collègue Bill Gallagher, a demandé à tous les chefs de faire tous en même temps à cette date quelque chose pour supporter les enfants du monde. À l'avenir, les cuisiniers du monde entier organiseront chaque année à cette date une manifestation au profit des enfants.

Le dernier jour de l'IKA a vu le grand hommage rendu aux vainqueurs en présence de toutes les nations participantes. Les meilleures équipes de chaque catégorie ont été sacrées championnes olympiques. Le président de notre Association des cuisiniers allemands a ensuite clôturé l'IKA et dit à tous au revoir jusqu'en 2008.

Hansjoachim Mackes

ISBN 3-87515-002-3

*Der Verband der Köche Deutschlands und der Matthaes Verlag in Stuttgart legen gemeinsam diese siebte IKA-Dokumentation vor. Die beispielhafte Zusammenarbeit aller Beteiligten ermöglichte die Entstehung dieses Werkes. Ihnen allen gebührt der Dank des Herausgebers: dem Fotografenteam mit Matthias Hoffmann, Thomas Hellmann, Leyla Toros, Hans-Jörg Meinhard und dem Assistenten Daniel Wolce, die mit professionellem Engagement und persönlicher Begeisterung ihre Aufgabe bestens gelöst haben sowie den Kollegen Wolfgang Walter, Dieter Nothnagel, Roland Paasch, Daniel Schöfisch und Benjamin Matschke für ihre Mithilfe während der IKA.*

Auswahl der Abbildungen und deren Beschreibung:
Hansjoachim Mackes, Küchenmeister, Stuttgart

Redaktion: Jürgen Bolz, Friedberg

Fotos: Hoffmann Fotodesign, Delmenhorst

Produktion CD: Redaktionsbüro Bluthard, Stuttgart

Umschlaggestaltung Buch und CD: Atelier Krohmer, Dettingen/Erms


Printed in Germany – Imprimé en Allemagne